Presented by Mr. M. S. Sommer, February 2012.

Rembrandt 1669/1969

RIJKSMUSEUM AMSTERDAM

REMBRANDT 1669/1969

tentoonstelling ter herdenking van Rembrandts sterfdag
op 4 oktober 1669

exhibition commemorating Rembrandt's death
on October 4, 1669
under the patronage of ICOM

13 september–30 november

dagelijks/*daily*	10.00–17.00
dinsdag- en vrijdagavond *Tuesday and Friday night*	19.30–22.00
zondag/*Sundays*	13.00–17.00

---

een ruime keuze uit Rembrandts etsen is tentoongesteld in het Rijksprentenkabinet
(ingang naast restaurant)

many of Rembrandt's Etchings are shown in the Printroom of the Rijksmuseum
(entrance near restaurant)

comité's   *committee's*

INZENDERS EN BEHEERDERS VAN VERZAMELINGEN   *LENDERS AND KEEPERS OF COLLECTIONS*

Her Majesty Queen Elizabeth II

DENEMARKEN

E. FISCHER
Keeper of the Printroom, Royal Museum of
Fine Arts, Copenhagen

BONDSREPUBLIEK DUITSLAND
PROF. DR. S. WAETZOLDT
Generaldirektor der Staatlichen Museen
Preussischer Kulturbesitz, Berlin

PROF. DR. R. OERTEL
Direktor der Gemäldegalerie, Staatliche
Museen Preussischer Kulturbesitz, Berlin

PROF. DR. M. WINNER
Direktor des Kupferstichkabinetts,
Staatliche Museen Preussischer Kultur-
besitz, Berlin

PROF. DR. H. MÖHLE
Direktor a.d. des Kupferstichkabinetts,
Staatliche Museen Preussischer Kultur-
besitz, Berlin

DR. W. STUBBE
Hauptkustos der Graphischen Sammlung,
Hamburger Kunsthalle, Hamburg

PROF. DR. E. HERZOG
Direktor der Staatlichen Kunstsammlungen,
Kassel

DR. F. LAHUSEN
Kustos der Staatlichen Kunstsammlungen,
Kassel

PROF. DR. B. DEGENHART
Direktor der Staatlichen Graphischen
Sammlung, München

DUITSE DEMOKRATISCHE REPUBLIEK
DR. M. BACHMANN
Generaldirektor der Staatlichen
Kunstsammlungen, Dresden

DR. H. MENZ
Direktor der Galerie Alte Meister der
Staatlichen Kunstsammlungen, Dresden

DR. A. MAYER-MEINTSCHEL
Kustos der Galerie Alte Meister der
Staatlichen Kunstsammlungen, Dresden

DR. W. SCHMIDT
Direktor des Kupferstichkabinetts,
Staatliche Kunstsammlungen, Dresden

FRANKRIJK
J. CHATELAIN
Directeur des Musées de France, Paris

M. LACLOTTE
Conservateur en Chef du Département des
Peintures, Musée du Louvre, Paris

M. SÉRULLAZ
Conservateur en Chef du Cabinet des
Dessins, Musée du Louvre, Paris

J. CAIN
Conservateur du Musée Jacquemart-André,
Paris

MLLE. A. CACAN
Conservateur du Musée du Petit Palais, Paris

COLLECTION F. LUGT
Institut Néerlandais, Paris

C. VAN HASSELT
Conservateur de la Collection F. Lugt,
Institut Néerlandais, Paris

GROOT-BRITTANNIË
HIS GRACE THE DUKE OF BUCCLEUCH,
PC, KT, GCVO
Drumlanrig Castle, Thornhill, Dumfriesshire

HIS GRACE THE DUKE OF DEVONSHIRE, PC, MC
Chatsworth, Bakewell, Derbyshire

VILLIERS DAVID
London

COUNT ANTOINE SEILERN
London

SIR ANTHONY BLUNT, KCVO, FBA, FSA
Surveyor of the Queen's Pictures, London

O. N. MILLAR, CVO
Deputy Surveyor of the Queen's Pictures,
London

M. DAVIES, CBE, FBA, FSA
Director of the National Gallery, London

EDWARD CROFT-MURRAY, CBE
Keeper of the Department of Prints and
Drawings, British Museum, London

D. K. BAXANDALL, CBE
Director of the National Gallery of Scotland,
Edinburgh

PROF. E. K. WATERHOUSE, CBE, MA
Director of the Barber Institute of Fine Arts,
Birmingham

D. T. PIPER, CBE, MA, FSA
Director of the Fitzwilliam Museum, Cambridge

M. CORMACK
Keeper of the Fitzwilliam Museum, Cambridge

K. J. GARLICK, MA
Keeper of the Department of Western Art,
Ashmolean Museum, Oxford

H. MACANDREW
Assistant Keeper of the Ashmolean Museum,
Oxford

T. S. WRAGG
Librarian and Keeper of the Devonshire
Collections, Chatsworth

HONGARIJE
DR. K. GARAS
Directeur du Musée des Beaux-Arts, Budapest

DR. I. FENYÖ
Directeur du Cabinet des Estampes du
Musée des Beaux-Arts, Budapest

IERLAND
J. WHITE
Director of the National Gallery of Ireland,
Dublin

TENTOONSTELLINGSCOMITÉ EN WERKGROEP   *EXHIBITION COMMITTEE AND WORKING-GROUP*

MR. R. HOTKE
Hoofd van de Directie Oudheidkunde en
Natuurbescherming van het Ministerie van
Cultuur, Recreatie en Maatschappelijk Werk

MR. DR. F. J. DUPARC
Raadadviseur voor Culturele Zaken van het
Ministerie van Cultuur, Recreatie en
Maatschappelijk Werk

P. J. YPERLAAN
Hoofd van de Afdeling Oudheidkunde van
het Ministerie van Cultuur, Recreatie en
Maatschappelijk Werk

A. TH. WESTENDORP
Hoofd van de Centrale Afdeling Voorlichting, Documentatie en Bibliotheek van
het Ministerie van Cultuur, Recreatie en
Maatschappelijk Werk

G. STERK
Centrale Afdeling Voorlichting,
Documentatie en Bibliotheek van het
Ministerie van Cultuur, Recreatie en
Maatschappelijk Werk

DR. A. F. E. VAN SCHENDEL
Hoofddirecteur van het Rijksmuseum

DRS. K. G. BOON
Directeur van het Rijksprentenkabinet

DR. P. J. J. VAN THIEL
Hoofd Afdeling Schilderijen

T. KOOT
Algemeen Secretaris

MR. C. J. DE BRUYN KOPS
Afdeling Schilderijen

MEJ. J. L. CLEVERINGA
Afdeling Schilderijen

MEJ. DRA. A. A. E. VELS HEIJN
Afdeling Schilderijen

DRS. J. W. NIEMEIJER
Rijksprentenkabinet

MEJ. L. C. J. FRERICHS
Rijksprentenkabinet

DRS. P. SCHATBORN
Rijksprentenkabinet

MEJ. B. STOKHUYZEN
Hoofd Fotodienst

G. J. VAN DER HOEK
Hoofd Educatieve Dienst

J. A. BORSBOOM
Hoofd Financiële Zaken

G. H. H. SCHRÖDER
Intendant

MEJ. J. GRIEBLING
MEJ. M. SIESWERDA
Directie-Secretaressen

MEVR. A. A. F. HERTWIG-VAN RAAM
MEVR. T. DIJK-GILHUIS
MEVR. L. K. JANSMA-VAN DER HOEK
MEJ. M. VAN ANHOLT
Secretariaat

TECHNISCHE WERKGROEP
TECHNICAL WORKING-GROUP

H. H. MERTENS
hoofdrestaurator schilderijen

MEJ. CH. E. M. WOLFF
restauratrice tekeningen en prenten

J. VAN ZWOL
chef-fotograaf

J. J. SLIGCHERS
hoofd expeditiedienst

DICK ELFFERS
ontwerper van de tentoonstelling

6

VOORWOORD

Er is veel te doen rondom Rembrandt, de laatste tijd. De kranten berichten over beeldenstormen in zijn œuvre en over een nieuwe, nuchtere waardering van zijn persoonlijk leven. Hij heeft niet zoveel geschilderd als wij wel dachten, hij was niet zo arm, niet zo miskend en niet zo netjes tegenover zijn huishoudster. En met en door dat al behoort hij vandaag tot de grote aktualiteit. Want welke andere historische figuur, kunstenaar of niet, krijgt nog zulke koppen in de bladen of ontketent zulke controversen als hij? Hij is in de openbaarheid, als middelpunt van discussie. als mikpunt van kritisch onderzoek. Uit al die drukte rondom hem blijkt hoe zeer hij in de wereld een aanwezig begrip is en hoe opmerkelijk veel hij nog altijd betekent voor de mens van heden.

Toen het jaar 1969 in zicht kwam, het driehonderdste na Rembrandt's sterfjaar, rees de vraag of dit een aanleiding tot een herdenking moest zijn en zo ja, in welke vorm. Er heerst een zekere herdenkingsmoeheid en het herdenkingsjaar 1956 met de grote Rembrandt-tentoonstelling was nog niet vergeten. Er werd niet zonder aarzeling over plannen en mogelijkheden beraadslaagd. Maar het bleek wel dat er in ruime kring een duidelijke wens bestond naar een nieuwe Rembrandt-tentoonstelling, juist omdat de vorige niet was vergeten. En de conclusie van de plannenmakers was dat er dan zeker geen aktueler hulde aan de kunstenaar kon zijn dan het laten zien van zijn beste werk.

Een tentoonstelling dus, maar natuurlijk geen herhaling van 1956. Wat dan wel, wat was er in 1969 nog mogelijk, na de voorafgaande exposities in Amsterdam in 1932, 1935 en 1956, welke Rembrandt zou men heden willen zien en welke zouden wij kunnen tonen?

Uit deze vragen groeide in het Rijksmuseum het plan voor een tentoonstelling met duidelijke grenzen: een kern van vijftien tot twintig van Rembrandt's belangrijkste schilderijen, omringd door honderdtwintig van zijn prachtigste tekeningen; voor zover nog mogelijk stukken die voor onze generaties nooit eerder of zelden in Nederland te zien waren geweest; bovendien een selectie uit het etswerk uit eigen bezit. Ditmaal dus geen chronologisch overzicht van het œuvre, maar een keuze die uitsluitend gebaseerd zou zijn op hoge kwaliteit.

Dit leek een voor onze tijd hoogmoedige opzet want het betekende aan verzamelaars en musea, meest in het buitenland, hun kostbaarste schatten in bruikleen vragen. Met hun antwoord zou het plan vallen of staan, want de keuze van topwerken van Rembrandt waarvan het bruikleen niet bij voorbaat is uitgesloten is zó beperkt dat er eigenlijk geen sprake is van alternatieven. Het begin was moeilijk, maar toen volgden gunstige reacties. De organisatoren, die zich bewust waren van het bijzondere gewicht van hun aanvragen, zijn daarom vervuld van de diepste dankbaarheid dat tenslotte aan zoveel wensen van hun ambitieuze verlanglijst werd tegemoet gekomen. Er waren begrijpelijke weerstanden en bezwaren maar het was verrassend dat er zoveel overwonnen werden, dankzij de uitdrukkelijke welgezindheid van de eigenaren jegens het Nederlandse volk en jegens het Rijksmuseum.

Het is aan hen, de bruikleengevers, dat hier in de eerste plaats dank past. Zij hebben recht op de volle erkentelijkheid van al diegenen die in de loop van de komende maanden de tentoonstelling gaan bezoeken. Het is een groot voorrecht dat H.M. Koningin Elizabeth II er in heeft willen toestemmen haar prachtig Portret van de Scheepsbouwmeester uit te lenen. Unieke luister krijgt de tentoonstelling door de aanwezigheid van het Eedverbond der Batavieren, de Claudius Civilis, het pronkstuk van het Nationaalmuseum te Stockholm, waar het als eigendom van de Koninklijke Akademie van Schone Kunsten hangt. Aan de leden van de Akademie en aan hun voorzitter prof. Paul Hedqvist zijn wij in hoge mate verplicht door hun gebaar om bij grote uitzondering dit indrukwekkende fragment van Rembrandt's schildering voor het Amsterdamse Stadhuis tijdelijk aan het Rijksmuseum toe te vertrouwen. Niet minder schitterend is het dat Kassel zijn grootse Zegening van Jacob zond. Dat de minister-president van het Land Hessen, dr. Georg-August Zinn, hiertoe zijn toestemming gaf stemt ons tot grote dankbaarheid. Het is wel iets zeer bijzonders dat naast deze meesterwerken nu in het Rijksmuseum ook te bewonderen zijn de Bathseba uit het Louvre, de Aristoteles uit het Metropolitan Museum, Abraham's Offer uit de Ermitage in Leningrad, de Badende Vrouw uit de Londense National Gallery, de Vrouw in bed uit Edinburgh, het Grote Zelfportret uit Wenen, Simson's Bruiloft uit Dresden, de Pallas Athena van Gulbenkian. Jozef en Potifar's vrouw uit Berlijn. In dit illustere gezelschap passen volkomen de Lezende Vrouw van de Duke of Buccleuch, de Oude Man uit Chatsworth, de Rust op de Vlucht naar Egypte uit Dublin, de dr. Tholinx uit Parijs, het Jongensportret van Norton Simon, het Echtpaar Elison uit Boston, de Eendracht van het land uit Boymans en het Laatste Zelfportret uit het Mauritshuis.

Het zijn ware hoogtepunten, sommige majestueus, andere intiem, uit het geschilderde œuvre van Rembrandt. En wat de tekeningen betreft, het is moeilijk zich een rijker ensemble voor te stellen, nu naast de grote bruikleengevers uit Berlijn, Chatsworth, Dresden, Haarlem, Oxford, Parijs, Rotterdam en Stockholm voor het eerst ook het British Museum uit Londen meedoet. Een bijzonder woord van dank aan de Keeper of the Department of Prints and Drawings, Edward Croft Murray, is hier op zijn plaats. Ook moet de gulle medewerking van de Hertog van Devonshire vermeld worden, die zijn Rembrandt-bezit over twee tentoonstellingen moest verdelen.

Een tentoonstelling als deze kon niet tot stand komen zonder de aanzienlijke inspanning en de toewijding van zeer velen. Voor een groot deel van het werk zijn verantwoordelijk de leden van het werkcomité, wier namen hierachter staan afgedrukt. Afzonderlijk mogen genoemd worden drs. K. G. Boon, die zorgde voor het bijeenbrengen van de tekeningen, en dr. P. J. J. van Thiel, die de eindredacteur was van de catalogus.

Dank moet worden gebracht aan de Nederlandse diplomatieke vertegenwoordigers in het buitenland.

Met deze tentoonstelling worden de nieuwe zalen voor tijdelijke exposities in het Rijksmuseum ingewijd. Zij bevinden zich op de eerste verdieping, midden tussen de zalen van de schilderijenafdeling. Door deze ligging is het voor de Rembrandt-tentoonstelling bij uitzondering mogelijk om de bezoekers aan het eind van hun rondgang te leiden door de laatste zalen van de eigen verzameling, zodat zij een blik kunnen slaan op de Nachtwacht vóór zij het museum verlaten. Voor het Rijksmuseum is het een glanspunt in zijn bestaan dat het, voor korte tijd in het herdenkingsjaar, zijn bezoekers een zó bijzonder uitzicht op Rembrandt kan aanbieden.

A. van Schendel

PREFACE

There is a lot of activity around and about Rembrandt these days. Newspapers talk of iconoclastic attitudes towards his work and of a new, sober appreciation of his personal life. He did not paint quite as much as we had thought, he was neither quite so poor nor so misunderstood; he did not behave all that well towards his housekeeper. And with all this and because of it, he has become one of the topics of the hour. For which other historical figure, artist or no, gets such headlines in the papers or unleashes such controversy as he does? He is in the public eye, the focus of discussion, the object of critical investigation. All the excitement around him goes to show how much of a presence he still is in the world and how much he still means to us today.

When the three hundredth anniversary of the year of Rembrandt's death, 1969, was within sight, the question was raised whether this should be an occasion for a commemoration and if so, which form it should take. There is a certain weariness of commemorations, and the commemorative year of 1956 with the big Rembrandt exhibition was still in people's minds. Not without hesitation plans and possibilities were considered. It emerged, however, that in a wide circle there was a clear wish for a new Rembrandt exhibition, precisely because the previous one had not been forgotten. The planners came to the conclusion that to show his best work would surely be the most topical tribute to the artist. An exhibition then, but of course not a repetition of 1956. But what could be done in 1969 after the previous exhibitions in Amsterdam of 1932, 1935 and 1956; which Rembrandt would people want to see today and which would we be able to show?

Out of these questions grew the Rijksmuseum's plan for an exhibition with clearly defined limits: a nucleus of fifteen to twenty of Rembrandt's most important paintings, surrounded by about one hundred and twenty of his most magnificent drawings; as far as is still possible, items which our generations have never or seldom seen in the Netherlands; further a selection of etchings from the Printroom's own collection. Not a chronological survey of his work this time, but a selection based solely on high quality.

This seemed to be an ambitious project in our day and age, for it meant asking collectors and museums, most of them abroad, for the loan of their most precious treasures. The plan would stand or fall on their answers, for the choice of principal works by Rembrandt which are not in advance excluded from going on loan, is so limited that there is no question of alternatives. At the beginning it seemed difficult, but favourable reactions followed. The organisers who are aware of the special weight of their requests are, therefore, extremely grateful that in the end so many requests on their ambitious list were fulfilled. Understandably enough there was opposition and there were objections, but it was surprising that so many were overcome because the owners were positively well-disposed towards the Dutch people and towards the Rijksmuseum.

It is to the lenders that we wish to express our gratitude in the first place. They deserve the deep appreciation of all those who are going to visit the exhibition during the coming months. It is a great privilege that H.M. Queen Elizabeth II has kindly agreed to lend her magnificent Portrait of a Shipbuilder. The presence of the Conspiracy of Claudius Civilis, the showpiece of the Nationalmuseum in Stockholm and the property of the Royal Academy of the Fine Arts, adds unique lustre to the exhibition. We are greatly indebted to the members of the Academy and to their president, Professor Paul Hedqvist, for their gesture, by way of great exception, of temporarily entrusting to the Rijksmuseum this imposing fragment of Rembrandt's painting for the Amsterdam Town Hall. It is no less marvellous that Kassel has sent its splendid Jacob's Blessing. We are very grateful that the prime minister of Hesse, Dr. Georg-August Zinn, has given his consent. It is indeed something very special that, next to these masterpieces, we can now admire in the

Rijksmuseum the Bathsheba, from the Louvre; the Aristotle, from the Metropolitan Museum; Abraham's Sacrifice, from The Ermitage; the Woman Bathing, from the London National Gallery; the Woman in bed, from Edinburgh; the Great Self-portrait, from Vienna; Samson's Wedding feast, from Dresden; the Gulbenkian Pallas Athene, and Joseph and Potiphar's wife, from Berlin. The following fit perfectly into this illustrious company: the Woman Reading, of the Duke of Buccleuch; the Old Man, from Chatsworth; the Rest on the Flight into Egypt, from Dublin; the Dr. Tholinx, from Paris; the Portrait of a boy, owned by the Norton Simon Foundation; Mr. and Mrs. Elison, from Boston; the Concord of the State, from Museum Boymans, and the Last Self-portrait, from the Mauritshuis.

These are indeed peaks among Rembrandt's paintings, some majestic, others intimate. And as far as the drawings are concerned, it is difficult to imagine a richer ensemble now that next to the big lenders from Berlin, Chatsworth, Dresden, Haarlem, Oxford, Paris, Rotterdam and Stockholm, the British Museum is taking part for the first time. A special word of thanks is due here to the Keeper of the Department of Prints and Drawings, Edward Croft Murray. The kind co-operation of the Duke of Devonshire should be mentioned here for he had to divide his Rembrandts between two exhibitions.

An exhibition such as this could not be realised without considerable effort and devotion on the part of many. The members of the working committee, whose names are printed below, have been responsible for a large part of the work. Special mention should be made of Dr. K. G. Boon, who was in charge of bringing together the drawings, and of Dr. P. J. J. van Thiel, the editor of the catalogue.

We are much indebted to the Netherlands diplomatic representatives abroad for their help.

With this exhibition the new rooms for temporary exhibitions in the Rijksmuseum are being inaugurated. They are situated on the first floor, surrounded by the rooms which house the permanent collection of paintings. This layout enables visitors to the Rembrandt exhibition to see at the end of their visit, by way of exception, the last rooms of our own collection of paintings so that they may look at the Nightwatch before leaving the museum.

It is a highlight in the existence of the Rijksmuseum to be able, for a short period in this year of commemoration, to offer its visitors such a very special view of Rembrandt.

A. van Schendel

NEDERLAND EN REMBRANDT 1669/1969

Op 4 oktober 1669 stierf Rembrandt – 63 jaar oud – in zijn huis op de Rozengracht in Amsterdam. Vier dagen later werd hij begraven in de Westerkerk. De data zijn bekend, maar wie er achter zijn baar gelopen hebben, weten we niet. Het zal geen grote rouwstoet zijn geweest die daar langs de gracht ging, want Rembrandt stierf niet geëerd als het onsterfelijke genie, dat men later in hem heeft leren zien; – maar hij stierf ook niet miskend en vergeten zoals de legende wil. Er leefden in Rembrandts sterfjaar nog Amsterdammers genoeg, die zich door hem hadden laten portretteren, die zijn etsen en tekeningen hadden gekocht, die hem persoonlijk hadden gekend. En vooral onder de schilders was er beslist niemand, jong of oud, die zijn werk niet kende, laat staan zijn naam. Weliswaar was slechts een enkeling van zijn leerlingen, zoals Aert de Gelder, trouw blijven voortwerken in Rembrandts manier. De meesten van hen, die eens bezeten geweest waren van zijn kunst, hebben op een bepaald moment van hun leven een andere richting gekozen. Een typisch voorbeeld is Gerard de Lairesse, die in 1707 in zijn *Groot Schilderboek* constateerde, dat er mensen waren, die Rembrandt beschouwden als de grootste schilder van zijn tijd en als het lichtend voorbeeld bij uitstek voor de schildersjeugd. 'Maar', voegde hij daaraan toe, 'dezen gelieven te weeten, dat ik met hen in myne gevoelens hier omtrent zeer verschillende ben; hoewel ik niet wil ontkennen, dat ik voor dezen een byzondere neiginge tot zyne manier gehad heb [in 1665 had hij zich door Rembrandt laten portretteren; Bredius-Gerson 321]; maar ik had zo haast niet begonnen te bezeffen de onfeilbaare regelen dezer Konst, of ik vond my genoodzaakt myne dwaalinge te herroepen, en de zyne te verwerpen; ...' De Lairesse was evenmin als wie dan ook Rembrandt vergeten en miskend heeft hij hem nooit. Hij was volledig overtuigd van Rembrandts superioriteit, maar hij vond, dat de meester zijn uitzonderlijke gaven niet op de juiste manier had gebruikt. Voor hem was Rembrandt het toonbeeld van de *peintre manqué*, de begenadigde kunstenaar, die zijn talenten had verkwist door zich niet gebonden te achten aan de regels van de kunst, die de klassicisten hadden opgesteld. En zo moeten ook Rembrandts vroegere leerlingen zoals Lievens, Dou, Bol, Maes en vele anderen die nog leefden toen hij stierf, bij zijn dood over hem gedacht hebben. Misschien heeft de letterkundige Andries Pels, een vriend van De Lairesse, de algemene opinie wat scherp geformuleerd in zijn *Gebruik en misbruik des tooneels* van 1681, maar met de teneur van zijn woorden waren velen het ongetwijfeld eens. Hij achtte het zijn plicht een waarschuwend woord te richten tot jonge kunstenaars om vooral niet het voorbeeld te volgen van:

> De groote Rembrand, die 't by Titiaan, van Dyk,
> Noch Michiel Angelo, noch Rafel zag te haalen,
> En daarom liever koos doorluchtiglyk te dwaalen,
> Om de eerste ketter in de Schilderkunst te zyn,
> Dan... zyn vermaard penseel den réglen te onderwerpen.
> Wat is't een schande voor de kunst, dat zich zo braaf
> Een' hand niet beter van haare ingestorte gaaf
> Gediend heeft! Wie had hem voorby gestreefd in 't schild'ren!
> Maar och! hoe ed'ler geest, hoe meer zy zal verwild'ren,
> Zo zy zich aan geen grond, en snoer van regels bindt,
> Maar alles uit zich zelf te weeten onderwindt!

Het beeld van Rembrandt de vrijbuiter, de man die zichzelf tot zijn schade en schande buiten de wetten van de kunst had gesteld, heeft zich in de kunsttheoretische literatuur gehandhaafd tot diep in de negentiende eeuw. Maar wat de geleerden ook mochten schrijven, liefhebbers van Rembrandts werk zijn er altijd geweest. De vraag naar zijn schilderijen is altijd wel zo groot geweest, dat het zelfs loonde om vervalsingen ervan aan de markt te brengen. Geen schilderijen-verzameling was dan ook compleet zolang een Rembrandt er nog in ontbrak. En wat zijn etswerk betreft waren er bewonderaars, die bereid waren ongekend hoge prijzen te betalen. Nog steeds staat de ets met Christus, die zich tot de kinderen, de armen en de zieken wendt, bekend als de Honderdguldenprent, omdat een enthousiaste verzamelaar in het begin van de achttiende eeuw, toen honderd gulden nog een kapitaaltje was, er die som voor neertelde.

Ook op de buitenlandse markt heeft Rembrandt trouwens altijd hoog genoteerd gestaan, hoger zelfs dan in het land van Rembrandt zelf. Het gevolg daarvan is geweest, dat zijn werk in de loop van de achttiende en een groot deel van de negentiende eeuw is verdwenen naar elders, naar de Duitse vorstenhoven vooral, naar Engeland en naar Rusland. In een tijd, waarin ons begrip cultuurbehoud nog niet bestond, kon die kunsthandel, die zich overigens volstrekt niet beperkte tot Rembrandts werk alleen, ongehinderd voortgaan tot het bittere einde. En een totale uitverkoop is het dan ook wél geweest.

Bij zijn dood, driehonderd jaar geleden, moeten bijna al Rembrandts schilderijen nog in ons land te vinden geweest zijn. Honderd jaar geleden, in 1869, waren er daarvan nog maar 9 over. Tenminste, als men alleen die schilderijen rekent, die zich in rijks- of gemeentebezit bevonden. Enkele particulieren bezaten nog wel wat familieportretten, maar op een paar uitzonderingen na zijn ook die inmiddels naar elders verdwenen. Een schamel restant als men alleen op het aantal let, maar het weinige dat buiten bereik van de handelaars was gebleven, was niet het geringste. De Nachtwacht en de Staalmeesters behoren ertoe. Ze stammen uit het gildebezit van de stad Amsterdam en bevinden zich nu als bruiklenen in het Rijksmuseum. De Anatomische Les van Prof. Tulp – twee eeuwen lang het pronkstuk van het Amsterdamse Chirurgijnsgilde – is de dans ternauwernood ontsprongen. In 1828 dreigde het schilderij geveild te zullen worden, maar door tussenkomst van koning Willem I bleef het voor ons land behouden. Het werd geplaatst in het Mauritshuis, waar zich ook de vier Rembrandts uit het bezit van prins Willem V bevonden. Het was de eerste keer, dat de staat een werk van Rembrandt aankocht, en voor wat de negentiende eeuw betreft de laatste keer tevens. In 1854 werd het Rembrandtbezit weer met één schilderij vermeerderd, maar dat was dan ook de Joodse Bruid. Dit meesterwerk werd door Adriaan van der Hoop gelegateerd aan de stad Amsterdam, die het later in bruikleen gaf aan het Rijksmuseum. In 1865, tenslotte, kocht het Rotterdamse Boymans-museum, dat door brand geteisterd was, ter aanvulling van de verzameling een aantal schilderijen aan, waaronder één Rembrandt: de Eendracht van het Land. Boymans, die zijn verzameling in 1847 aan de stad Rotterdam had gelegateerd, en Van der Hoop, die zeven jaar later in Amsterdam dat voorbeeld had nagevolgd, waren beiden late vertegenwoordigers van het verzamelaarstype, dat zo kenmerkend is voor het culturele leven van de achttiende eeuw. Maar in die tijd dacht niemand er nog aan — een enkeling, zoals Pieter Teyler van der Hulst, die het voortbestaan van zijn verzamelingen in 1778 in Haarlem had verzekerd, daargelaten — om zijn met liefde vergaarde bezit een duurzame bestemming te geven. Er was ook nog geen openbaar kunstbezit, waarin particuliere verzamelingen een vast tehuis konden vinden ten bate van de gemeenschap. Pas na de Revolutie werden in ons land naar Frans voorbeeld de eerste musea gesticht. Het waren Lodewijk Napoleon, koning van Holland, en later koning Willem I die in het eerste kwart van de negentiende eeuw het restant van ons nationale kunstbezit geïnventariseerd en gehuisvest hebben. In die periode is er ook veel gedaan ter vermeerdering van dat bezit. Maar na de débâcle van de afscheiding van België in 1830 was er al spoedig voor kunstaankopen geen geld meer beschikbaar. En in een museum zonder geld is het de dood in de pot. Het jonge, energieke museumwezen kwijnde zienderogen weg en het zou bijna een halve eeuw duren eer het weer op de been kwam. En juist in die tijd van museale apathie kwam Rembrandt bij het Nederlandse volk in het middelpunt van de belangstelling te staan.

Na 1830 zochten de gefrustreerde Nederlanders hun zelfrespect te hervinden in een versterkt besef van hun historische identiteit. De nationale trots werd tot deugd verheven. In dat kader werd ook Rembrandt, de eerste ketter in de schilderkunst, van alle blaam gezuiverd en ingelijfd bij onze nationale helden. Michiel de Ruyter en Willem de Zwijger waren de eersten die hun standbeeld kregen. Toen er in 1840 in Antwerpen een monument voor Rubens werd opgericht, was het een prestigekwestie, dat er in Amsterdam een beeld moest komen van Rembrandt, de vorst van *onze* schilders. Het ontwerp was spoedig gereed, maar het moest tot 1852 duren eer de gietijzeren Rembrandt op zijn hoge sokkel kon worden onthuld op de Botermarkt, het huidige Rembrandtsplein. In de ogen van onze voorvaderen was er voldaan aan een ereschuld jegens één van Neêrlands grootste zonen. Maar in 1841, dus juist toen het plan geboren was om voor Rembrandt een standbeeld op te richten, werd de Anatomische Les van Dr. Deyman in Amsterdam publiek geveild. En niemand, die nu – zoals koning Willem I in 1828 – in het geweer kwam om dat te voorkomen. En de feestredenaars van 1852 noemden hun held zonder blikken of blozen Paul Rembrandt van Rijn, want zelfs zijn juiste voornaam kenden zij niet meer. En wat kenden zij van zijn werk, behalve die paar schilderijen, die ontsnapt waren aan de altijd klinkende hamerslag van onze voortvarende vaderlandse veilingmeesters?

Ondanks, of beter gezegd misschien, dankzij de onverschillige houding van de overheid ten aanzien van het verkwanselen en verwaarlozen van ons kunstbezit, keerde het getij. Het particuliere initiatief, het drijfwerk van onze negentiende-eeuwse maatschappij, kwam in beweging. Er werden verenigingen opgericht 'ter beoefening van Geschiedenis en Kunst, zoo door onderling onderzoek, als door het bijeenbrengen van een museum', zoals de doelstelling luidde van het Koninklijk Oudheidkundig Genootschap, dat van 1858 dateert. Maar er zou een schoktherapie voor nodig zijn om ook de regering te bewegen tot een beleid van daadwerkelijk cultuurbehoud. In 1873 publiceerde Victor de Stuers zijn befaamde Gids-artikel 'Holland op zijn smalst', waarin hij de lakonieke, ja zelfs afwijzende houding van de overheid (kunst was geen regeringszaak, meende Thorbecke) fel becritiseerde. Hij wist, dat hij had op te tornen tegen een mentaliteit, die alleen reageerde op het stijgen of dalen van de koersen: 'Menigeen zal reeds een glimlach op de lippen komen, wanneer hij Koloniën en Kunst – Javakoffie en Rembrandt's Nachtwacht – in de rij der belangen op één lijn hoort stellen.' Maar menigeen bestierf die glimlach op het gezicht na lezing van De Stuers' geschrift, waarin hij zonder heilige huisjes te sparen opening van zaken gaf over de deplorabele staat van onze nationale kunstboedel. In 1875 werd hij benoemd tot Referendaris van de afdeling Kunsten en Wetenschappen bij het Ministerie van Binnenlandse Zaken en van dat moment af werden er eindelijk op museaal gebied weer initiatieven genomen en werden er reorganisaties doorgevoerd. Een slepende kwestie, de bouw van een nationaal museum, werd doorgezet en tot een glansrijk einde gebracht. Zo verrees als eerste tastbaar bewijs van de nieuwe, moderne cultuurpolitiek het Rijksmuseum, dat in 1885 werd ingewijd en dat – want ook nu het culturele gezichtsveld zich naar alle zijden had verruimd bleef Rembrandt de spil – letterlijk rond de Nachtwacht was geconcipieerd. Kort voor de opening van het museum was in 1884 Busken Huets klassiek geworden boek *Het Land van Rembrandt* verschenen, waarvan terecht gezegd is, dat de schrijver ons volk met dit boek een authentiek en zinvol verleden heeft geschonken, maar waarin Rembrandt zelf overigens nog nauwelijks uit de verf komt. En hoe kon het ook anders. Want de negentiende eeuw had Rembrandt metterdaad op een voetstuk geplaatst en zijn naam in ere hersteld, maar aan een objectiverende, historische waardering van de schilder en zijn werk was men nog nauwelijks toegekomen. De hardnekkige anecdotes, die Arnold Houbraken, Rembrandts eerste biograaf, in 1718 in omloop had gebracht, hadden een taai leven. In de achttiende eeuw hadden de verhalen over zijn lage afkomst, zijn eigengereidheid en gierigheid, zijn ongeregeld vakmanschap en zijn minachting voor de regels van de kunst hem de reputatie bezorgd de *bête noire* van de schilderkunst te zijn. De negentiende eeuwers hadden hun nationale kunstheld van alle blaam gezuiverd door diezelfde onhistorische verhalen uit te leggen als evenzoveel bewijzen van zijn ongebreideld genie. Maar aan een wezenlijk nieuwe benadering van het fenomeen Rembrandt was men nog niet toe gekomen.

De nog maar pas in ons land op gang gekomen kunsthistorische wetenschap – de eerste jaargang van het vaktijdschrift *Oud-Holland* dateert van 1883 – legde de basis voor het moderne Rembrandtonderzoek. Tussen 1897 en 1906 verscheen de eerste kritische catalogus van Rembrandts oeuvre in zes monumentale folio-delen. Het standaardwerk was samengesteld door Cornelis Hofstede de Groot in samenwerking met de Duitse kunsthistoricus Wilhelm von Bode. In datzelfde jaar 1906, het herdenkingsjaar van Rembrandts geboorte drie eeuwen eerder, verscheen een tweede standaardwerk, *Die Urkunden über Rembrandt*, waarin Hofstede de Groot alle toen bekende archivalia over Rembrandts leven had bijeen gebracht. Na zoveel eeuwen van Rembrandtmythologisering leek eindelijk de werkelijkheid aan bod te zullen komen. In diezelfde tijd werd er op museaal gebied energiek en met succes gewerkt om het schriele getal Rembrandts op peil te brengen. Vóór 1830 was er ook wel iets aan gedaan, maar zonder veel resultaat. In 1801, dus nog voor de officiële opening van het Amsterdamse museum (1808) had men de Onthoofding van Johannes de Doper gekocht, maar een halve eeuw later kwam men tot de ontdekking, dat dit schilderij niet door Rembrandt was gemaakt, maar door één van diens beste leerlingen. In 1809 was men evenmin gelukkig met de aankoop van het portret van de ontvanger Johan Utenbogaert(?), dat later ook leerlingenwerk bleek te zijn. In 1828 redde koning Willem I de Anatomische Les van Tulp, die hij aan het Haagse museum toewees. Daarna was het voorlopig met aankopen, zelfs met goedbedoelde aankopen, gedaan. In 1831 raadde de toenmalige directeur van het Amsterdamse museum, teleurgesteld door recente negatieve ervaringen telkens wanneer hij een beroep deed op 's lands schatkist, slechts aarzelend de aankoop aan van het schitterende portret van Nicolaes Ruts (nu in de Frick-verzameling te New York). De koning liet het toen kopen voor zijn particuliere verzameling; na zijn dood kwam het in bezit van koning Willem II en bij de veiling van de verzameling van deze vorst in 1850 ging het met nog zes andere Rembrandts voorgoed voor ons land verloren. De situatie veranderde pas in 1882 toen de stad Amsterdam met financiële steun van particulieren en op instigatie van professor Jan Six de Anatomische Les van Dr. Deyman aankocht. Het schilderij was in Engeland aan de markt gekomen en nu de bakens waren verzet, liet men zich de gelegenheid niet ontgaan om het verzuim van 1841 te herstellen.

De meeste activiteit werd aanvankelijk in Den Haag ontwikkeld, waar Abraham Bredius tijdens zijn directoraat van het Mauritshuis (1889–1909) geen gelegenheid ongebruikt liet om Rembrandts aan te kopen. Hij kocht ze zelf en gaf ze in bruikleen aan het museum. In die twintig jaren wist hij de hand te leggen op tien schilderijen, die weliswaar niet allemaal de toets der latere kritiek hebben doorstaan, maar waartoe toch het portret van Rembrandts vader, het zgn. portret van Rembrandts broer Adriaen, de Andromeda, de Twee Negers en de Homerus behoorden. Bij zijn dood in 1946 heeft Bredius al deze kunstwerken aan het museum gelegateerd. Afgezien van het Bredius-legaat heeft het Haagse museum er sinds 1909 nog één Rembrandt bij gekregen: het prachtige late zelfportret, dat in 1947 werd aangekocht.

Na de aankoop van 1882 werd ook in Amsterdam het Rembrandtbezit verder aangevuld. Het landschap met de stenen brug werd in 1900 gekocht en daarna volgden — om alleen de belangrijkste aanwinsten te noemen — in 1928 het portret van Rembrandts moeder, in 1933 de Verloochening van Petrus, in datzelfde jaar Titus met de monnikskap, in 1939 Jeremia treurend over de ondergang van Jeruzalem, in 1946 Jozef zijn dromen vertellend, in 1948 het portret van Dr. Ephraïm Bueno en het Stilleven met dode pauwen, in 1961 het zelfportret als de apostel Paulus en in 1965 als jongste aanwinst de Heilige Familie bij avond.

In Rotterdam werd de verzameling in 1937 uitgebreid met de Man met de rode muts en in 1940 met het portret van Titus aan zijn lessenaar.

Eén werk van Rembrandt dient nog speciaal genoemd te worden: het prachtige portret van Jan Six, dat altijd in de familie is gebleven en dat tot het vaste Rembrandtbezit gerekend mag worden sinds het voornaamste deel van de Six-verzameling in 1922 wettelijk als familiestichting werd erkend en als Verzameling der Six-Stichting werd ondergebracht in de Collectie Six.

Nederland kan zich thans verheugen in het bezit van ongeveer 45 schilderijen van Rembrandt. Vergeleken bij de situatie, zoals die honderd jaar geleden was, zijn er nu dus vijf maal zoveel Rembrandts in onze musea te zien als toen. Dit resultaat zou nimmer bereikt zijn zonder de financiële steun van de Vereniging Rembrandt, waarvan de activiteiten zich, anders dan de naam zou doen verwachten, bepaald niet beperken tot de aankoop van Rembrandts werken alleen. Deze vereniging, die — tegenwoordig in nauwe samenwerking met het Prins Bernhard Fonds — naar vermogen uitkomst biedt waar de museale nood het grootst is, werd ook al weer in 1883 opgericht om te voorkomen, dat de beroemde verzameling van Jacob de Vos Jr. voor ons land verloren zou gaan door gebrek aan middelen. Zo konden 23 tekeningen van Rembrandt en 34 tekeningen uit zijn school aangeworven worden voor het Rijksprentenkabinet. Voor dit kabinet, nu het belangrijkste van ons land, werd de grondslag gelegd in 1798 toen de revolutionaire regering besloot om de bibliotheek van prins Willem V tot een nationale bibliotheek te maken; later zou de prentenverzameling, die er een onderdeel van vormde, worden ingelijfd bij het museum van Amsterdam. In die voor-historische periode van het kabinet bevatte het nog geen enkele tekening en vermoedelijk ook nog geen enkele prent van Rembrandts hand. Dankzij bemiddeling van Lodewijk Napoleon kwam daar eensklaps verandering in toen in 1807 met de aankoop van het kabinet-Van Leyden het complete prentwerk van Rembrandt verkregen werd. Het zou tot 1847 duren voordat opnieuw een belangrijke aanwinst werd geboekt, die bestond uit 49 prenten uit het kabinet-Verstolk van Soelen. Weer moesten er bijna veertig jaren verstrijken eer de verzameling werd uitgebreid. Het betrof de al vermelde aankoop van 1883. In 1895 werden er 12 tekeningen aan de collectie toegevoegd en in 1910 deed Cornelis Hofstede de Groot de toezegging, dat hij het belangrijkste deel van zijn Rembrandtverzameling aan het kabinet zou legateren. In de loop der jaren konden zo nu en dan nog enkele prenten en tekeningen ter aanvulling van de bestaande verzameling worden aangekocht. In 1961 brak het grote moment aan, waarop de unieke schenking-De Bruijn-Van der Leeuw, die al lang in het vooruitzicht was gesteld, aanvaard kon worden. Zij bevatte maar liefst 503 prenten, waaronder zeer zeldzame drukken, en 11 tekeningen. Het totale Rembrandtbezit van het Rijksprentenkabinet werd daarmee gebracht op ruim 100 tekeningen en ongeveer 1200 prenten. Afgezien van deze superieure collectie is er in ons land nog veel waardevols te vinden in de prenten-kabinetten te Rotterdam, te Leiden, te Groningen en in dat van de Teylers Stichting te Haarlem en van het Rembrandthuis en het Museum Fodor te Amsterdam.

Terwijl de musea in een wedloop met de tijd alles in het werk stelden om, bij de steeds stijgende prijzen en het steeds meer dalende aanbod toch nog zoveel mogelijk de gevolgen van de désastreuse Rembrandtuitverkoop ongedaan te maken, ging het wetenschappelijk onderzoek onverdroten voort. Na de publicaties van 1906 ontstond er een ware rage in het ontdekken van nieuwe Rembrandts. Rijp en groen werd gepubliceerd. Er verschenen nieuwe oeuvre-catalogi en in de jaren twintig beliep het aantal als authentiek erkende schilderijen meer dan 750. Het is Bredius geweest, die in 1935 paal en perk stelde aan deze ontembare lust tot toeschrijven, die buiten het enge terrein der wetenschap, waar ieder meent zijn uil een Rembrandt te zijn — de goede kunsthandel niet te na gesproken — nog steeds wordt botgevierd. Op basis van zijn eruditie en kennerschap, waaraan hij een bijna pauselijk gezag ontleende inzake echt en onecht bij Rembrandt, beeldde hij in zijn boek *Rembrandt; Schilderijen* 612 werken af, die hij het imprimatur waardig achtte. Dertig jaar lang is dit boek in brede kring maatgevend geweest. In 1966 publiceerde Kurt Bauch in de voetsporen van Bredius een soortgelijk boek, waarin hij een aantal modificaties aanbracht en het totaal aantal schilderijen met ongeveer 70 verminderde. In dit Rembrandtjaar, tenslotte, verscheen er een nieuwe editie van het Brediusboek, herzien door Horst Gerson, van wiens hand het vorig jaar reeds een prachtig geïllustreerde monografie over Rembrandt werd uitgegeven. De correctie, die Gerson aanbracht op het werk van zijn voorganger, is aanzienlijk. Ruim 250 schilderijen konden de toets van zijn summier geformuleerde kritiek niet doorstaan. Zijn zuiveringsactie heeft Rembrandt zeker recht gedaan. De toekomst zal leren of misschien ook Gerson nog niet wat te gul is geweest en tegelijk in enkele gevallen toch wat al te zuinig, maar de werkelijke omvang van Rembrandts œuvre is door hem zonder twijfel veel preciezer vastgesteld dan ooit te voren.

Het grafische werk van Rembrandt, waarvan de grootte sinds de verschijning van de eerste catalogus, die in 1751 door Gersaint werd samengesteld, ook nogal verschillend is beoordeeld, werd in 1952 grondig gecatalogiseerd door L. Münz en voor het laatst in 1963 gepubliceerd door K. G. Boon, die in zijn boek 287 etsen opnam. De tekeningen, die nog wel de meeste moeilijkheden opleveren omdat menige Rembrandtleerling het handschrift van de meester meesterlijk wist te imiteren, werden door Otto Benesch in zijn zes-delige catalogus, die tussen 1954 en 1957 uitkwam, geraamd op ruim 1400 bladen in totaal.

Terwijl het laatste woord over de omvang van Rembrandts oeuvre nog altijd niet gezegd is – en in termen van volstrekte exactheid ook nooit gezegd zal worden – is er de laatste zestig jaar in dit opzicht toch een grote vooruitgang geboekt. Het is minder rooskleurig gesteld met ons inzicht in Rembrandts ontwikkeling, in zijn persoonlijkheid, in zijn denkwereld en in zijn visie op zichzelf, op zijn medemensen en op het heden en het verleden van de wereld waarin hij leefde. Al in 1906, toen het onderzoek naar Rembrandts werk pas goed op gang was gekomen, verzuchtte H. E. Greve bij een spotprent van Albert Hahn op de Rembrandtkenners Bredius en Hofstede de Groot:

Ontdek ons toch geen Rembrandts meer
Breng Rembrandt zelf tot ons, Heer!
Heil dàn uw Rembrandtkennis!

In het buitenland, met name in Frankrijk en Duitsland, waren Charles Blanc (1859), Émile Michel (1893) en Carl Neumann (1902) er in hun Rembrandtbiografieën reeds in geslaagd om zich een eigen beeld van Rembrandt te vormen en om hun ware Rembrandt tot hun lezers te brengen. In ons eigen land was men – afgezien van de voor zijn tijd zeer verdienstelijke poging van Carel Vosmaer, wiens in het Frans geschreven boek in zijn definitieve vorm in 1868 verscheen – aan de vorming van een nieuw Rembrandtbeeld nog nauwelijks toegekomen. Maar nog in datzelfde Rembrandtjaar 1906, waarin Greve zijn verzuchting slaakte, publiceerde Jan Veth zijn lyrische beschouwingen over Rembrandts kunst en F. Schmidt-Degener zijn eerste Rembrandt-essay, waarmee hij de basis legde voor zijn in latere geschriften verder ontwikkelde Rembrandtconceptie, die vijftig jaar lang onbetwist geldend zou blijven. In navolging van Neumann tekende hij met zijn brillante pen het gespleten beeld van de tweedelige Rembrandt: de succesrijke schilder van het uiterlijke leven vóór 1642, d.w.z. vóór het ontstaan van de Nachtwacht, en daarna de miskende schilder van het innerlijke leven, van de hoge geestelijke waarden en het diepe gevoel. De schilder van het lichaam en de schilder van de ziel. Het bejubelde talent en het miskende genie. De gelukkige jaren tijdens zijn huwelijk met de rijke Saskia, die in het kraambed sterven moest toen Rembrandt aan zijn Nachtwacht bezig was, en daarna de steeds toenemende huiselijke zorgen, de financiële débâcle van 1656 en de verhuizing naar een goedkopere buurt, waar het genie verguisd, doodarm en verlaten in zijn laatste levensjaren zijn onbegrepen meesterwerken scheppen zou.
De evocerende kracht van Schmidt-Degeners virtuoos taalgebruik heeft generaties in de ban van zijn spirituele en dwingende visie gevangen gehouden. Terwijl nu sinds een jaar of tien het inzicht snel groeit, dat zijn tijdgebonden Rembrandtbeeld voor ons niet langer geldig is, dient toch te worden erkend, dat hij met het gevoelige instrument van zijn dichterlijke benadering vaak is doorgedrongen tot aspecten van Rembrandts kunstenaarschap, die de lancetten en het infrarode oog van de moderne onderzoekers wel nimmer gepeild zouden hebben.
De geschiedenis van de Rembrandtwaardering is een nieuwe fase ingegaan. Misschien zal in de toekomst blijken, dat het na Seymour Slive's studie van 1953 over *Rembrandt and his Critics* en de confrontatie met een groot deel van Rembrandts werk op de grote overzichtstentoonstelling van 1956 vooral het in 1964 als dissertatie en nu onlangs als handelsuitgave verschenen boek van J. A. Emmens over *Rembrandt en de regels van de kunst* is geweest, dat die vernieuwing heeft ingezet. De vrees van sommigen, dat de moderne, uiterst kritisch ingestelde Rembrandtstudie de meester zal ontluisteren is ongegrond. Het scepticisme van de onderzoekers richt zich niet tegen hem, maar tegen zijn interpreten.
Indien Rembrandt ons driehonderd jaar na zijn dood niets meer te zeggen had, dan zou zijn reputatie ons nu onverschillig kunnen laten. Maar de voortdurende intentie, waarmee gewerkt wordt aan de correctie van het vertekend Rembrandt-beeld van vorige generaties, bewijst hoe elke generatie onherroepelijk weer te maken krijgt met die molenaarszoon uit Leiden.

P. J. J. van Thiel

zie pagina 22 voor literatuuropgave

HOLLAND AND REMBRANDT 1669/1969

Rembrandt died on October 4, 1669 in his house at the Rozengracht in Amsterdam, aged 63. Four days later he was buried in the Westerkerk. These facts are known, but who followed his bier – that we do not know. It will not have been a long funeral procession making its way along the canal, for Rembrandt, when he died, was not honoured as the immortal genius that one has since come to see in him – but he did not die neglected and forgotten as legend will have it.

In the year of Rembrandt's death there were plenty of Amsterdam people alive who had had their portrait painted by him, who had bought his etchings and drawings or who had known him personally. And among the painters especially there can have been no-one who did not know his work, let alone his name. It is true that only one or two of his pupils, such as Aert de Gelder, continued to work in Rembrandt's manner. Most of them, although at one time obsessed with his way of painting, at some stage of their lives chose another direction.

A typical example is Gerard de Lairesse who recorded in his Groot Schilderboek of 1707 that there were people who regarded Rembrandt as the greatest painter of his time and as a shining example to the young painters. 'But', he added, 'I want them to know that I feel very differently about this matter; I will not deny that I once had a preference for his manner [in 1665 he had his portrait painted by Rembrandt; Bredius-Gerson 321]; but it was not long before I began to understand the irrefutable rules of this art and found it necessary to admit my error and to repudiate his; . . .'
De Lairesse had no more forgotten Rembrandt than anybody else and he never failed to appreciate him. He was fully convinced of Rembrandt's superiority but he thought that the master had not used his extraordinary gifts in the right way. For him Rembrandt was the classical case of a peintre manqué, the gifted artist who had squandered his talents by not adhering to the rules of art as laid down by the classicists. Rembrandt's former pupils such as Lievens, Dou, Bol, Maes and many others who were still alive when he died must have thought along these lines at the time of his death. Andries Pels, a man of letters and a friend of De Lairesse's, perhaps formulated the general opinion a bit too severely in his Gebruik en misbruik des tooneels of 1681, but many people doubtless agreed with the tenor of his words. He considered it his duty to address a word of warning to young artists no longer to follow the example of:

> The great Rembrandt who did not go to Titian nor Van Dyck,
> Not Michelangelo nor Raphael;
> Who rather chose illustriously to wander,
> To be the foremost heretic in painting,
> Than to subject his famous brush to any discipline.
> A shame it is for Art
> That such an honest hand
> Did not make better use of gifts inborn!
> In painting, who would have surpassed him?
> Helas, the nobler be the spirit, the more it will run wild
> If he build not on common ground nor recognise the rules,
> But try to know it all out of himself!

The picture of Rembrandt the freebooter, the man who, to his own detriment and disgrace, put himself outside the laws of art persisted in the literature on art theory until far into the nineteenth century. But whatever the scholars had to say, there have always been lovers of Rembrandt's work. The demand for his paintings was always great enough for it to be profitable to bring forgeries on the market. No collection of paintings was complete as long as it did not yet have a Rembrandt. As far as his etchings were concerned, there were admirers willing to pay unheard-of high prices. The etching of Christ addressing the children, the poor and the sick is still known as the *Hundred Guilder Print* because an enthusiastic collector paid that sum for it at the beginning of the eighteenth century when a hundred guilders still was a small fortune.

As a matter of fact on foreign markets, too, Rembrandts have always fetched high prices, higher than in his own country. A result of this was that in the course of the eighteenth and a large part of the nineteenth century his work drifted away to other parts, mainly to the German principalities, to England and to Russia. At a time when our concept of the preservation of the cultural heritage did not yet exist, the art dealers who did of course not limit their activities to Rembrandt's work, could proceed unchecked to the bitter end. And it seems indeed to have been a total sell-out.

At the time of his death three hundred years ago nearly all Rembrandt's paintings must still have been in this country. A hundred years ago, in 1869, only nine remained. At least, if one counts only the paintings which were national or municipal property. A few private persons owned the odd family protraits but with a few exceptions these, too, have disappeared in the meantime. A modest remainder if one considers only the number; but the little that had not been touched by the dealers was not the least important. The Nightwatch and the Syndics of the Drapers' Guild were part of it. They were the property of the Amsterdam City Guild and are now on loan to the Rijksmuseum. The Anatomy Lesson of Prof. Tulp – which, for two centuries, was the showpiece of the Amsterdam Guild of Surgeons – had a narrow escape. In 1828 the painting was in imminent danger of being auctioned but through the intervention of King William I it remained in this country. It was hung in the Mauritshuis which already had the four Rembrandts owned by Prince William V. It was the first time that the state bought one of Rembrandt's works and, as far as the nineteenth century is concerned, it was also the last time. In 1854 the number of Rembrandts was increased by one: the Jewish Bride. This masterpiece was bequeathed by Adriaan van der Hoop to the City of Amsterdam who later loaned it to the Rijksmuseum. Finally, in 1865 the Rotterdam Boymans Museum, which had suffered losses by fire, bought a number of paintings to replenish its collection among which was one Rembrandt: The Concord of the State.

Both Boymans, who in 1847 had bequeathed his collection to the City of Rotterdam, and Van der Hoop who followed Boymans' example seven years later in Amsterdam, still represent the type of collector characteristic of the cultural life of the eighteenth century. But at that time – with a very few exceptions such as Pieter Teyler van der Hulst who had assured, in 1778, the continued existence of his collections – nobody thought of giving possessions, collected with so much loving care, a permanent home. There was as yet no national art collection within which private collections could find a permanent place to the benefit of the community. Only after the French revolution were the first museums founded along French lines. It was Louis Napoleon, King of Holland, and later King William I who, in the first quarter of the nineteenth century, arranged for stocktaking and housing of the remainder of our national art property. In this period much was done to increase this property. But after the débâcle of the separation from Belgium in 1830 it was not long before there was no more money available for the purchase of works of art. And a museum without money is the deadest hole on the earth. The young, energetic museum world withered away perceptibly and it was to take almost half a century before it regained its feet. And precisely at this time of apathy on the part of the museums, Rembrandt became the centre of interest for the Dutch people.

After 1830 the frustrated Dutchmen tried to regain their self-respect in a heightened awareness of their historical identity. National pride was made into a virtue. In this context Rembrandt, the foremost heretic in painting, was exonerated and became one of our national heros. The first statues were erected to Michiel de Ruyter and William the Silent. When in 1840 a Rubens monument was erected in Antwerp it was a question of prestige to have a Rembrandt sculpture in Amsterdam – for he was the prince of our painters. The model was soon ready but it was 1852 before the cast-iron Rembrandt on his high pedestal in the Botermarkt, the present-day Rembrandsplein, could be unveiled.

In the eyes of our forefathers a debt of honour with one of Holland's greatest sons had been settled. But in 1841, the very moment after the plan to erect a Rembrandt statue was born, the Anatomy Lesson of Dr. Deyman was publicly auctioned in Amsterdam. And there was no-one who – like King William I in 1828 – stood to in order to prevent it. The speakers at the unveiling of 1852, without batting an eyelid, called their hero Paul Rembrandt van Rijn for they no longer knew even his correct Christian name. And what did they know of his work, apart from those few paintings which had escaped the continual knock of the hammer of our energetic, patriotic auctioneers ?

In spite of, or perhaps thanks to, the indifferent attitude of the authorities in frittering away and neglecting our works of art, the tide turned. Individual initiative – the main-spring of our nineteenth century society – came into action. Associations were set up 'for the study of history and art by comparative examination as well as by bringing together works of art for a museum' – as the Koninklijk Oudheidkundig Genootschap, founded in 1858, put its objectives.

But shock treatment was to be needed to get the government to follow a practical policy of preservation of the cultural heritage. In 1873 Victor de Stuers published his famous Gids article 'Holland op zijn smalst' (the title is the name of the narrowest neck of land in North-Holland where formerly Holland was nearly cut in two by the sea, and at the same time it refers to the Dutch narrow-mindedness in De Stuers's time) in which he fiercely criticised the laconic, even negative attitude of the authorities (art was not the government's business, maintained Thorbecke). De Stuers knew that he had to fight a mentality which reacted only to the ups and downs of the money market: 'Many will smile at the idea that Colonies and Art – Java coffee and Rembrandt's Nightwatch – are given the same degree of importance', he said. But many of De Stuers's readers lost their smiles when he without mincing matters, disclosed the deplorable state of affairs with our national art property. In 1875 he was appointed head of the department for the Arts and Sciences at the Ministry of the Interior, and from this moment initiatives were at last taken again and reorganisations carried through in the museums. A long-postponed question, the building of a national museum, was pushed through and brought to a splendid conclusion. The Rijksmuseum was the first tangible evidence of the new, modern cultural policy. It was inaugurated in 1885 and, although the cultural field of vision had widened in all directions, Rembrandt remained the pivot, and the museum was literally designed around the Nightwatch. Shortly before the opening of the museum, Busken Huets's book, now a classic, Het Land van Rembrandt, had appeared in 1884. It has rightly been said that with this book the author has given our people an authentic and significant past, but Rembrandt himself hardly comes into his own. And how could it be different? The nineteenth century had, in fact, placed Rembrandt on a pedestal and duly restored his name, but one had hardly begun with a historical appraisal of the artist and his work along more objective lines. The persistent anecdotes circulated in 1718 by Arnold Houbraken, Rembrandt's first biographer, died hard. In the eighteenth century the stories about his humble birth, his obstinacy and miserliness, his unorganised technique and his disrespect of the established rules of art had earned him the reputation of being the bête noire of the art of painting. The nineteenth century had cleared its national hero of the arts from all blame by interpreting the same unhistorical stories as just so much evidence of his unbridled genius. But an essentially new approach to the phenomenon of Rembrandt had not yet begun.

The science of the history of art which had only just made a start in our country – the first volume of the art-historical journal Oud-Holland dates from 1883 – did the groundwork for modern Rembrandt research. Between 1897 and 1906 the first critical catalogue of Rembrandt's work appeared in six monumental folio volumes. This standard work was compiled by Cornelis Hofstede de Groot in co-operation with the German art historian Wilhelm von Bode. In the same year, 1906, the three hundredth anniversary of Rembrandt's birth, appeared a second standard work, Die Hand-zeichnungen Rembrandts by Hofstede de Groot and a third one, Die Urkunden über Rembrandt, in which the same author compiled all the records of Rembrandt's life known at that time. After so many centuries of making a myth of Rembrandt's life reality seemed at last to get a chance.

At this time some intensive work was done by the museums to increase the meagre number of Rembrandts. Some efforts had been made in this direction before 1830, but with little success. In 1801, i.e. before the official opening of the Amsterdam museum (1808), the Beheading of John the Baptist was purchased, but after half a century it was discovered that this painting had not been made by Rembrandt but by one of his best pupils. In 1809 the purchase of the portrait of the tax collector Johan Utenbogaert (?) was just as unlucky an acquisition for it, too, appeared to be the work of a pupil. In 1828 King William I saved the Anatomy Lesson of Tulp which he assigned to the museum in The Hague. After that there were no further purchases, even well-meant ones, for a while. In 1831 the then director of the Amsterdam museum, disappointed by recent fruitless appeals to the country's exchequer, only hesitatingly recommended the purchase of the splendid portrait of Nicolaes Ruts (now in the Frick Collection in New York). The king had it bought for his private collection ; after his death it became the property of King William II and when the latter's collection was auctioned in 1850, it was lost for our country, together with six more Rembrandts. The situation did not change until 1882 when the City of Amsterdam, financially supported by private individuals, and at the instigation of professor Jan Six, bought the Anatomy Lesson of Dr. Deyman. The painting had come on to the market in England, and now that the policy had changed the opportunity was not missed to make up for what had been neglegted in 1841.

In the beginning most activity was displayed in The Hague where Abraham Bredius, during his directorship of the Mauritshuis (1889-1909), did not miss an opportunity to purchase Rembrandts. He bought them for himself and presented them on loan to the museum. In those twenty years he managed to lay his hands on ten paintings. Not all of them, it is true, have stood the test of later criticism, but they did include the Portrait of Rembrandt's Father, the so-called Portrait of Rembrandt's Brother Adriaen, the Andromeda, the Two-Negroes and the Homer. At his death in 1946 Bredius bequeathed all these works to the museum. Apart from the Bredius Bequest the museum in The Hague has had one more Rembrandt since 1909 : the magnificent late self-portrait which was purchased in 1947.

After the purchase of 1882 there were continual additions to Amsterdam's collection of Rembrandts. The Landscape with the Stone Bridge was bought in 1900. It was followed by – to mention only the most important acquisitions – in 1928 the Portrait of Rembrandt's Mother, in 1933 the Denial of St. Peter and Titus with a Monk's Hood, in 1939 Jeremiah Lamenting the Destruction of Jerusalem, in 1946 Joseph Relating his Dreams, in 1948 the Portrait of Dr. Ephraim Bueno and the Still Life with Dead Peacocks, in 1961 the Self-portrait as the Apostle Paul and in 1965, as the most recent acquisition, The Holy Family at Night.

In Rotterdam the collection was enlarged in 1937 by the Man with the Red Cap and in 1940 by the Portrait of Titus at his Desk.

One more work by Rembrandt must be specially mentioned : the magnificent portrait of Jan Six which has always re-mained in the family and which may be counted among the permanent Rembrandt collection as part of the Six Collection has been legally recognised as a family foundation in 1922.

Holland can today rejoice in the possession of about 45 paintings by Rembrandt. Compared with the situation of a hundred years ago, there are now five times as many Rembrandts to be seen in our museums. This result could never have been achieved without the financial support of the Vereniging Rembrandt whose activities, contrary to what the name implies are not limited to the purchase of Rembrandts. This association – at present working closely together with the Prins Bernhard Fonds – which, as far as it lies in its power, helps out where museum funds are lowest, was founded in 1883 to prevent the famous collection of Jacob de Vos Jr. being lost to our country because of lack of funds. A series of 23 Rembrandt drawings and 34 drawings of his School were thus acquired for the Rijksprentenkabinet. The basis for this Printroom, now the most important in our country, was laid in 1798 when the revolutionary government decided to make the library of Prince William V into a national library; the collection of prints which was part of it was later to be incorporated in the Amsterdam museum. In this 'pre-historic' period of the Printroom it contained not a single drawing nor, presumably, a single print by Rembrandt's hand. Thanks to the intervention of Louis Napoleon the situation changed suddenly when in 1807, with the purchase of the Van Leyden print collection all the prints by Rembrandt were acquired. It was not until 1847 that another important acquisition was made; 49 prints from the Verstolk van Soelen print collection. Another 40 years went by before the collection was added to with the pruchase of 1883 mentioned above. In 1895 twelve drawings were added to the collection and in 1910 Cornelis Hofstede de Groot promised to bequeath the most important part of his Rembrandt collection to the Amsterdam Printroom. In the course of the years it was possible to purchase a few more prints and drawings here and there to supplement the existing collection. In 1961 came the great moment for the unique De Bruijn-Van der Leeuw Bequest, which had long been in prospect, to be accepted. It contained no less than 503 prints, among which very rare impressions, and eleven drawings. The total number of Rembrandts now owned by the Rijksprentenkabinet amounts to over 100 drawings and about 1200 prints. Apart from this first class collection many more valuable items can be seen in our country in the Printrooms at Rotterdam, Leyden, Groningen, at the Teyler Foundation in Haarlem and in the Rembrandt House and the Fodor Museum in Amsterdam.

While the museums, working against time and in spite of continually rising prices and a decreasing supply, did every-thing in their power to remedy as far as possible the resultes of the disastrous Rembrandt sell-out, scientific research continued painstakingly. After the publications of 1906 there arose a positive passion for discovering new Rembrandts. Just about anything was published. New catalogues of his work appeared, and in the twenties the number of paintings acknowledged as authentic amounted to over 750. It was Bredius who in 1935 checked this uncontrolable desire for attribution which — outside the narrow scientific field (with all due deference to the reputable art dealers) — with everybody expecting his goose to be a swan is still running wild. Based on his erudition and connoisseurship from which he derived an almost pontifical authority in questions of genuine or false Rembrandts, he reproduced 612 works in his book Rembrandt; Schilderijen which he considered worthy of his imprimatur. For thirty years this book was widely considered authorative. In 1966 Kurt Bauch, in Bredius's footsteps, published a similar book in which he introduced a number of modifications. Finally, there has appeared in this Rembrandt year a new edition of the Bredius book revised by Horst Gerson, who last year published a beautiful illustrated monograph about Rembrandt. Gerson's corrections to the work of his predecessor are considerable. More than 250 paintings could not stand up to his summarily worded critique. His cleaning-up process has surely done a service to Rembrandt. The future will show whether even Gerson was a little too generous and at the same time, in a few cases, a little too careful, but the true size of Rembrandt's work has, without doubt, been established more accurately than ever before. Rembrandt's graphic work, the size of which has also been variously estimated since the publication of the first catalogue compiled in 1751 by Gersaint, was thoroughly catalogued by L. Münz in 1952 and was last published by K. G. Boon in 1963 who included 287 etchings in his book. The drawings, which cause most difficulties because many a Rembrandt pupil could imitate the hand of the master in a masterly fashion, have been estimated at a total of more than 1400 sheets by Otto Benesch in his six-volume catalogue published between 1954 and 1957.

While the last word about the size of Rembrandt's work has not yet been spoken — and in terms of absolute precision never will be — much progress has been made in this respect during the last sixty years. The situation is less bright regarding our insight into Rembrandt's development, his personality, his thinking and how he saw himself, his fellow human beings, his own time and the history of the world in which he lived. As early as 1906 when the research into Rembrandt's work had only just got underway, H. E. Greve sighed under Albert Hahn's caricature of the Rembrandt connoisseurs Bredius and Hofstede de Groot:

Do not discover any more Rembrandts for us,
Bring Rembrandt himself nearer to us !
Hail then to your Rembrandt knowledge !

Abroad, especially in France and Germany, Charles Blanc (1859), Émile Michel (1893) and Carl Neumann (1902) had already succeeded in shaping their own picture of Rembrandt in their Rembrandt biographies and thus convey their 'true' Rembrandt to their readers. In our own country – apart from the attempt by Carel Vosmaer, very meritorious at his time, whose book written in French appeared in its definitive version in 1868 – one had hardly begun with the shaping of a new Rembrandt image. But in that same Rembrandt year, 1906, when Greve heaved his sigh, Jan Veth published his lyrical contemplations about Rrembrandt's art and F. Schmidt-Degener his first Rembrandt essay with which he laid the foundation for his Rembrandt conception developed in his later writings and which was not be to challenged for fifty years. In Neumann's footsteps, his brilliant pen drew the split picture of the two sides to Rembrandt: the successful painter of the outer world before 1642, that is to say before the painting of the Nightwatch, and thereafter the mis-understood painter of the inner life, of spiritual values and deep emotion. The painter of the body and the painter of the soul. The talent appluaded and the genius misunderstood. The happy years of his married life with the rich Saskia who had to die in childbirth when Rembrandt was busy painting his Nightwatch, and thereafter the ever increasing domestic worries, the financial débâcle of 1656 and the removal to a cheaper district where the genius, reviled, poverty-stricken and forsaken, was to create the misunderstood masterpieces of the last years of his life.

The evocative power of Schmidt-Degener's masterly use of language held generations under the spell of his spiritual and compelling vision. For some ten years now the notion has been growing fast that his picture of Rembrandt is no longer valid. It must, however, be admitted that with the sensitive instrument of his poetic approach he often penetrated aspects of Rembrandt's artistry which the lancets and the infra-red eye of the modern researchers would never have reached.

The history of Rembrandt appreciation has entered a new phase. Perhaps one day it will become evident that, after Seymour Slive's study of 1953 about Rembrandt and his Critics *and the confrontation with a large part of Rembrandt's work at the big retrospective exhibition of 1956, the new thinking has above all set in with the dissertation, recently published in book form, of J. A. Emmens about* Rembrandt en de regels van de kunst *(Rembrandt and the Rules of Art). The fear expressed by some that the modern, extremely critical Rembrandt study will tarnish the master, is un-founded. The researchers' scepticism is not directed against the artist but against his interpreters.*

If three hundred years after his death, Rembrandt had no more to say to us his reputation would be a matter of indifference to us. But the continual intensity with which work is being done to correct the distorted Rembrandt image of earlier generations proves how every generation inevitably has to come to terms with the miller's son from Leyden.

P. J. J. van Thiel

Lit.: C. Neumann, Rembrandt-Legende, in Festschrift für Max J. Friedländer, Leipzig 1927, 161–167; K. Graf von Baudissin, Rembrandts Tod als Fabel, Wallraf-Richartz-Jahrbuch IX, 1936, 223–227; G. Brom, Rembrandt in de Literatuur, Neophilologus 1936, 161–191; W. Martin, Rembrandt en de critiek 1630–1850, Elsevier's Geïllustreerd Maandschrift XCIV, 1937, 225–239; J. S. Held, Debunking Rembrandt's Legend, Art News XLVIII, febr. 1950, 21 e.v.; S. Slive, Rembrandt and his Critics 1630–1730, The Hague 1953; H. E. van Gelder, Nederlands Rembrandtwaardering, Maatstaf 1956, 186–201; J. G. van Gelder, Rembrandt en de zeventiende eeuw, De Gids CXIX, 1956, 397–417; H. van de Waal, Rembrandt 1956, Museum, Tijdschrift voor filologie en geschiedenis LXI, 1956, 193–209; J. A. Emmens, Rembrandt als genie, Tirade 1957, 49–51; Th. H. Lunsingh Scheurleer, Rembrandt en het Rijksmuseum, Bulletin van het Rijksmuseum IV, 1956, 27–41; S. Heiland en H. Lüdecke, Rembrandt und die Nachwelt, Leipzig 1960; R. W. Scheller, Rembrandt's reputatie van Houbraken tot Scheltema, Nederlands Kunsthistorisch Jaarboek XII, 1961, 81–118; A. B. de Vries, Koninklijk Kabinet van Schilderijen, in 150 jaar Koninklijk Kabinet van Schilderijen, Koninklijke Bibliotheek, Koninklijk Penning-kabinet, Den Haag 1967, 51–90; J. A. Emmens, Rembrandt en de regels van de kunst, Utrecht 1968; B. Haak, Rembrandt anno 1969, Antiek III, 1969, 537–547; J. Bruyn, Rembrandt at 300 Years' Distance, in Exh. Cat. Rembrandt and his Pupils, Montreal and Toronto 1969, 11–18.

biografie   *biography*

REMBRANDT HARMANSZOON VAN RIJN

1626

1627/28

1630

1636

1606 op 15 juli te Leiden geboren als zoon van Harman Gerritsz. van Rijn († 1630) en Neeltje van Suydtbroeck († 1640)
born in Leyden on July 15, son of Harman Gerritsz. van Rijn († 1630) and Neeltje van Suydtbroeck († 1640)

1613 naar de Latijnse School in Leiden
pupil of the Latin School in Leyden

1620 korte tijd student in de letteren aan de Leidse Universiteit
student of letters at the Leyden University for a short period

± 1621–24 leert de beginselen van het vak bij de Leidse schilder Jacob van Swanenburgh (± 1571–1638)
apprentice of the Leyden painter Jacob van Swanenburgh (c. 1571–1638)

1624–25 een half jaar werkzaam te Amsterdam bij de historieschilder Pieter Lastman (1583–1633), die veel invloed op hem heeft
six months in Amsterdam, working in the studio of Pieter Lastman (1583–1633), painter of historical scenes, who has a great influence on him

1625–31 als zelfstandig schilder werkzaam te Leiden * nauwe samenwerking met zijn vriend Jan Lievens (1607–1674)
*independent painter in Leyden * closely cooperating with his friend Jan Lievens (1607–1674)*

1628–31 Gerard Dou (1613–1675) eerste leerling van Rembrandt
Rembrandt's first pupil Gerard Dou (1613–1675)

1629/30 in zijn dagboek noteert Constantijn Huygens over Rembrandt o.m.: Want ik beweer, dat geen ... Apelles ... bedacht zou hebben ... wat een jongmens, een Nederlander, een molenaarszoon, een baardeloze, in één figuur heeft samengevat en uitgedrukt; bravo Rembrandt!
Constantijn Huygens mentions Rembrandt in his diary and says: For I assert that no ... Apelles ... would have thought ... of what a young man, a Netherlander, a miller's son, a callow youth, has summarized and expressed in one figure; bravo Rembrandt!

1631 vestigt zich in het najaar definitief in Amsterdam, waar hij inwoont bij de kunsthandelaar Hendrick van Uylenburgh in de Sint Anthoniesbreestraat (thans Jodenbreestraat) * tot ca. 1635 zijn Jacob Backer, Govert Flinck, Ferdinand Bol en Jan Victors zijn belangrijkste leerlingen
*settles in Amsterdam in the autumn, lodging with the art dealer Hendrick van Uylenburgh in the Sint Anthoniesbreestraat (Jodenbreestraat today) * until c. 1635 Jacob Backer, Govert Flinck, Ferdinand Bol and Jan Victors are his most important pupils*

1634 trouwt op 22 juni te Sint Anna-Parochie (Friesland) met Saskia van Uylenburgh (1612–1642), een nichtje van Hendrick van Uylenburgh
marries Saskia van Uylenburgh (1612–1642), a niece of Hendrick van Uylenburgh, on June 22 at Sint Anna-Parochie (Friesland)

1636 geboorte van Rumbartus, die na twee maanden sterft * verhuizing naar de Nieuwe Doelenstraat * tot ca. 1640 is Gerbrandt van den Eeckhout zijn belangrijkste leerling
*birth of Rumbartus, who dies after two months * Rembrandt moves to Nieuwe Doelenstraat * until c. 1640 Gerbrandt van den Eeckhout is his most important pupil*

1638 geboorte van Cornelia (1), die binnen een maand sterft
birth of Cornelia (1) who dies within a month

1626 Schilderij (detail), Leiden, De Lakenhal (bruikleen DRVK)
1627/28 Tekening (detail), Londen, British Museum
1630 Ets, Amsterdam, Rijksprentenkabinet
1636 Ets (detail), Amsterdam, Rijksprentenkabinet
1640 Schilderij (detail), Londen, National Gallery
1648 Ets (detail), Amsterdam, Rijksprentenkabinet
1658 Schilderij (detail), New York, Frick Collection
1669 Schilderij (detail), Londen, National Gallery

LEIDEN 1606–1669 AMSTERDAM

1640

1648

1658

1669

1639 betrekt zijn huis in de Sint Anthoniesbreestraat (het Rembrandthuis, Jodenbree-straat 4–6)
Rembrandt moves into his house in the Sint Anthoniesbreestraat (the Rembrandt House, Jodenbreestraat 4–6)

1640 geboorte van Cornelia (2), die binnen een maand sterft ∗ tot ca. 1645 zijn Carel Fabritius, Samuel van Hoogstraten, Lambert Doomer en Juriaen Ovens zijn belangrijkste leerlingen
birth of Cornelia (2), who dies within a month ∗ until c. 1645 his most important pupils are Carel Fabritius, Samuel van Hoogstraten, Lambert Doomer and Juriaen Ovens

1641 geboorte van Titus († 1668)
birth of Titus († 1668)

1642 dood van Saskia
death of Saskia

± 1643–49 Geertje Dircks († 1656?) woont bij Rembrandt in ∗ tot ca. 1650 zijn Nicolaes Maes, Barent Fabritius en Willem Drost zijn belangrijkste leerlingen
Geertje Dircks († 1656?) lives in Rembrandt's house ∗ until c. 1650 his most important pupils are Nicolaes Maes, Barent Fabritius and Willem Drost

± 1649–63 Hendrickje Stoffels (ca. 1626–1663) neemt de plaats van Geertje in
Hendrickje Stoffels (c. 1626–1663) takes the place of Geertje Dircks

1654 Hendrickje wordt in juli berispt door de Kerkeraad wegens haar zondige levenswijze ∗ in oktober wordt Cornelia (3) geboren
in July, Hendrickje is admonished by the Church Council for her sinful life ∗ Cornelia (3) is born in October

1656 boedelafstand wegens schulden ∗ in juli wordt de boedel geïnventariseerd
cession on account of debts ∗ his property is inventorized in July

1657 eerste verkoping van de boedel
first auction of the property

1658 verkoping van het huis en verdere verkoping van de boedel
auction of the house and further auction of the property

1660 Rembrandt is verhuisd naar de Rozengracht ∗ Hendrickje en Titus drijven een kunsthandel om de inkomsten van het gezin op peil te houden ∗ ca. 1661 komt Aert de Gelder bij Rembrandt in de leer; tot zijn dood in 1727 blijft hij doorwerken in de manier van zijn leermeester
Rembrandt has moved to the Rozengracht ∗ Hendrickje and Titus run an art business to keep up the family income ∗ c. 1661 Aert de Gelder becomes Rembrandt's apprentice; until his death in 1727 he continues to work in the style of his master

1663 dood van Hendrickje Stoffels
death of Hendrickje Stoffels

1668 in februari trouwt Titus met Magdalena van Loo († 1669) ∗ in september sterft Titus
in February, Titus marries Magdalena van Loo († 1669) ∗ Titus dies in September

1669 in maart wordt Rembrandts kleindochter Titia († 1725) geboren ∗ op 4 oktober sterft Rembrandt; op 8 oktober wordt hij begraven in de Westerkerk ∗ enkele dagen later sterft Magdalena, de weduwe van Titus
Rembrandt's granddaughter Titia († 1725) is born ∗ Rembrandt dies on October 4 ∗ on October 8 he is buried at the Westerkerk ∗ a few days later Titus' widow Magdalena dies

BIBLIOGRAFIE

BAUCH

K. Bauch, Rembrandt; Gemälde, Berlin 1966

BAUCH 1960

K. Bauch, Der frühe Rembrandt und seine Zeit; Studien zur geschichtlichen Bedeutung seines Frühstils, Berlin 1960

BENESCH

O. Benesch, The Drawings of Rembrandt; A Critical and Chronological Catalogue, 6 vols, London 1954–1957

BENESCH, DRAUGHTSMAN

O. Benesch, Rembrandt as a Draughtsman, London 1960

BENESCH 1935

O. Benesch, Rembrandt; Werk und Forschung, Wien 1935

BOCK-ROSENBERG

E. Bock und J. Rosenberg, Die niederländischen Meister; Beschreibendes Verzeichnis sämtlicher Zeichnungen [in den Staatlichen Museen zu Berlin], 2 Bde, Berlin 1930

BOON

K. G. Boon, Rembrandt de etser; Het volledige werk, 2de druk, Amsterdam 1963

BREDIUS

A. Bredius, Rembrandt; Schilderijen, Utrecht 1935 (English Edition, New York 1942) – zie ook Bredius-Gerson

BREDIUS-GERSON

A. Bredius, Rembrandt; The Complete Edition of the Paintings, London 1969 (the 1935 edition revised by H. Gerson)

BRUYN 1959

J. Bruyn, Rembrandt's keuze van Bijbelse onderwerpen, Utrecht 1959

CLARK 1966

K. Clark, Rembrandt and the Italian Renaissance, London 1966

EMMENS 1968

J. A. Emmens, Rembrandt en de regels van de kunst, Utrecht 1968

ERPEL 1967

F. Erpel, Die Selbstbildnisse Rembrandts, Wien 1967

FUCHS 1968

R. H. Fuchs, Rembrandt en Amsterdam, Rotterdam 1968

GANTNER 1964

J. Gantner, Rembrandt und die Verwandlung klassischer Formen, Bern und München 1964

VAN GELDER 1946

H. E. van Gelder, Rembrandt, Amsterdam [1946]

VAN GELDER 1955

J. G. van Gelder, bespreking van Benesch, vols I-II, in The Burlington Magazine XCVII, 1955, 395–396

VAN GELDER 1961

J. G. van Gelder, bespreking van Benesch, vols III-VI, in The Burlington Magazine CIII, 1961, 149–151

GERSON

zie Gerson 1968

GERSON 1942

H. Gerson, Ausbreitung und Nachwirkung der holländischen Malerei des 17. Jahrhunderts, Haarlem 1942

GERSON 1968

H. Gerson, Rembrandt Paintings, Amsterdam 1968

HAAK 1968

B. Haak, Rembrandt, zijn leven, zijn werk, zijn tijd, Amsterdam [1968]

HAVERKAMP BEGEMANN 1961

E. Haverkamp Begemann, bespreking van Benesch in Kunstchronik XIV, 1961, 10–14, 19–28, 50–57, 85–91

HdG

C. Hofstede de Groot, Beschreibendes und kritisches Verzeichnis der Werke der hervorragendsten holländischen Maler des 17. Jahrhunderts, Bd 6 [Rembrandt], Stuttgart 1915

HENKEL

M. D. Henkel, Catalogus van de Nederlandsche Teekeningen in het Rijksmuseum te Amsterdam; Dl I: Teekeningen van Rembrandt en zijn school, 's-Gravenhage 1942

HIND

A. M. Hind, Catalogue of Drawings by Dutch and Flemish Artists preserved in the Department of Prints and Drawings in the British Museum, vol. I: Drawings by Rembrandt and his School, London 1915

HIND, ETCHINGS

A. M. Hind, Rembrandt's Etchings; An Essay and a Catalogue, 2 vols, London 1912

HOFSTEDE DE GROOT

C. Hofstede de Groot, Die Handzeichnungen Rembrandts, Haarlem 1906

KNUTTEL 1956

G. Knuttel Wzn, Rembrandt; De meester en zijn werk, Amsterdam 1956

KRUSE

J. Kruse, Die Zeichnungen Rembrandts und seiner Schule im Nationalmuseum zu Stockholm, Haag 1920

LAURIE 1931

A. P. Laurie, The Brush-Work of Rembrandt and his School, Oxford and London 1931

LUGT, AMSTERDAM

F. Lugt, Mit Rembrandt in Amsterdam, Berlin 1920

LUGT, LOUVRE III

F. Lugt, Musée du Louvre; Inventaire général des dessins des écoles du Nord; Ecole Hollandaise, vol. III: Rembrandt et ses élèves, Paris 1933

MARTIN 1942

W. Martin, De Hollandsche schilderkunst in de 17de eeuw, dl 2: Rembrandt en zijn tijd, 2de druk, Amsterdam 1942

PARKER 1938

K. T. Parker, Catalogue of the Collection of Drawings in the Ashmolean Museum, vol. I: Netherlandish, German, French and Spanish Schools, Oxford 1938

PINDER 1943

W. Pinder, Rembrandts Selbstbildnisse, Koningsberg und Leipzig 1943

VAN REGTEREN ALTENA 1955

J. Q. van Regteren Altena, bespreking van Benesch, vols I-II, in Oud-Holland LXX, 1955, 118–120

RICCI 1918

C. Ricci, Rembrandt in Italia, Milano 1918

ROSENBERG 1956

J. Rosenberg, bespreking van Benesch, vols I-II, in The Art Bulletin XXXVIII, 1956, 63–70

ROSENBERG 1959

J. Rosenberg, bespreking van Benesch, vols III-VI, in The Art Bulletin XLI, 1959, 108–119

ROSENBERG 1964

J. Rosenberg, Rembrandt; Life and Work, revised edition, London 1964

ROSENBERG-SLIVE-TER KUILE 1966

J. Rosenberg, S. Slive and E. H. ter Kuile, Dutch Art and Architecture 1600 to 1800, Harmondsworth 1966 (The Pelican History of Art, vol. Z-27)

ROTERMUND

Hans Martin Rotermund, Rembrandts Handzeichnungen und Radierungen zur Bibel, Stuttgart 1963

SCHEIDIG 1962

W. Scheidig, Rembrandt als Zeichner, Leipzig 1962

SLIVE 1953

S. Slive, Rembrandt and his Critics 1630–1730, The Hague 1953

SLIVE 1965

S. Slive, Drawings of Rembrandt, 2 vols, New York 1965

STECHOW 1966

W. Stechow, Dutch Landscape Painting of the Seventeenth Century, London 1966

SUMOWSKI 1956/57

W. Sumowski, bespreking van Benesch, vols I-II, in Wissenschaftliche Zeitschrift der Humboldt-Universität zu Berlin VI, 1956/57, 255–266

SUMOWSKI 1957/58

W. Sumowski, Nachträge zum Rembrandtjahr 1956, Wissenschaftliche Zeitschrift der Humboldt-Universität zu Berlin VII, 1957/58, 223–278

SUMOWSKI 1961

W. Sumowski, Bemerkungen zu Otto Benesch's Corpus der Rembrandt-Zeichnungen II, Bad Pyrmont 1961

URKUNDEN

C. Hofstede de Groot, Die Urkunden über Rembrandt (1575–1721), Den Haag 1906

VALENTINER

W. R. Valentiner, Rembrandt; Des Meisters Handzeichnungen, 2 Bde, Stuttgart 1925 und 1934 (Klassiker der Kunst, Bd XXXI und XXXII)

VAN DE WAAL 1952

H. van de Waal, Drie eeuwen vaderlandsche geschied-uitbeelding 1500–1800, 2 dln, Den Haag 1952

WEGNER 1966/67

W. Wegner, Rembrandt und sein Kreis; Zeichnungen und Druckgraphik; Staatliche Graphische Sammlung München, München 8 XI 1966 – 29 I 1967

WHITE 1964

Chr. White, Rembrandt, Den Haag 1964

WHITE, ETCHER

Chr. White, Rembrandt as an Etcher; A Study of the Artist at Work, 2 vols, London 1969

WINZINGER 1953

F. Winzinger, Rembrandt; Landschaftzeichnungen, Baden-Baden 1953

TENTOONSTELLINGEN

AMSTERDAM 1898

Rembrandt; Collection des oeuvres du maître réunies à l'occasion de l'inauguration de S.M. la Reine Wilhelmine, Amsterdam (Stedelijk Museum) 8 IX – 31 X 1898

AMSTERDAM 1925

Historische tentoonstelling der Stad Amsterdam [ter gelegenheid van het] 650-jarig bestaan van Amsterdam 1275–1925, 2 dln, Amsterdam (Rijksmuseum en Stedelijk Museum) 3 VII – 15 IX 1925

AMSTERDAM 1932

Rembrandt-tentoonstelling ter plechtige herdenking van het 300-jarig bestaan der Universiteit van Amsterdam, Amsterdam (Rijksmuseum) 11 VI – 4 IX 1932

AMSTERDAM 1935

Rembrandt-tentoonstelling ter herdenking van de plechtige opening van het Rijksmuseum op 13 juli 1885, Amsterdam (Rijksmuseum) 13 VII – 3 XI 1935

AMSTERDAM 1947

Kunstschatten uit Wenen, Amsterdam (Rijksmuseum) 10 VII – 12 X 1947

AMSTERDAM 1950

120 beroemde schilderijen uit het Kaiser-Friedrich-Museum te Berlijn, Amsterdam (Rijksmuseum) 17 VI – 17 IX 1950

AMSTERDAM 1952

Drie eeuwen portret in Nederland, Amsterdam (Rijksmuseum) 29 VI – 5 X 1952

AMSTERDAM 1956

Rembrandt-tentoonstelling ter herdenking van de geboorte van Rembrandt op 15 juli 1606, dl I: Schilderijen, Amsterdam (Rijksmuseum) 18 V – 5 VIII en Rotterdam (Museum Boymans) 8 VIII – 21 X 1956

AMSTERDAM 1964/65

Bijbelse Inspiratie; Tekeningen en prenten van Lucas van Leyden en Rembrandt, Amsterdam (Rijksmuseum) 18 XI 1964 – 8 II 1965

DEN HAAG 1948

Meesterwerken der Hollandse School uit de verzameling van Z.M. de Koning van Engeland ter gelegenheid van het 50-jarig regeringsjubileum van Koningin Wilhelmina, Den Haag (Mauritshuis) 6 VIII – 26 IX 1948

NEW YORK 1960

Rembrandt Drawings from American Collections, New York (The Pierpont Morgan Library) 15 III – 16 IV and Cambridge, Mass. (Fogg Art Museum of Harvard University) 27 IV – 29 V 1960

ROTTERDAM 1956

Rembrandt-tentoonstelling ter herdenking van de geboorte van Rembrandt op 15 juli 1606, dl II: Tekeningen, Rotterdam (Museum Boymans) 18 V – 5 VIII en Amsterdam (Rijksmuseum) 8 VIII – 21 X 1956

catalogus
catalogue

schilderijen *paintings*

De toelichtingen bij de schilderijen en tekeningen werden
– terwille van de bruikbaarheid tijdens tentoonstellingsbezoek –
zo beknopt mogelijk gehouden. Het accent werd gelegd op zake-
lijke informatie over historische, chronologische en ikonologische
(d.w.z. de betekenis van de voorstelling betreffende) kwesties.

Van vroegere tentoonstellingen zijn alleen de Nederlandse
genoemd om te laten uitkomen of en wanneer de nu geëxposeerde
kunstwerken eerder in ons land te zien zijn geweest.

De literatuuropgave is vrij uitvoerig, maar maakt geen aanspraak
op volledigheid. De recentere literatuur is vollediger vermeld dan
de oudere.
Zie pagina 26 voor een verklaring van de gebruikte afkortingen.

De herkomst van de kunstwerken is uitvoeriger vermeld naarmate
zij verder in het verleden terugreikt.

De schilderijen werden door ondergetekende gecatalogiseerd, de
tekeningen door mej. L. C. J. Frerichs en drs. P. Schatborn.

De Engelse vertaling van de schilderijenteksten is van mej. M.
Defesche, die van het voorwoord, de inleiding en de tekeningen-
teksten van mevr. Helene Berry.

v. Th.

*The notes on the paintings and drawings have been kept as
brief as possible so that they may be of use during the visit to
the exhibition. Emphasis is placed on providing relevant
information about historical, chronological and iconological (i.e.
concerning the meaning of a representation) questions.*

*Of previous exhibitions only those held in the Netherlands have
been noted to show if and when a work was previously exhibited
in this country.*

*The bibliographical notes are fairly copious but do not claim
to be exhaustive. More details have been given of recent
literature than of older works.
See page 26 for an explanation of the abbreviations used.*

*The amount of detail given on the provenance of a work
depends on how much is known of its past.*

*The paintings were catalogued by the undersigned, the
drawings by Miss L. C. J. Frerichs and Mr. P. Schatborn.*

*The English translation of the notes on the paintings is by Miss
M. Defesche, that of the preface, the introduction and the notes
on the drawings by Mrs. Helene Berry.*

v. Th.

1
JEREMIA TREUREND OVER DE VERWOESTING VAN
JERUZALEM
Paneel 58 x 46 cm. Gesign. en gedat.: RHL 1630
Amsterdam, Rijksmuseum, cat. 1960, nr. 2024-A-5

In zijn vroege tijd signeerde Rembrandt vaak met zijn initialen in
monogram RHL: Rembrandt Harmansz. Leidensis (van Leiden).
Hij was 24 jaar toen hij dit paneeltje schilderde, dat één van zijn
gaafste werkstukken is uit zijn late Leidse jaren.
De vrij kleine figuur, die toch een monumentale indruk maakt, is
met vaste hand neergezet in dekkende verf. Nog vetter is het
fijnbewerkte gouden vaatwerk geschilderd, dat flonkert in het
zonlicht. Langs de linker contour van het lichaam hangt een
dunne grijze nevel, die overvloeit in de luchtig en transparant
gepenseelde ruïne-achtige entourage en het verschiet met de
brandende stad. Nog afgezien van de kleur leveren alleen al die
onderling zo verschillende, maar fijn op elkaar afgestemde wijzen
van verfbehandeling een ongemeen boeiend kijkspel op.
De houding van de hand, die het hoofd ondersteunt, is in de
beeldende kunst een traditionele pose, die op melancholie duidt.
De eenzame grijsaard is vervuld van zwaarmoedige gedachten.
De ondergang van de brandende stad is kennelijk de oorzaak
van zijn verslagenheid. Vermoedelijk stelt de oude man de
profeet Jeremia voor, die met enkele tempelschatten gevlucht is
▷

1
*JEREMIAH LAMENTING THE DESTRUCTION OF
JERUSALEM*
Panel 58 x 46 cm. Signed and dated: RHL 1630
Amsterdam, Rijksmuseum, Cat. 1960, No. 2024-A-5

*In his early years Rembrandt often signed with his initials in
monogram, RHL : Rembrandt Harmansz. Leidensis (from Leyden).
He was 24 when he painted this panel, one of the most perfect
pieces from his later years in Leyden.
The figure which, in spite of irs relative smallness, makes a
monumental impression, is painted with a firm hand in opaque
paint. Heavy impasto is used for the delicately worked gold
vessels, sparkling in the sunlight. At the left contour of the body
hangs a light grey haze, dissolving into the airy and transparent
brushwork of the ruin-like setting and the burning town in the
distance. Quite apart from the actual colouring, the very widely
differing but carefully balanced ways of handling the paint are in
themselves an fascinating spectacle.
The position of the hand supporting the head is a traditional pose
in the visual arts indicating melancholy. The lonely old man is
tull of sombre thoughts. The ruin of the burning city is obviously
the cause of his dejection. The man is probably the prophet
Jeremiah who fled from Jerusalem with some Temple treasures*
▷

uit Jeruzalem en treurt over de verwoesting van de stad. Het boek, waar zijn arm op steunt, zou dan niet de bijbel zijn (het woord Bibel is er waarschijnlijk pas later op geschilderd), maar het boek van Jeremia's klaagliederen.

Uit de jaren 1630, 1631 en 1633 zijn gedateerde studietekeningen bewaard gebleven van een peinzende grijsaard (vergelijk cat. nr. 27). Een dergelijke tekening heeft Rembrandt ongetwijfeld ook ter voorbereiding van dit schilderij gemaakt.

and now grieves over the destruction of the city. The book on which he rests his arm would, in this case, not be the Bible (the word 'Bibel' has probably been painted on it later), but the book of Jeremiah's Elegies.

Study drawings of a pensive old man are known, dating from the years 1630, 1631 and 1633 (cf. Cat. Nr. 27). Rembrandt must have made a similar study for this painting.

detail ▷

Tent.: Amsterdam 1932, nr. 3; Amsterdam 1956, nr. 8 ✳ Lit.: HdG 49; Bredius 604; Bauch 127; Bredius-Gerson 604; Gerson 24 ☐ W. Bode, Rembrandts frühe Tätigkeit, Die graphischen Künste III, 1881, 49–72; C. Hofstede de Groot, Rembrandt's bijbelsche en historische voorstellingen II, Oud-Holland XLI, 1923/24, 99–100; F. Landsberger, Rembrandt, the Jews and the Bibel, Philadelphia 1946, 109; R. Wischnitzer, Rembrandt, Callot and Tobias Stimmer, Art Bulletin XXXIX, 1957, 224–230; J. G. van Gelder, Openbaar Kunstbezit VII, 1963, nr. 15; Rosenberg 1964, 309–310; Haak 1968, 48, 60; Gerson 1968, 18, 190, 489.
Coll.: Omstreeks 1760 in de verz. Cesar, Berlijn. In 1939 door de Vereniging Rembrandt met steun van particulieren aan het museum geschonken.

2

DE SCHEEPSBOUWMEESTER EN ZIJN VROUW
Doek 115 x 165 cm. Gesign. en gedat.: Rembrandt f..1633
Londen, Buckingham Palace, Royal Collection

In het najaar van 1631 vestigde Rembrandt zich voorgoed in
Amsterdam, waar hij de ene portretopdracht na de andere kreeg.
De Amsterdammers die het betalen konden, lieten zich door hem
ten voeten uit schilderen. Wie wat minder wilde besteden kon
zijn portret bestellen tot de heupen, ten halve lijve of met alleen
het gezicht en de schouders. De scheepsbouwmeester liet zich
samen met zijn vrouw levensgroot op één doek afbeelden. Eén
jaar eerder, in 1632, had Rembrandt de Anatomische Les van
Prof. Tulp geschilderd, het dynamische groepsportret, waarmee hij
alles wat er voordien op dat gebied in Amsterdam was gemaakt
in de schaduw stelde. Nu liet hij zijn collega's zien hoeveel actie
en expressie men nog kan leggen in zo'n eenvoudig gegeven
als een dubbelportret. De man wordt in zijn werk gestoord en
kijkt wat afwezig om naar zijn huisvrouw, die – de klink van
de deur nog in de hand – even zijn werkkamer binnenwipt om
hem een brief te brengen.
De man houdt een passer in zijn hand. Een instrument, dat door
scheepsontwerpers werd gebruikt om 'zandstroken' te bepalen
ligt op tafel (vgl. Van Yk, Scheepsbouwkonst, 1697, afb. bij
p. 72). Op het vel papier heeft hij een scheepskiel getekend en
twee profielen van een scheepsromp. De contour van een grote
spant lijkt door het papier heen te schemeren. Bij het raam ligt
een stapel papier, waarvan het bovenste, omgekrulde blad aan
de voorkant is beschreven en aan de keerzijde betekend met
dezelfde soort technische schetsen als het blad, dat de man voor
zich heeft. Ook het tweede blad van de stapel is beschreven. Het
is kennelijk een manuscript. Het lijkt er dan ook meer op, dat de
in zijn werk gestoorde man bezig is met het schrijven van een
geïllustreerde verhandeling over de scheepsbouw, dan met het
ontwerpen van een schip, zoals men altijd heeft aangenomen.
Hij is ongetwijfeld een scheepsbouwdeskundige, maar daarom
hoeft hij nog geen scheepsbouwmeester te zijn, zoals de
gangbare titel van het schilderij wil.

▷

2

THE SHIPBUILDER AND HIS WIFE
Canvas 115 x 165 cm. Signed and dated: Rembrandt f. 1633
London, Buckingham Palace, Royal Collection

In the autumn of 1631 Rembrandt settled in Amsterdam where
he received one portrait commission after the other. Amsterdam
burghers who could afford it has their portraits painted full-length.
Those who wanted to spend less could order portraits hip-length,
waist-length or only with face and shoulders. The shipbuilder
wanted to be portrayed together with his wife in one painting.
A year before, in 1632, Rembrandt had painted the Anatomy
Lesson of Prof. Tulp – the dynamic group portrait with which he
put into the shade all that had so far been made in this field in
Amsterdam. Now he showed his colleagues how much action
and expression can be put into a simple subject like a double
portrait. The man is interrupted in his work and looks back, slightly
absently, at his wife slipping into the room – her hand still on the
door latch – to hand him a letter.
The man has a pair of compasses in his hand. An instrument used
by ship designers to determine 'zandstroken' is lying on the table
(cf. Van Yk, Scheepsbouwkonst, 1697, ill. with p. 72). On the
sheet of paper he has drawn the keel of a ship and two profiles
of a hull. The outline of a large timber seems to be visible through
the paper. Near the window is a pile of paper. The top sheet,
slightly curled, has writing on one side and, on the reverse, the
same kind of technical drawings as on the sheet in front of the
man. The second sheet, too, is covered in writing. It is obviously
a manuscript. It therefore seems more likely that the man,
interrupted in his work, is writing an illustrated paper on ship-
building rather than designing a ship, as has always been assumed.
He is undoubtedly a shipbuilding expert, but does not necessarily
have to be a shipbuilder himself, as is suggested in the commonly
used title of the painting.

▷

detail ▷

De naam van de man komt tweemaal op het schilderij voor. Eenmaal als onleesbare handtekening onder de tekst op het bovenste blad van het manuscript en eenmaal op de aan hem gerichte brief, die zijn vrouw hem brengt. Het is tot nu toe niet gelukt dat adres bevredigend te ontcijferen. In de oudere literatuur wordt de inscriptie weergegeven als: 'den eersamen ende seer . . . Joan Vij. . .', maar de eerste letter van de familie-naam kan bezwaarlijk als een V gelezen worden.

De veronderstelling, dat het schilderij oorspronkelijk een stuk hoger zou zijn geweest (Münz), werd onlangs weerlegd (De Bruyn Kops).

The man's name appears twice in the painting — once as an illegible signature at the bottom of the text on the top sheet of the manuscript, and once on the letter addressed to him and handed to him by his wife. So far, attempts to decipher the address have been fruitless. In older literature the inscription is rendered as : 'den eersamen ende seer... Joan Vij...', but the first letter of the surname can hardly be read as a V.

The assumption that, originally, the painting had been higher (Münz) has recently been refuted (De Bruyn Kops).

Tent.: Den Haag 1948, nr. 5 ∗ Lit.: HdG 933; Bredius 408; Bauch 532; Bredius-Gerson 408; Gerson 139 □ Van Gelder 1946, 232; L. Münz, The Original Shape of Rembrandt's Shipbuilder and his Wife, The Burlington Magazine LXXXIX, 1947, 253–254; Knuttel 1956, 100; Rosenberg 1964, 123; C. J. de Bruyn Kops, De Amsterdamse verzamelaar Jan Gildemeester Jansz., Bulletin van het Rijksmuseum XIII, 1965, 111; Rosenberg-Slive-Ter Kuile 1966, 54, 267; Haak 1968, 89, 171; Gerson 1968, 52, 494.
Coll.: In 1800 en 1810 te Amsterdam geveild met de verzamelingen van resp. Jan Gildemeester Jansz. en Pieter de Smeth van Alphen. In 1811 te Londen geveild en aangekocht door Lord Yarmouth voor de Prince of Wales, de latere Georg IV.

De scheepsbouwer en zijn vrouw/*The shipbuilder and his wife*

cat. nr. 2

3 en 4
JOANNES ELISON EN ZIJN VROUW MARIA BOCKENOLLE
Pendants
Doek resp. 173 x 124 en 174.5 x 124 cm. Beide gesign. en
gedat.: Rembrandt f. 1634
Boston, Museum of Fine Arts, William K. Richardson Fund

Joannes Elison (± 1581–1639), geboren in Engeland, studeerde
theologie aan de Universiteit van Leiden, waar hij in 1598 als
student werd ingeschreven. In 1604 aanvaardde hij de
benoeming tot predikant van de Hollandse Gereformeerde Kerk
te Norwich in Engeland. Hij bleef daar tot 1639 in functie.
Tussen 17 augustus 1633 en 26 januari 1635 moet hij met zijn
vrouw in Amsterdam zijn geweest, vermoedelijk om een bezoek
te brengen aan zijn zoon Joannes Elison de Jonge. Tijdens dit
bezoek liet de zoon zijn ouders door Rembrandt schilderen en hij
behield de portretten tot zijn dood.
De schilderijen stammen uit Rembrandts vroege Amsterdamse
tijd, toen hij tal van portretopdrachten kreeg. Voor een portret
ten voeten uit betaalde men natuurlijk het hoogste tarief (vgl. de
opmerking bij cat. nr. 2) en men kon dan naar verkiezing
staand of zittend vereeuwigd worden. Een predikant liet zich
gewoonlijk zittend schilderen. Een rijke, elegante jongeman als
Marten Soolmans poseerde in hetzelfde jaar 1634 met zijn jonge
vrouw staande voor Rembrandt (Parijs, verz. De Rothschild).
De predikant Elison houdt zijn linkerhand voor zijn borst, net
zoals zijn collega Johannes Wttenbogaert, die zich een jaar
eerder door Rembrandt had laten portretteren (Mentmore, verz.
Earl of Roseberry). Met dit sprekende gebaar getuigen zij
▷

3 and 4
JOANNES ELISON AND HIS WIFE MARIA BOCKENOLLE
Pendants
Canvas 173 x 124 and 174.5 x 124 cm, resp. Both signed and
dated: Rembrandt f. 1634
Boston, Museum of Fine Arts, William K. Richardson Fund

Joannes Elison (c. 1581–1639), born in England, studied theology
at the Leyden University, where he was enrolled as a student in
1598. In 1604 he accepted an appointment as Minister of the
Dutch Reformed Church in Norwich, England. He remained in
office there until 1639. Between 17th August, 1633 and
26rd January, 1635 he must have been in Amsterdam, probably
to visit his son Joannes Elison the Younger. During this visit the
son had his parents portrayed by Rembrandt, and he kept the
portraits until his death. The paintings are from Rembrandt's first
years in Amsterdam, when he received many commissions. For
a full-length portrait one had of course to pay the highest fee
(cf. the note with Cat. No. 2), and the sitter could decide for
himself whether he wanted to be portrayed seated or standing.
A minister usually decided for the seated pose. In the same year,
1634, a rich and elegant young man, Marten Soolmans, and his
charming wife, posed for Rembrandt, standing (Paris, Coll. De
Rothschild). Minister Elison has his left hand raised to his chest,
like his colleague Johannes Wttenbogaert, who had his portrait
painted by Rembrandt a year earlier (Mentmore, coll. Earl of
Roseberry). With this expressive gesture they probably symbolize
their true faith. Women in portraits usually hold their hand in the
same way as Maria Bockenolle — the gesture seems to symbolize
▷

detail ▷

Joannes Elison   *cat. nr. 3*

Maria Bockenolle   *cat. nr. 4*

waarschijnlijk van de oprechtheid van hun geloof. Vrouwen houden op portretten hun rechterhand vaak op dezelfde wijze als Maria Bockenolle; het schijnt een gebaar te zijn dat duidt op huwelijkstrouw.

De jonge Elison, op zoek naar een schilder om zijn ouders te portretteren, had geen betere keus kunnen doen. Rembrandt leverde hem deze frappante beeltenissen, die hem vanaf de dag dat ze zijn huis binnenkwamen bijna het gevoel gegeven moeten hebben, alsof zijn vader en moeder voortaan bij hem inwoonden.

marital fidelity. Young Elison, looking for a painter to portray his parents, could not have made a better choice. From the day these striking portraits came into his house they must, almost, have given him the feeling that his father and mother had come to live with him.

◁ *detail*

Tent.: — * Lit.: HdG 645 en 646; Bredius 200 en 347; Bauch 372 en 477; Bredius-Gerson 200 en 347; Gerson 162 en 163 □ C. Hofstede de Groot, Varia omtrent Rembrandt, Oud-Holland XIX, 1901, 91–94; H. F. Wijnman, Een drietal portretten van Rembrandt, Jaarboek Amstelodamum XXXI, 1934, 81–90; Van Gelder 1946, 253, 312; Knuttel 1956, 100–101; J. Rosenberg, Rembrandt's Portaits of Joannes Elison and his Wife, Bulletin of the Museum of Fine Arts (Boston) LV, 1957, 3–9; H. F. Wijnman, Rembrandt's portretten van Joannes Elison en zijn vrouw Maria Bockenolle naar Amerika verkocht, Maandblad Amstelodamum XLIV, 1957, 65–72; Haak 1968, 108–109; Gerson 1968, 161–162, 495.
Coll.: Geschilderd in opdracht van Elisons zoon. Door deze vermaakt aan zijn zwager, die in Norwich woonde, waar de beide portretten tot in het midden van de 19de eeuw in de familie bleven. In 1956 aangekocht door het museum.

4a

HET OFFER VAN ABRAHAM
Doek 193 x 133 cm. Gesign. en gedat.: Rembrandt f. 1635
Leningrad, Ermitage, cat. 1958, nr. 727

Op uiterst suggestieve wijze heeft Rembrandt het bijbelverhaal (Genesis 22:1–14) uitgebeeld. God stelde Abraham op de proef door hem op te dragen zijn enige zoon Isaac als brand-offer te offeren op een berg in het land van de Moria. Zonder tegenstribbelen voldeed Abraham aan deze zware opdracht, maar op het moment, dat hij het mes ophief om zijn zoon te doden, weerhield een engel hem daarvan. Dit dramatische ogenblik heeft Rembrandt met verve uitgebeeld. Isaac ligt machteloos op het brandhout. Abraham drukt het hoofd van zijn zoon krachtig achterover en net als hij het offermes vertwijfeld in de keel wil zetten grijpt de engel hem bij de pols, zodat het mes aan zijn hand ontglipt. Rembrandts tijdgenoten zullen vooral die vondst om het mes in vrije val te schilderen wel bewonderd hebben.

Zelf schijnt Rembrandt niet helemaal tevreden geweest te zijn met deze compositie, want in 1636 heeft hij een tweede versie geschilderd, waarop de engel niet van opzij komt aanzweven, maar recht van achteren. De greep van de engel om Abrahams pols is nu veel krachtiger en met zijn linkerhand maakt hij een waarschuwend gebaar, dat wat minder theatraal aandoet dan eerste het geval was. Links heeft Rembrandt nu ook het ram geschilderd, dat in het bijbelverhaal wordt genoemd. Abraham offerde het in plaats van zijn zoon.

Dit tweede schilderij, dat zich in de Alte Pinakothek te München (inv. nr. 438) bevindt, heeft Rembrandt als volgt gesigneerd: 'Rembrandt. verandert. En over geschildert. 1636.' Men heeft uit deze inscriptie opgemaakt, dat Rembrandt een schilderij van een leerling van hem heeft veranderd en overschilderd. Maar de nieuwe interpretatie van Haak, die de inscriptie leest alsof er staat 'Rembrandt heeft deze compositie veranderd en het schilderij opnieuw geschilderd' lijkt de juiste. Röntgenonderzoek van het schilderij in München heeft aangetoond, dat er in dat schilderij nauwelijks iets veranderd of overschilderd is.

4a

THE SACRIFICE OF ABRAHAM
Canvas 193 x 133 cm. Signed and dated: Rembrandt f. 1635
Leningrad, Hermitage, Cat. 1958, No. 727

Rembrandt has depicted the Bible story (Genesis 22:1–14) in an extremely impressive way. God tried Abraham by ordering him to sacrifice his only son Isaac as a burnt offering on a mountain in the land of the Moria. Abraham complied without demurring to execute this heavy task, but the moment he raised his knife to kill his son, an angel stopped him. With a great deal of verve Rembrandt has rendered this dramatic moment. Isaac lies on the stake, helplessly. Abraham forcefully pulls his son's head back and, the moment when, desperately, he is about to drive the knife home, the angel seizes his wrist so that the knife slips from his hand. Rembrandt's contemporaries will undoubtedly have admired this trouvaille – painting the knife suspended in mid-air.

Rembrandt himself does not seem to have been completely satisfied with this composition. In 1636 he painted a second version, in which the angel does not descend from the side, but directly from behind. The Angel's grip on Abraham's wrist is now much more powerful, and with his left hand he makes a warning gesture, with a less theatrical effect than in the first version. At the left Rembrandt also painted the ram mentioned in the Bible story. Abraham offered it instead of his son.

This second painting, now in the Alte Pinakothek of Munich (Inv. No. 438) has been signed by Rembrandt as follows: 'Rembrandt. verandert. En over geschildert. 1636.' (Rembrandt. changed. And painted over. 1636.). From this inscription it has been concluded that Rembrandt has altered and repainted a work by one of his pupils. However, the new interpretation by Haak who reads the inscription as if it says: 'Rembrandt has changed the composition and painted over again the painting' seems to be correct. X-ray photographs of the painting in Munich have shown that within the painting itself hardly anything has been altered or repainted.

Tent.: – * Lit.: HdG 9; Bredius 498; Bauch 13; Bredius-Gerson 498; Gerson 74 □ K. Voll, Das Opfer Abrahams von Rembrandt in Petersburg und in München, Vergleichende Gemäldestudien I, 1907, 174 e.v.; C. Müller, Studien zu Lastman und Rembrandt, Jahrbuch der preussischen Kunstsammlungen L, 1929, 45–83; Van Gelder 1946, 312; Knuttel 1956, 93; Rosenberg 1964, 175–176; Haak 1968, 126–127; Gerson 1968, 54, 491
Coll: In 1760 te Amsterdam geveild. In 1767 in het bezit van Horace Walpole. In 1779 verworven door het museum

5

DE BRUILOFT VAN SIMSON
Doek 126.5 x 175.5 cm. Gesign. en gedat.: Rembrandt f. 1638
Dresden, Staatliche Kunstsammlungen

Volgens het bijbelverhaal (Richteren 14 : 10–18) gaf Simson
tijdens zijn bruiloftsmaal het volgende raadsel op aan zijn gasten:
Uit de vraat kwam spijs te voorschijn, en zoetigheid uit de sterke.
Niemand van de aanwezigen kende de oplossing, maar na lang
aandringen wist zijn jonge Filistijnse vrouw hem het antwoord
te ontfutselen. Zij verklapte het aan haar landgenoten. Toen die
tegen Simson zeiden: 'Wat is zoeter dan honing, wat is sterker
dan een leeuw', doorzag hij onmiddellijk dat er bedrog in het
spel was, want alleen aan zijn vrouw had hij verteld, dat hij eens
een leeuw met zijn blote handen had gedood en dat hij later in
het karkas een honingraat had gevonden. Uit woede doodde hij
toen dertig Filistijnen. Rembrandt heeft het moment geschilderd,
waarop Simson het raadsel opgeeft. De gasten luisteren nieuws-
gierig toe, maar zijn bruid zit als een sfinx te pronken achter de
tafel. Wie de ontknoping van het verhaal kent, doorziet die koele
blik van de femme fatale.
Dit veelgeprezen schilderij van 1638 vormt een schitterend
hoogtepunt in de fase van Rembrandts ontwikkeling, die
onmiddellijk voorafgaat aan het ontstaan van de Nachtwacht
(1642). Het is een brillant geschilderd historiestuk vol amusante
details en met een prachtig theatereffect: de man die in zijn
eigenwaan iedereen te slim af meent te zijn naast de vrouw die
zelfverzekerd het moment afwacht waarop zij haar superioriteit
zal tonen.
▷

5

THE WEDDING FEAST OF SAMSON
Canvas 126.5 x 175.5 cm. Signed and dated : Rembrandt f. 1638
Dresden, Staatliche Kunstsammlungen

According to the Bible story (Judges 14, 10–18) Samson, during
his wedding feast, set the following riddle to his guests : 'Out of
the eater came forth meat, and out of the strong came forth
sweetness'. None of his guests could give the solution, but with
a lot of insistence his young Philistine wife managed to worm the
answer out of him – and she passed it on to her fellow countrymen.
When they asked Samson : 'What is sweeter than honey, and
what is stronger than a lion', he immediately understood that he
had been cheated, because his wife was the only one to whom
he had told that he had once killed a lion with his bare hands and
had found a honeycomb in the carcase. In his fury he killed
thirty Philistines. Rembrandt has painted the moment when
Samson expounds his riddle. The guests are listening curiously,
but his bride, with the immobility of a Sphinx, sits resplendently
behind the table. Those who know the dénouement of the story
will understand the cool gaze of the 'femme fatale'.
This much admired painting of 1638 is a brilliant climax in the
phase of Rembrandt's development immediately before the
conception of the Night Watch (1642). It is a gloriously painted
historical scene, full of amusing details, and with a dramatic
theatrical effect : the man who, in his self-conceit, thinks he can
outwit everyone, next to the woman who, completely sure of
herself, awaits the moment she can show off her superiority.
▷

Het is interessant te horen hoe een tijdgenoot van Rembrandt over het schilderij oordeelde. In een rede, uitgesproken te Leiden op Sint Lucasdag 1641 prees Phlips Angel het als een voorbeeld van een goed doordacht uitgebeeld historiestuk. De gasten zitten immers niet gewoon op stoelen, maar ze liggen aan op banken, zoals dat in de oudheid gebruikelijk was. En het gebaar, dat Simson met zijn handen maakt terwijl hij het raadsel opgeeft is zo natuurlijk als het maar zijn kan. Bovendien heeft de schilder niet aller aandacht op het raadsel geconcentreerd, maar een deel van de gasten laat hij rustig doorfeesten, zodat het een vrolijke maaltijd blijft. Rembrandt, zegt Angel, heeft kans gezien om een natuurlijkheid aan het tafereel te verlenen als van een bruiloftsmaal van onze tijd, en toch ziet men met een oogopslag dat het een historische gebeurtenis is. 'Siet', besluit hij, 'dese vrucht der eygen natuerlicke uyt-beeldinge ontstont door de Historie wel gelesen en ondertast te hebben door hooge en verre naghedachten.'

Volgens sommigen zou Rembrandt zichzelf hebben geportretteerd in de man met de fluit of in de man rechts van hem.

It is interesting to learn how one of Rembrandt's contemporaries judged this painting. In an address given at Leyden on St. Luke's Day, 1641, Phlip Angel praised it as an example of a thoroughly thought-out representation of a historical scene. Indeed the guests are not sitting on chairs, but are reclining on couches, as was the habit in ancient times. The expression of Samson's hands when he expounds his riddle is completely natural. Another interesting point is that the painter has not focussed all the attention on the riddle, but has depicted a number of guests gayly continuing their revelry, so that the meal remains an animated scene. As Angel says, Rembrandt has succeeded in picturing this scene with a naturalness comparable to that of a wedding feast of his own time, and yet, at the first glance, one sees that this is a historical event. 'This', he concludes, 'is how these fruits of his own natural depiction originated from reading the story well and grounding it thoroughly on high and far-reaching reflections'.

Some writers think that Rembrandt portrayed himself in the man with the flute or in the man at the right of him.

Tent.: – * Lit.: HdG 30; Bredius 507; Bauch 20; Bredius-Gerson 507; Gerson 85 □ Phlips Angel, Lof der Schilder-Konst, Leiden 1642, 47–48; P. J. Frederiks, Philip Angel's Lof der Schilderkonst, Oud-Holland VI, 1888, 120; A. Hölzel, Über künstlerische Ausdrucksmittel und deren Verhältnis zu Natur und Bild, Kunst für Alle XX, 1904/05, 108 e.v.; H. Schmerber, Rembrandts Simsonhochzeit, Kunstchronik XVI, 1905, 97 e.v.; Van Gelder 1946, 254–256; Slive 1953, 38–40, 55; C. Nordenfalk, Some facts about Rembrandt's Claudius Civilis, Konsthistorisk Tidskrift XXV, 1956, 78; W. Scheidegg, Rembrandt und seine Werken in der Dresdener Galerie, Dresden 1958, 23; Bruyn 1959, 10, 17; Gantner 1964, 111-116; Rosenberg 1964, 191, 361; K. Clark 1966, 57; Rosenberg-Slive-Ter Kuile 1966, 56–57; Erpel 1967, nr. 69; Emmens 1968, 13; Haak 1968, 150–151; Gerson 1968, 492. Coll.: Vermoedelijk in het begin van de 18de eeuw aangekocht door August der Starke; in 1722 hing het schilderij in diens Gemäldegalerie im Stallgebäude.

detail ▷

6
DE EENDRACHT VAN HET LAND
Paneel 74.6 x 101 cm. Gesign. en gedat.: Rembrandt f. 1641
Rotterdam, Museum Boymans-Van Beuningen, cat. 1962, nr. 1717

In Rembrandts boedelinventaris van 1656 wordt deze allegorie 'de Eendragt van 't lant' genoemd. De thans moeilijk te ontraadselen zinnebeeldige voorstelling, geschilderd in grisaille, is misschien een ontwerp voor een prent, die dan nimmer is uitgevoerd. Het kan ook een voorstudie zijn voor een definitief schilderij, dat men zich groter en gekleurd mag voorstellen.
De titel en de datering (1641) binden deze voorstelling, die wel in opdracht zal zijn ontstaan, aan de politieke situatie in de Republiek der Verenigde Nederlanden op het eind van de 80-jarige vrijheidsoorlog tegen Spanje (1568–1648). Rembrandt heeft ongetwijfeld motieven ontleend aan de vele allegorische politieke prenten en gedichten uit die periode. Twee gedichten van Jan Starter op het thema 'Eendracht maeckt macht', beide daterend van 1623, vormden waarschijnlijk zijn voornaamste inspiratiebron (Bille, Hellinga). De vermoedelijke kerngedachte van Rembrandts allegorie wordt daar aldus geformuleerd:

Want 's Lands voornaemste macht en haer voorspoedicheyd,
In Burgers Eendracht meer als Vaste-vesten leyd.

De hoge vesting op de achtergrond, ouderwets in Rembrandts tijd toen men aarden vestingwallen gebruikte (Van de Waal), kan de 'Vaste-vesten' voorstellen, die wel nuttig zijn maar niet essentieel. De eendracht van de burgerij, de werkelijke basis van voorspoed en macht, wordt op de voorgrond symbolisch voorgesteld. De steden hebben zich onder aanvoering van Amsterdam hand in hand aaneengesloten. Vooraan ligt een geketende leeuw (het overwonnen geweld, of misschien de Nederlandse leeuw). Vrouwe Justitia staat links achter een lege zetel aan de voet van de zuil met de oorkonde, die mogelijk de Unie van Utrecht (1579) symboliseert, die in 1648 bij de Vrede van Munster zou worden erkend.

6
THE CONCORD OF THE STATE
Panel 74.6 x 101 cm. Signed and dated: Rembrandt f. 1641
Rotterdam, Museum Boymans-Van Beuningen, Cat. 1962, No. 1717

In the inventory of Rembrandt's possessions (1656) this allegory is called 'de Eendracht van 't lant' (The Concord of the State). This symbolical painting, now difficult to interpret, is painted in grisaille under a deep blue sky. It may have been a design for a print which was never realized. It may also be a preliminary study for a painting which might conceivably have been larger and painted in colours.
The title and date (1641) of this painting – probably made on commission – relate it to the political situation in the Republic of the United Netherlands at the end of the 80-years' war against the Spanish (1568–1648). Rembrandt has undoubtedly borrowed themes from the numerous allegorical political prints and poems from that period. Two poems by Jan Starter on the theme 'Eendracht maeckt macht' (Unity is Strength), both from 1623, presumably were his chief source of inspiration (Bille, Hellinga). In these poems, the probable basic idea of Rembrandt's allegory is formulated as follows:

For the Country's chief power and its prosperity,
Are in the Burghers' Unity rather than in strong fortresses.

The high fortification in the background – out of date in Rembrandt's time when earth ramparts were used (Van de Waal) may represent the fortresses which are useful but not essential. The unity of the citizens, the real basis of prosperity and power, is symbolically pictured in the foreground. The cities have joined forces, headed by Amsterdam. The chained lion may symbolize violence conquered, or perhaps the Netherlands' lion. Dame Justice stands to the left behind an empty seat at the base of a pillar. On the pillar is a charter, possibly symbolizing the Union of Utrecht (1579) which was to be recognized in 1648 at the Münster peace treaty.

Tent.: Amsterdam 1898, nr. 69; Amsterdam 1925, nr. 453; Amsterdam 1932, nr. 15; Amsterdam 1956, nr. 43 ∗ Lit.: HdG 227; Bredius 476; Bauch 105, Bredius-Gerson 476; Gerson 206 □ F. Schmidt Degener, Een voorstudie voor de Nachtwacht: de Eendracht van het Land, Onze Kunst XXI, 1912, 1–20; C. Hofstede de Groot, De Eendracht van het Land een voorstudie voor de Nachtwacht?, Oud-Holland XXX, 1912, 178–180; F. Schmidt Degener, Een meeningsverschil betreffende 'de Eendracht van het Land', Onze Kunst XXXI, 1913, 76–80; J. Six, Rembrandts Eendracht van het Land, Onze Kunst XXXIII, 1918, 141–158; J. D. M. Cornelissen, Rembrandt, de Eendracht van het Land, I en II, Nijmegen 1941; F. Schmidt Degener, Rembrandts Eendracht van het Land opnieuw beschouwd, Maandblad voor Beeldende Kunsten XVIII, 1941, 161–173; J. A. Hamel, De Eendracht van het Land, Amsterdam 1945; Van de Waal 1952, 63 noot 6, 218, 231; J. Q. van Regteren Altena, Het genetische probleem van de Eendracht van het Land, I en II, Oud-Holland LXVII, 1952,

30–50 en 59–67; J. Q. van Regteren Altena, Quelques remarques sur Rembrandt et la Ronde de Nuit, Actes du 17ème congrès de l'Histoire de l'Art (Amsterdam 1952), Den Haag 1955, 405–420; W. Gs. Hellinga, Rembrandt fecit 1642, Amsterdam 1956, 30–41; Cl. Bille, Rembrandts Eendracht van het Land en Starters Wttreckinge van de Borgery van Amsterdam, Oud-Holland LXXI, 1956, 25–34; S. Kraft, En Rembrandt-tavlas politiska bakgrund, Stockholm 1959, passim; V. Filatov, Les réparations des toiles de Rembrandt, Iskoestwo 1961, 65; Rosenberg 1964, 271, 359; Emmens 1968, 10, 11, 66; Fuchs 1968, 10; Haak 1968, 173–175, 190, 218; Gerson 1968, 76, 496.
Coll.: In 1656 vermeld in de boedel-inventaris van Rembrandts huis aan de Breestraat, waar het hing 'inde Agtercaemer offte Sael'. In 1768 te Amsterdam geveild. In het bezit geweest van de Engelse schilders Sir Joshua Reynolds († 1792) en Benjamin West († 1820). In 1865 in Parijs gekocht door het museum.

7

EEN VROUW IN BED

Van paneel overgebracht op doek 81 x 67 cm. Vermoedelijk
verkleind. Gesign. en gedat.: Rembr.... f. 164.
Edinburgh, National Gallery of Scotland, cat. 1957, nr. 827

Een restant van het laatste cijfer van het jaartal werd vroeger
gelezen als een I en in recenter tijd als een 7. Toen het schilderij
in 1966 werd schoongemaakt, bleek dit restant echter een oude
restauratie te zijn. In werkelijkheid is er van het laatste cijfer geen
spoor meer over. Een vergelijking met gedateerde werken van
Rembrandt wijst uit, dat het schilderij omstreeks 1646 ontstaan
moet zijn.
Men heeft in deze vrouw, die – terwijl ze het beddegordijn opzij
houdt – half uit de kussens omhoog komt en langs het bed
heen de kamer inkijkt, wel een portret van Hendrickje Stoffels
willen zien. Maar een gewoon portret is het beslist niet. Men zou
ten hoogste kunnen veronderstellen, dat Hendrickje model heeft
gezeten. Overigens kan dat ook Geertje Dircx zijn geweest, met
wie Rembrandt van omstreeks 1643 tot 1649 heeft samengeleefd.
Hendrickje komt alleen in aanmerking, indien men het schilderij
laat in de veertiger jaren dateert. Van Geertje noch van
Hendrickje zijn echter zekere portretten bekend, zodat
vergelijkingsmateriaal ontbreekt.
Het is niet alleen onzeker, wie er voor dit schilderij heeft
geposeerd, maar ook wat het eigenlijke onderwerp ervan is.
Misschien heeft Rembrandt hier een bijbels thema geschilderd
en in dat geval komt de geschiedenis van Tobias en Sara
▷

7

A WOMAN IN BED

Transferred from panel to canvas 81 x 67 cm. Probably reduced.
Signed and dated: Rembra .... f. 164.
Edinburgh, National Gallery of Scotland, Cat. 1957, No. 827

Traces of the last cipher of the date used to be read as a 1, later
as a 7. When the painting was cleaned in 1966, these remnants
however appeared to belong to an old restoration. In point
of fact no traces are left of the last cipher. A comparison
with dated works of Rembrandt reveals that this painting must
have been made around 1646.
The woman in this portrait – holding up the bed curtain and half-
rising from the pillows to look into the room past the bed – has
been taken for Hendrickje Stoffels. It is, however, certainly not
an ordinary portrait. At the most one might suppose that
Hendrickje sat for it. The woman may also have been Geertje
Dircx with whom Rembrandt lived from about 1643 to 1649.
Hendrickje can only be considered if the painting is dated in the
late forties. There are, however, no identifiable portraits either of
Hendrickje or of Geertje, so that there is no material for comparison.
It is not only uncertain who sat for this portrait, but also what is
its actual subject. Perhaps Rembrandt has painted a biblical
scene – in this case the story of Tobias and Sarah (Tobias 7:1–9)
▷

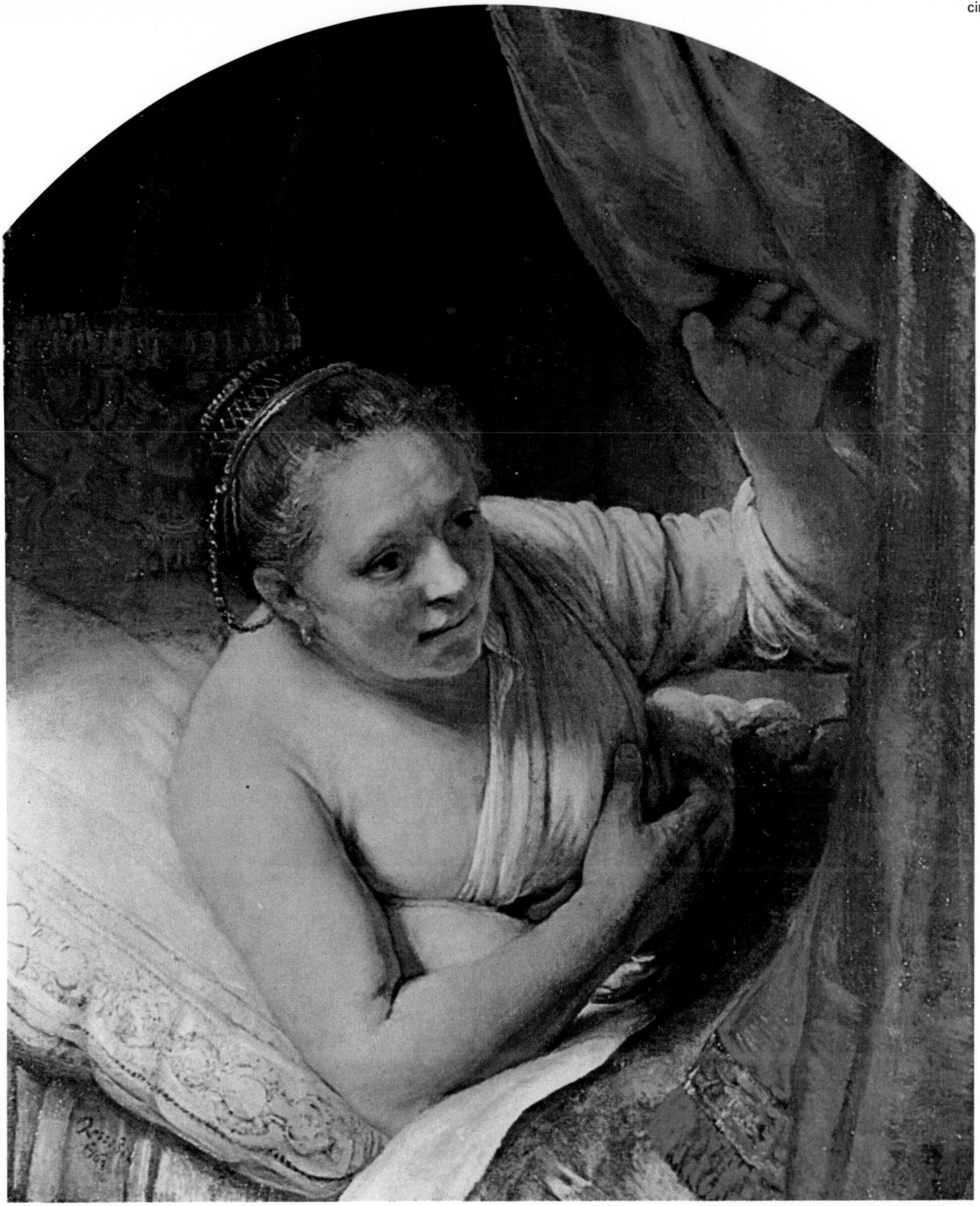

(Tobias 7 : 1–9) het meest in aanmerking. Sara was zeven maal getrouwd, maar telkens doodde de duivel in de gestalte van een draak haar echtgenoot vóór de huwelijksnacht. Rafaël, de beschermengel van Tobias, wist dit onheil te voorkomen en zo vond Sara eindelijk haar man. Indien Rembrandt werkelijk dit verhaal heeft uitgebeeld, dan heeft hij het ontdaan van alles wat zou kunnen afleiden van de hoofdzaak: de gespannen verwachting van de jonge Sara of haar achtste bruidegom ditmaal werkelijk voor haar bestemd zou zijn.

Rembrandt schijnt het motief van Sara, die zich opricht in bed, ontleend te hebben aan een schilderij van zijn leermeester Pieter Lastman, dat zich in het museum te Boston bevindt (Gerson).

seems the most likely. Sarah married seven times, but each time the devil in the guise of a dragon killed the bridegroom before the bridal night. Raphael, Tobias' guardian angel, succeeded in averting this evil and so Sarah at last found her husband.

If this story has indeed been Rembrandt's subject, he has stripped it from all the non-essentials and concentrated everything on young Sarah anxiously awaiting whether this time the eighth bridegroom will, at last, be hers.

The motif of Sarah raising herself from the pillows seems to have been borrowed by Rembrandt from a painting by his master Pieter Lastman. This painting is now in the Boston Museum (Gerson).

Tent.: Amsterdam 1932, nr. 24 ∗ Lit.: HdG 305; Bredius 110; Bauch 266; Bredius-Gerson 110; Gerson 227 ☐ N. S. Trivas, New Light on Rembrandt's so-called Hendrickje at Edinburgh, The Burlington Magazine LXX, 1937, 252; Van Gelder 1946, 325; Knuttel 1956, 171; White 1964, 84; Rosenberg 1964, 89, 95; Rosenberg-Slive-Ter Kuile 1966, 269 noot 22; Gerson 1968, 497. Coll.: In de eerste helft van de 18de eeuw in de verz. van de Prins de Carignan (Turijn), die in 1742 te Parijs werd geveild. Daarna tot ± 1760 in bezit van François Tronchin (Genève), een vriend van Voltaire. Liotard maakte in 1757 een pastelportret van Tronchin, waarop hij zittend naast dit schilderij, dat zonder lijst op een ezel staat, is afgebeeld. In 1892 geschonken aan het museum.

detail ▷

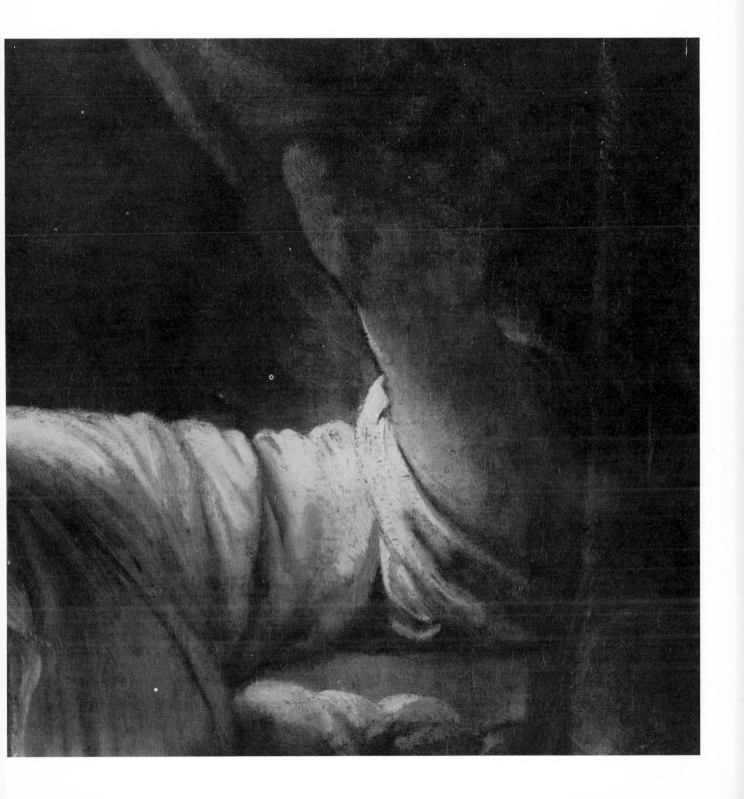

8

DE RUST OP DE VLUCHT NAAR EGYPTE
Paneel 34 x 47 cm. Gesign. en gedat.: Rembrandt f. 1647
Dublin, National Gallery of Ireland

Het bijbelverhaal (Mattheüs 2 : 13–15) vertelt hoe Jozef en
Maria gewaarschuwd door een engel in de nacht naar Egypte
vluchtten, omdat Herodes hun kind zocht om het te doden. In de
middeleeuwen zijn er rond deze vlucht tal van legenden
geweven, die hun neerslag vonden in de beeldende kunst. Twee
thema's werden op den duur bijzonder populair: de eigenlijke
vlucht, en de rust tijdens de vlucht. Ook Rembrandt heeft die
beide motieven meer dan eens uitgebeeld, soms als nachtelijke
scenes, soms ook bij daglicht.
In 1609 had Adam Elsheimer een nachtelijke vlucht geschilderd,
waarop men de heilige familie onder een heldere sterrenhemel door
het maanverlichte landschap ziet trekken, terwijl in de verte
herders de wacht houden bij een kampvuur. Dit schilderijtje
kreeg grote bekendheid door de gravure, die Hendrick Goudt er
in 1613 naar heeft gemaakt. Zonder twijfel heeft deze prent – of
misschien het schilderij van Elsheimer zelf – Rembrandt
geïnspireerd tot dit prachtige paneeltje, waarop Jozef en Maria
aan de oever van een meertje overnachten bij een houtvuur, dat
door herders wordt gestookt. In plaats van een sterrenhemel
schilderde hij een maanverlichte wolkenlucht. Veel suggestiever
nog dan Elsheimer heeft Rembrandt de geheimzinnige sfeer van
de nachtelijke natuur weergegeven.

8

REST ON THE FLIGHT INTO EGYPT
Panel 34 x 47 cm. Signed and dated: Rembrandt f. 1647
Dublin, National Gallery of Ireland

*The Bible (Matthew 2:13–15) relates the story of Mary and
Joseph who, warned by an angel, fled to Egypt because Herod
sought to kill their child. In the Middle Ages, many legends
woven around this flight were visualized in pictorial art. In the
course of the centuries, two themes have become outstandingly
popular: the actual flight and the rest during the flight. Rembrandt, too, has pictured these themes more than once, sometimes as nocturnal scenes, sometimes by daylight.
In 1609, Adam Elsheimer had painted the flight by night. The
Holy Family is seen moving through a moonlit landscape, under a
bright, starry sky. In the distance some shepherds are keeping
watch near a camp fire. This small painting (now in Munich)
became quite wellknown through the engraving which Hendrick
Goudt made of it in 1613. Undoubtedly this print – or perhaps
even Elsheimer's painting itself – has inspired Rembrandt to paint
this beautiful little panel, which shows Joseph and Mary spending
the night on the shore of a lake, near a camp fire tended by some
shepherds. Instead of a starry sky, Rembrandt painted a moonlit,
cloudy sky. His rendering of the mysterious feeling of nature by
night is much more suggestive even than Elsheimer's.*

Tent.: Amsterdam 1932, nr. 22; Amsterdam 1956, nr. 57 ∗ Lit.: HdG 88;
Bredius 576; Bauch 80; Bredius-Gerson 576; Gerson 220 □ Van Gelder 1946,
166; Knuttel 1956, 146; J. Bruyn 1959, 10; Stechow 1966, 91, 174, 176;
Haak 1968, 205; Gerson 1968, 96, 497.
Coll.: In 1883 aangekocht door het museum.

9
ZITTENDE OUDE MAN
Doek 72 x 66 cm. Gesign. en gedat.: Rembrandt f. 1651
Chatsworth, Devonshire Collection

In zijn vroege, Leidse tijd heeft Rembrandt veel studies gemaakt
van oude mensen met hun door het leven getekende gezichten.
Het thema van de ouderdom is hem altijd blijven boeien en vaak
doste hij zijn sujetten uit met costuums van bont en brokaat, die
in zijn tijd niet werden gedragen, maar die hij kennelijk
schilderachtig vond.
Men vraagt zich af, of dit schilderij van 1651 beschouwd moet
worden als een echt portret of als zo'n studie van een oude man.

9
OLD MAN SEATED
Canvas 72 x 66 cm. Signed and dated: Rembrandt f. 1651
Chatsworth, Devonshire Collection

In his early Leyden years, Rembrandt made numerous studies of
old people, with their faces marked by the years. Old age is a
theme which has fascinated Rembrandt all through his life. Often
he dressed up his models in costumes of brocade and fur which
were not worn at that time, but which, apparently, he found
picturesque.
One wonders whether this painting, dating from 1651, should be
regarded as a regular portrait or rather, in a more general way,
as a study of an old man.

Tent.: Amsterdam 1898, nr. 83; Amsterdam 1956, nr. 64 ∗ Lit.: HdG 292;
Bredius 266, Bauch 204, Bredius-Gerson 266; Gerson 299.
Coll.: In de eerste helft van de 18de eeuw gekocht door Richard Boyle, 3rd
Earl of Burlington. Bij diens dood in 1753 geërfd door William Cavendish,
4th Duke of Devonshire, die in 1748 was getrouwd met een dochter en mede-
erfgenaam van Richard Boyle. Sindsdien in de familie gebleven.

Zelfportret in schilderskiel
Amsterdam, Rembrandthuis

Self-Portrait in Studio Attire
Amsterdam, Rembrandt House

◁ *detail, cat. nr. 9*

cat. nr. 10 ▷

10
ZELFPORTRET
Doek 112 x 81.5 cm. Gesign. en gedat.: . . . . dt f. 1652
Wenen, Kunsthistorisches Museum, cat. 1963, nr. 287

De eerste zeven letters van Rembrandts naam ontbreken aan de
signatuur, die links onderaan op het schilderij staat. Het doek is
dus aan de linkerkant ongeveer 7 à 8 cm. breder geweest.
Oorspronkelijk moet de arm daar tot en met de elleboog zichtbaar
zijn geweest en dat was vermoedelijk ook zo aan de rechterkant.
Bij het tegenwoordige formaat valt de nadruk net iets te veel op
de verticale opbouw van de figuur, zodat Rembrandt rijziger lijkt
dan hij in werkelijkheid was. Oorspronkelijk hebben de
ellebogen ook compositorische accenten in de breedte gelegd,
zodat de gestalte nog forser en stabieler op het doek stond, dan
nu al het geval is.
Met het zelfportret in de Frick-verzameling in New York is
dit schilderij het enige, waarop Rembrandt zich tot de heupen
toe heeft afgebeeld, en er bestaat geen ander waarop hij zichzelf
met zoveel aplomb heeft neergezet. Hij was 46 jaar toen hij daar
voor de spiegel stond en zijn eigen verschijning met monsterende
blik opnam, zoals een schilder onder het werken zijn schilderij
telkens van een afstand pleegt te bekijken om te zien of het
goed wordt.
In eerste instantie heeft Rembrandt misschien gedacht aan een
zelfportret ten voeten uit. Zo ziet men hem tenminste op een
tekening in het Rembrandthuis te Amsterdam (zie p. 61 en
cat. nr. 108), die wel terecht als voorstudie voor dit schilderij
wordt beschouwd (Benesch 1171). Tekening en schilderij
illustreren als het ware de woorden van Rembrandts leerling
Bernard Keihl, die aan Baldinucci vertelde '...dat Rembrandts
verschijning onverzorgd was en dat zijn kiel vol verf zat, omdat hij
gewoon was zijn penselen er aan af te vegen... en dat hij,
wanneer hij werkte, zelfs geen koning zou hebben ontvangen...'
(Cominciamento... dell'arte dell'intagliare in rame...,
Firenze 1686, 78 e.v.).

10
SELF PORTRAIT
Canvas 112 x 81.5 cm. Signed and dated : . . . . dt f. 1652
Vienna, Kunsthistorisches Museum, Cat. 1963, No. 287

*In the signature at the lower left, the first seven letters of
Rembrandt's name are missing. This means that, at the left, the
canvas has been 7 to 8 cm. wider. Originally the arm must have
been completely visible, with the elbow, and the same will have
been the case at the right. In the canvas of the present size, the
vertical movement in the figure is slightly over-emphasized, so
that Rembrandt seems taller than he actually was. Originally the
elbows added compositional horizontal accents, so that the
figure appeared even more stalwart and solid than it does now.
Except for the selfportrait in the Frick-Collection (New York) this
painting is the only one in which Rembrandt portrays himself
down to the hips, and there is not another one in which he puts
himself down with so much aplomb. He was 46 when he stood
there, looking at himself in the mirror, critically surveying his
appearance, in the way a painter now and then stands back to see
whether his work comes out right.
In first instance, Rembrandt may have considered a full-length
portrait. This is, at least, the way he appears in a drawing in the
Rembrandt House in Amsterdam (see p. 61 and Cat. No. 108),
rightly seen as a preliminary study for this painting (Benesch,
1171). Both the drawing and the painting seem to illustrate the
words of Rembrandt's pupil Bernhard Keihl who told
Baldinucci '....that Rembrandt's appearance was careless and
that this smock was stained with paint all over, because it
was his habit to wipe his brushes on it, ... and that, when he
was working, he would not even have received a king...'
(Cominciamento... dell'arte dell'intagliare in rame...,
Firenze 1686, 78ff).*

Tent.: Amsterdam 1947, nr. 113 ✷ Lit.: HdG 580; Bredius 42; Bauch 322;
Bredius-Gerson 42; Gerson 308 ☐ G. Glück, Rembrandts Selbstbildnis aus
dem Jahre 1652, Jahrbuch der Kunsthistorischen Sammlungen des
allerhöchsten Kaiserhauses, N.F. II, 1928, 317–328; H. Kauffmann, Overzicht
der litteratuur betreffende Nederlandsche kunst, Oud-Holland XLVIII, 1931,
235; Pinder 1943, 83, 85, 88; Van Gelder 1946, 40; Slive 1953, 93; Knuttel
1956, 168; C. Müller Hofstede, Das Stuttgarter Selbstbildnis von Rembrandt,
Pantheon 1963, 68; White 1964, 88; Gerson 1968, 106, 500.
Coll.: In 1720 aanwezig in de Stallburg-Galerie van keizer Karel VI.

11
ARISTOTELES MET DE BUSTE VAN HOMERUS
Doek 139 x 133 cm. Gesign. en gedat.: Rembrandt f. 1653
New York, Metropolitan Museum of Art

In 1652 kreeg Rembrandt voor het eerst een buitenlandse opdracht. Don Antonio Ruffo (1610–1678), een rijke verzamelaar in Messina (Sicilië) verzocht hem een filosofenportret te schilderen. Het schilderij moest 8 x 6 palmi (±192 x 144 cm) groot en rond van boven zijn. Het resultaat van die opdracht was deze Aristoteles, die oorspronkelijk dus groter is geweest. Rembrandt bedong er 500 gulden voor en Ruffo gaf hem dat bedrag, al was het volgens zijn zeggen wel acht maal zoveel als hij aan een Italiaan zou hebben betaald. Aan Guercino, de grootste Italiaanse schilder van die dagen, gaf hij vervolgens opdracht om er een pendant bij te maken. Guercino's schilderij, dat verloren is gegaan, stelde een kosmograaf voor; een tekening te Princeton University heeft misschien als voorstudie voor deze kosmograaf gediend (Rosenberg 1944, 129; Slive 1953, 62 noot 1).
In 1661 kocht Ruffo een Alexander-portret van Rembrandt (zie bij cat. nr. 19) en bestelde hij een Homerus bij hem (Maurits-huis, Den Haag). Kort voor Rembrandts dood in 1669 schafte hij zich 189 etsen van hem aan.
Rembrandt liet Aristoteles' hand rusten op de buste van Homerus. Deze houding is karakteristiek voor zestiende eeuwse Venetiaanse portretten van antiekverzamelaars en beeldhouwers. Misschien koos Rembrandt deze pose om aan zijn schilderij een – in zijn ogen – Italiaanse allure te verlenen. In de ogen van de Italianen moet het er toch heel noordelijk hebben uitgezien en ze vonden het waarschijnlijk ook wat ouderwets van opzet, omdat Rembrandt zijn filosoof niet ten voeten uit had afgebeeld, terwijl de klassicistische kunstkritiek de halffiguur reeds algemeen had afgekeurd (Emmens).
▷

11
ARISTOTLE CONTEMPLATING THE BUST OF HOMER
Canvas 139 x 133 cm. Signed and dated: Rembrandt f. 1653
New York, Metropolitan Museum of Art

In 1652 Rembrandt received his first commission from abroad. Don Antonio Ruffo (1610–1678), a rich connoisseur from Messina, Sicily, asked him to paint a portrait of a philosopher. The painting had to be 8 x 6 'palmi' in size (c. 192 x 144 cm.) and had to be rounded at the top. The result of this commission was this Aristotle which therefore originally, has been larger. Rembrandt asked a fee of 500 guilders – Ruffo paid this sum, although he added that it was at least eight times as much as he would have paid to an Italian. Shortly afterwards he commissioned the greatest Italian painter of that time, Guercino, to make a pendant. Guercino's painting represented a cosmographer; a drawing now at Princeton University may have served as a preliminary study for this lost painting (Rosenberg 1944, 129; Slive 1953, 62, note 1). In 1661 Ruffo bought a portrait of Alexander from Rembrandt (see Cat. No. 19) and commissioned a Homer (Mauritshuis, The Hague). Shortly before Rembrandt's death in 1669, Ruffo bought 189 of this etchings.
In this canvas, Rembrandt painted Aristotle's hand resting on Homer's head. This pose is characteristic for 17th century Venetian portraits of antique collectors and sculptors. Rembrandt may have decided for this pose to give his painting a – supposedly – Italian touch. In the eyes of the Italians the painting must have had a very northern look indeed, and probably they must also have thought Rembrandt's interpretation rather old-fashioned, because he had not painted his philosopher full-length, at a time when classicist art criticism generally disapproved of half figures (Emmens).
▷

Dit indrukwekkende schilderij, waarin Rembrandt de dichter en de filosoof met elkaar confronteert, werd door Rembrandts collega Guercino heel letterlijk opgevat als een afbeelding van Aristoteles de fysionomist (gelaatkundige), die de schedel van van Homerus onderzoekend betast. Dat hij als pendant een kosmograaf verkoos te schilderen moet men wellicht zien in het licht van bepaalde ideeën die men toen koesterde over de verhouding van de menselijke geest tot de kosmos.

Rembrandt zelf heeft in eerste instantie aan Aristoteles gedacht als de man, die uit de epen van Homerus de krijgskunst had geëxerpeerd die hij aan de jonge Alexander, die later de wereld zou veroveren, had onderwezen. Vandaar de gouden ketting met het medaillonportret van Alexander de Grote, waarmee Rembrandt de filosoof tooide. Misschien mag men in dit schilderij Rembrandts begrip herkennen van Aristoteles' driedeling van de menselijke bezigheden in poëtische (ingenium), contemplatieve (disciplina) en actieve (exercitatio), hier verpersoonlijkt in respectievelijk Homerus, Aristoteles en Alexander (Emmens). Dan wordt het ook duidelijk, waarom Ruffo er later juist een Homerus en een Alexander bij zou bestellen.

This impressive painting in which Rembrandt confronts the poet and the philosopher was interpreted, quite literally, by Rembrandt's colleague Guercino as a likeness of Aristotle the Physiognomist examining Homer's skull. The fact that he decided to paint a cosmographer as a pendant should perhaps be seen as a consequence of certain ideas held at that time on the relationship between the human mind and the cosmos.

Personally, Rembrandt saw Aristotle as the man who, from Homer's epics, had excerpted the art of war which he taught to young Alexander who was later to conquer the world. This explains the gold chain with the portrait of Alexander the Great, with which Rembrandt adorned his philosopher. Perhaps this painting illustrates Rembrandt's notion of Aristotle's triplication of Man's activities: the poetic (ingenium), the contemplative (disciplina) and the active (excercitatio), personified here in Homer, Aristotle and Alexander (Emmens). This would explain why Ruffo specifically wanted to commission a Homer and an Alexander later.

Tent.: Amsterdam 1932, nr. 26 ∗ Lit.: HdG 413; Bredius 478; Bauch 207; Bredius-Gerson 478; Gerson 286 ⃞ V. Ruffo, La Galleria Ruffo nel secolo XVII in Messina, Bolletino d'Arte X, 1916, 21 e.v.; G. J. Hoogewerff, Rembrandt en een Italiaanse maecenas, Oud-Holland XXXV, 1917, 129 e.v.; C. Ricci 1918, 44 e.v.; H. Schneider, Rembrandt in Italien, Kunstchronik, N.F. 30, 1918, 69; E. Kieser, Über Rembrandts Verhältnis zur Antike, Zeitschrift für Kunstgeschichte X, 1941/42, 135; Gerson 1942, 176; J. Rosenberg, Rembrandt and Guercino, Art Quarterly VII, 1944, 129–134; H. E. van Gelder, 52, 336 e.v.; H. von Einem, Rembrandt und Homer, Wallraf-Richartz-Jahrbuch XIV, 1952, 182 e.v.; Slive 1953, 60 e.v., 81, 87, 107; Knuttel 1956, 174–175; Th. Rousseau, Aristotle Contemplating the Bust of Homer, Metropolitan Museum of Art Bulletin XX, 1961, 149–156; Rosenberg 1964, 277 e.v., 317; Chr. White 1964, 104; Emmens 1968, 172, 174–175; Haak 1968, 180, 240–242, 311; Gerson 1968, 114, 138–139, 142.

Coll.: In 1652 besteld door Don Antonio Ruffo, Messina; in 1654 afgeleverd. In 1961 door het museum verworven met steun van de 'Friends of the Museum'.

12
KINDERPORTRET
Doek 65 x 56 cm.
Fullerton (Cal.), Norton Simon, Inc. Museum of Art

In de vorige eeuw heeft men in dit kinderportret prins Willem III
(geb. 1650) willen zien, maar dat idee heeft men allang weer
laten varen. Toch wordt dit jongetje ook nu nog wel aangeduid
als 'het prinsje'. Tegenwoordig beschouwt men het schilderij
soms als een portret van Rembrandts zoontje Titus, maar ook dat
is onjuist. Immers, Titus werd geboren in 1641. Wanneer het
kind op het schilderij, dat niet ouder is dan vijf of hoogstens
zes jaar, Titus moet voorstellen, dan zou het portret in 1646/47
geschilderd moeten zijn. Men komt dan in conflict met de
datering, die onmogelijk zo vroeg gesteld kan worden.
De brede schildertrant en het coloriet wijzen op een veel latere
tijd. Bauch dateert het schilderij omstreeks 1653/54 en Gerson
omstreeks 1654/55, maar ook die dateringen bevredigen niet.
Bij de linker schouder van het kind heeft Rembrandt op een voor
zijn doen heel onduidelijke manier een stuk speelgoed of iets
dergelijks aangeduid. Als het een beest moet voorstellen, zoals
Bauch meende die er een valk in zag (een prinselijk attribuut),
dan lijkt het nog het meest op een aapje.

12
PORTRAIT OF A CHILD
Canvas 65 x 56 cm.
Fullerton (Cal.), Norton Simon, Inc. Museum of Art

*In the 19th century this painting was taken for a portrait of Prince
William III (b. 1650), but this idea was soon given up, although
the child is still sometimes referred to as 'the infant Prince'.
Today it is sometimes seen as a portrait of Rembrandt's son
Titus, but this is not correct either. Titus was born in 1641. If the
child in this portrait — five or, at the most, six years old — is
supposed to be Titus, the portrait would have been painted in
1646 or 1647, and this would not correspond with the dating,
which cannot be made as early as that. The generous brushstroke and the colouring belong to a much later period. Bauch
dates the painting around 1653/54 and Gerson says 1654/55,
but these datings too are not satisfying. At the child's left
shoulder Rembrandt has, in a vague manner most uncharacteristic
for him — placed a toy or other object. If it is meant to be an
animal at all — Bauch takes it for a falcon (a princely attribute)
— it resembles a monkey more than anything else.*

Tent.: Amsterdam 1898, nr. 95 * Lit.: HdG 489; Bredius 119; Bauch 410;
Bredius-Gerson 119; Gerson 319 □ F. Schmidt Degener, Het genetische
probleem van de Nachtwacht, Onze Kunst XXXI, 1917, 100; Rosenberg 1964
349 noot 21; Gerson 1968, 501.
Coll.: In 1965 aangekocht door de huidige eigenaar.

13

BATHSEBA MET DAVIDS BRIEF
Doek 142 x 142 cm. Gesign. en gedat.: Rembrandt ft 1654
Parijs, Musée du Louvre, cat. 1922, nr. 2549

Slechts tweemaal heeft Rembrandt een naaktfiguur levensgroot geschilderd: de Danaë (1636) in de Hermitage te Leningrad en deze Bathseba. Het is mogelijk, dat Hendrickje voor Bathseba model heeft gezeten (vgl. de opmerking bij cat. nr. 7). Het motief van de dienares aan Bathseba's voeten en de plaatsing van de beide figuren ten opzichte van elkaar heeft Rembrandt waarschijnlijk ontleend aan een gravure van François Perrier naar een antiek reliëf (Bramsen). Het is niet goed denkbaar, dat hij dit volmaakte schilderij heeft geschilderd zonder te beseffen, dat de Venetianen (met name Titiaan) zijn conceptie in hun werken hadden voorbereid.

Het Bathseba-verhaal (2 Samuel 11) bood schilders een welkome gelegenheid om vrouwelijk naakt te schilderen. Meestal koos men het moment, waarop David de mooie Bathseba vanaf het dak van zijn paleis ziet zitten bij een bassin in haar tuin, omringd door dienaressen die haar toilet verzorgen. Maar Rembrandt liet die hele entourage weg en beeldde haar af met de brief, waarin David haar verzocht naar zijn paleis te komen. Daar had hij gemeenschap met haar. Toen Bathseba in verwachting bleek te
▷

13

BATHSHEBA WITH DAVID'S LETTER
Canvas 142 x 142 cm. Signed and dated: Rembrandt ft 1654
Paris, Musée du Louvre, Cat. 1922, No. 2549

Only twice in his life has Rembrandt painted a life-size nude: the Danae (1636) in the Leningrad Ermitage, and this Bathsheba. It is not impossible that Hendrickje sat for this painting (cf. the note with Cat. No. 7). The theme of the servant at Bathsheba's feet and the placing of the two figures in relation to each other has probably been borrowed from an engraving by François Perrier after an antique relief (Bramsen). It seems hardly likely that Rembrandt would have made this perfect painting without realizing that the Venetians (especially Titian) had prepared his concept in their works.

The story of Bathsheba (2 Samuel 11) gave painters an opportunity to paint a female nude. Most painters chose the moment when David, from the roof of his palace, sees beautiful Bathsheba seated near a pool in her garden, surrounded by maids attending to her toilet. Rembrandt, however, left out the whole entourage and painted Bathsheba with the letter by which David bids her to come to the palace. There he possessed her. When
▷

zijn en David er niet in slaagde het te doen voorkomen alsof haar eigen man, Uriah, met haar geslapen had, zond hij die ten oorlog in het heetst van de strijd opdat hij zou sneuvelen, hetgeen ook gebeurde.

Heel fijnzinnig heeft Rembrandt de innerlijke tweestrijd van de vrouw uitgebeeld: moest zij haar koning gehoorzamen of haar man trouw blijven? Nadenkend buigt zij het hoofd. Röntgenfoto's hebben aangetoond, dat Rembrandt de stand van het hoofd eerst anders had geschilderd en dat hij Bathseba deze peinzende houding pas heeft gegeven, toen het schilderij al nagenoeg voltooid was (Hours).

Bathsheba appeared to be pregnant and David did not succeed in making it appear that Uriah, her own husband, was the father, he sent Uriah to the wars in the fiercest battle, hoping that he would be killed — which happened.

With utmost sensitivity Rembrandt has depicted Bathsheba's conflict: is she to obey her king or should she remain faithful to her husband? She bends her head pensively. X-ray photographs have shown that, originally, Rembrandt had painted the head in a different position and that he gave Bathsheba this pensive attitude when the painting was nearly finished (Hours).

Tent.: Amsterdam 1956, nr. 65 ∗ Lit.: HdG 41; Bredius 521; Bauch 31; Bredius-Gerson 521; Gerson 271 □ K. Freise, Bathsebabilder von Rembrandt und Lastman, Monatshefte für Kunstwissenschaft II, 1909, 202 e.v.; H. Bramsen, The Classicism of Rembrandt's Bathseba, The Burlington Magazine XCII, 1950, 128–131; Knuttel 1956, 176–177; M. Hours, Rembrandt; Observations et présentations de radiographie, Bulletin du laboratoire du Musée du Louvre VI, 1961, 3–43; Rosenberg 1964, 97, 221–222, 357; White 1964, 84; Rosenberg-Slive-Ter Kuile 1966, 78–79, 98; Emmens 1968, 13; Fuchs 1968, 63; Haak 1968, 250; Gerson 1968, 110, 152, 499. Coll.: In 1869 door M. Lacaze aan het museum geschonken.

detail ▷

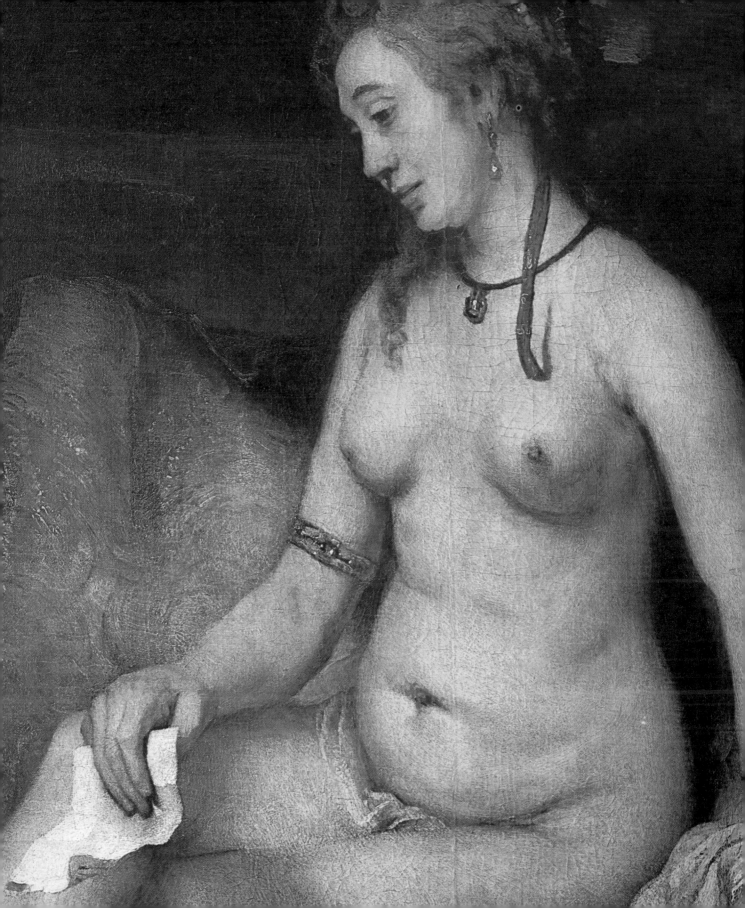

14

EEN BADENDE VROUW

Paneel 62 x 47 cm. Gesign. en gedat.: Rembrandt f. 1655
Londen, National Gallery, cat. 1960, nr. 54

De verleiding om in deze badende vrouw Hendrickje Stoffels te
zien, met wie Rembrandt van omstreeks 1649 tot aan haar dood
in 1663 heeft samengeleefd, is bijzonder groot. Maar strikt
genomen bestaat er geen enkel portret waarvan het zeker is, dat
het Hendrickje voorstelt. Er zijn wél enkele schilderijen en
tekeningen, waarvoor de vrouw die hier badend is voorgesteld
ook model heeft gestaan. En het is niet onmogelijk, dat dat
Hendrickje is geweest.
Het schilderij is over het algemeen dun en transparant
geschilderd. Met snelle penseelvegen is het zo te zien spontaan
en zonder veel omhaal ontstaan. Misschien is het een schets
voor een schilderij, dat nooit is uitgevoerd of dat wellicht verloren
is gegaan. Het onderwerp daarvan zou een badende Susanna
bespied door de ouderlingen geweest kunnen zijn. Het rijk
geborduurde oosterse gewaad, dat op de oever ligt, doet temeer
vermoeden, dat Rembrandt dan misschien wel iemand uit zijn
naaste omgeving heeft laten poseren, maar dat zij model heeft
gestaan voor een bijbelse figuur.

14

A WOMAN BATHING IN A STREAM

Panel 62 x 47 cm. Signed and dated : Rembrandt f. 1655
London, National Gallery, Cat. 1960, No. 54

It is very tempting to identify this bathing woman with Hendrickje
Stoffels who became Rembrandt's companion for life from
approx. 1649 until her death in 1663. Strictly speaking, however,
there is not one single portrait which with any degree of certainty
can be said to be one of Hendrickje. Indeed, there are several
other paintings and drawings for which this woman, represented
here bathing, has posed, and she may have been Hendrickje.
On the whole the painting is done thinly and transparently. The
quick brushstrokes suggest a very spontaneous treatment. It may
be a study for a painting which has never been made or which
may be lost. The subject could have been Susannah bathing,
spied upon by the Elders. The richly embroidered oriental gown
on the bank strengthens the supposition that, although Rembrandt
probably had a person from his direct environment to pose,
in fact she acted as the model for a biblical figure.

Tent.: − * Lit.: HdG 306; Bredius 437; Bauch 278; Bredius-Gerson 437;
Gerson 289 □ A. Burroughs, New Illustrations of Rembrandt's Style, The
Burlington Magazine LIX, 1931, 9; Catalogue of the National Gallery Exhibition
of Cleaned Pictures, London 1947, no. 68; F. Simpson, Dutch Paintings in
England before 1760, The Burlington Magazine XCV, 1953, 42; Rosenberg
1964, 97; Haak 1968, 255; Gerson 1968, 110, 500.
Coll.: Het schilderij bevond zich vermoedelijk al in 1739 in Engeland: In de
tweede helft van de 18de eeuw is het in het bezit geweest van de schilder Sir
Joshua Reynolds. In 1831 geschonken aan het museum.

Lezende oude vrouw *Old Woman Reading*

◁ *detail, cat. nr. 14*

cat. *nr. 15*

15
LEZENDE OUDE VROUW
Doek 80 x 66.5 cm. Gesign. en gedat.: Rembrandt f. 1655
Drumlanrig Castle, The Duke of Buccleuch

Rembrandt heeft in dit schilderij vooral de concentratie van de lezer uitgebeeld: een oude vrouw verzonken in haar lectuur. De bron van het licht, dat op haar gelaat valt, is niet zichtbaar. Het licht wordt weerkaatst door de witte bladzijden van het boek, maar de suggestie wordt gewekt alsof het licht van het boek zelf afstraalt. Misschien heeft Rembrandt zo de verlichting van de geest door het lezen willen uitbeelden.

Eenmaal eerder heeft Rembrandt hetzelfde motief geschilderd, n.l. in 1631 toen hij nog in Leiden woonde. Het is het schilderij in het Rijksmuseum, waarvoor misschien zijn moeder model heeft gezeten. Ook hier is de echte lichtbron onzichtbaar en lijkt het boek licht uit te stralen.

In 1647 heeft Rembrandt eenzelfde lichteffect toegepast in zijn ets van Jan Six lezend bij het raam (Boon 208), omstreeks 1656 in zijn portret van de Lezende Titus in het museum te Wenen, in 1658 in het portret van een Man met een Manuscript in het museum te New York en in datzelfde jaar in zijn geëtste portret van de calligraaf Lieven van Coppenol (Boon 281).

15
OLD WOMAN READING
Canvas 80 x 66.5 cm. Signed and dated: Rembrandt f. 1655
Drumlanrig Castle, The Duke of Buccleuch

In this painting, Rembrandt has chiefly expressed the reader's concentration: an old woman engrossed in her book. The source of the light illuminating her face is invisible. Of course it is reflected by the white pages of the book, but the effect suggests a radiation of light from the book itself. Rembrandt may have used this effect to symbolize the enlightening of the mind by reading.

On an earlier occasion Rembrandt painted the same theme — in 1631 when he still lived in Leyden. It is the painting, now in the Rijksmuseum of Amsterdam, for which perhaps his mother sat. Here again the actual source of light is invisible — the light seems to radiate form the book.

In 1647, Rembrandt used a similar effect in his etched portrait of Jan Six, reading by the window (Boon 208); around 1656 in his portrait of Titus reading (Vienna); in 1658 in the portrait of a man with a manuscript (New York) and, in the same year in his etched portrait of the calligrapher Lieven van Coppenol (Boon 281).

Tent.: Amsterdam 1898, nr. 93; Amsterdam 1952, nr. 144 ∗ Lit.: HdG 315; Bredius 385; Bauch 279; Bredius-Gerson 385; Gerson 292 □ J. G. van Gelder, The Rembrandt Exhibition at Edinburgh, The Burlington Magazine XCII, 1950, 329; Gerson 1968, 500.
Coll.: Sedert omstreeks 1750 in de familie.

detail ▷

16

JOZEF BESCHULDIGD DOOR POTIFARS VROUW
Doek 110 x 87 cm. Gesign. en gedat.: Rembran.. f. 1655
Berlijn, Staatliche Museen preussischer Kulturbesitz, cat. 1966,
nr. 828 H

De geschiedenis van de vrouw van Potifar, die Jozef trachtte
te verleiden, is talloze malen in beeld gebracht. In Italië was het
erotische tafereel van de naakte vrouw en de verschrikte Jozef,
die wegvluchtte met achterlating van zijn mantel (Genesis 39:
11–12), vooral populair in de zestiende en zeventiende eeuw, in
Frankrijk in de achttiende. Rembrandt heeft het slechts eenmaal
behandeld, n.l. in een ets van 1634 (Boon 107).
In tegenstelling tot de verleidingsscene zelf is de valse manoeuvre
van de vrouw, die er op volgde, maar zelden geschilderd. Toen
zij zag, dat haar opzet mislukt was, begon ze luid te schreeuwen,
dat Jozef gepoogd had háár te verleiden. En als bewijs toonde ze
aan Potifar de mantel, die Jozef in zijn onschuld had achtergelaten.
Haar man geloofde haar grif en wierp Jozef in de gevangenis
(Genesis 39:13–20). Dit deel van het verhaal is alleen door
Rembrandt geschilderd en door enkele schilders uit zijn omgeving.
De sfeer van het tafereel, dat zich afspeelde in Egypte, schijnt
Rembrandt sterker aangesproken te hebben, dan de dramatische
kant ervan. Zijn Potifar lijkt niet erg onder de indruk van de
aanklacht van de vrouw. Haar beschuldigende gebaar in Jozefs
richting is dan ook weinig overtuigend. En de mantel, die als een
▷

16

JOSEPH ACCUSED BY POTIPHAR'S WIFE
Canvas 110 x 87 cm. Signed and dated: Rembran.. f. 1655
Berlin, Staatliche Museen preussischer Kulturbesitz, Cat. 1966,
No. 828 H

The story of Potiphar's wife who tried to seduce Joseph has been
pictured countless times. In Italy, the erotic scene of the nude
woman and the startled Joseph, fleeing and leaving his cloak
behind (Genesis 39:11–12), was especially popular in the
sixteenth and seventeenth centuries. In France it became popular
in the eighteenth century. Rembrandt has treated this subject
only once, in an etching dated 1634 (Boon 107).
Contrary to the actual seduction scene, the woman's following
manoeuvre has hardly ever been painted. When she saw that her
evil plan had failed she began to scream that Joseph had tried to
seduce her. To substantiate her accusation she showed Potiphar
the cloak which Joseph, in his innocence, had left behind. Her
husband readily believed her and threw Joseph into prison
(Genesis 39:13–20). This part of the story has been painted
only by Rembrandt and by some painters from his environment.
The atmosphere of this scene which took place in Egypt seems to
have appealed to Rembrandt more than its dramatic aspect.
Rembrandt's Potiphar does not seem much upset by his wife's
accusation. Indeed, her accusing gesture into Joseph's direction
▷

vod aan haar voeten ligt, vervult geen enkele functie. De verblufte Jozef, die blijkens röntgenfoto's eerst zijn handen voor zijn gezicht geslagen hield, staat er als een slecht acteur wat ongelukkig bij. Maar wat het schilderij mogelijk aan voordracht te kort schiet, wordt ruimschoots gecompenseerd door het suggestieve gebruik van licht en donker, waarmee Rembrandt een onheilspellende sfeer weet op te roepen. De wonderlijke kleuren flonkeren in het licht en verlenen het schilderij een oriëntale pracht. Er is in dit doek – vooral in de figuur van Potifar – iets merkbaar van Rembrandts bewondering voor miniaturen uit de Moghul-school (zie cat. nrs. 120–121).

is hardly convincing. The cloak, lying at her feet like a rag, has no function at all. Dumbfounded Joseph who, as appears from X-ray photographs, had originally been painted hiding his face with his hands, stands about rather awkwardly like a bad actor. Whatever the painting may lack in dramatic qualities is largely compensated by the suggestive use of light and dark, with which Rembrandt manages to create a sinister atmosphere. The unusual colours glow in the light and impart an oriental splendour to the painting. This canvas, especially in the figure of Potiphar, illustrates Rembrandt's admiration of miniatures from the Moghul-School (see Cat. Nrs. 120–121).

Tent.: Amsterdam 1950, nr. 89 * Lit.: HdG 17; Bredius 524; Bauch 32; Bredius-Gerson 524; Gerson 274 □ A. Bredius, Joseph und Potiphars Weib in Berlin, De Nederlandsche Spectator 1884, 314; A. Rosenberg, Ein neuer Rembrandt in der Berliner Galerie, Kunstchroniek XIX, 1884, 10; Sumowsky 1957/58, 237; Knuttel 1956, 177–178; Rosenberg 1964, 222–223; Gerson 1968, 114–116, 499.
Coll.: In 1883 verworven door het museum.

detail ▷

17
PORTRET VAN DR. ARNOLD THOLINX
Doek 76 x 63 cm. Gesign. en gedat.: Rembrandt f. 1656
Parijs, Musée Jacquemart-André, bruikleen van het Institut de France

De identificatie van dit portret berust op de ets (Bartsch 284; Boon 271), die Rembrandt vermoedelijk eveneens in 1656 van Tholinx heeft gemaakt.
Arnold Tholinx (1607–1679) was een zwager van Jan Six (1618–1700), wiens portret Rembrandt in 1647 heeft geëtst en in 1654 geschilderd (Amsterdam, Six-Stichting). Six was getrouwd met een dochter van Nicolaes Tulp (1593–1674), voor wie Rembrandt in 1632 zijn eerste Anatomische Les schilderde (Den Haag, Mauritshuis). Tholinx bekleedde het ambt van inspecteur van het Collegium Medicum van 1643 tot 1653 en had als zodanig de taak om de Pharmacopeia van Tulp van 1635 te herzien. Hij werd opgevolgd door Johan Deyman (1620–1666), die ook al familie van hem was en voor wie Rembrandt in hetzelfde jaar, waarin het Tholinx-portret ontstond, zijn tweede Anatomische Les schilderde (Amsterdam, Rijksmuseum).

17
PORTRAIT OF DR. ARNOLD THOLINX
Canvas 76 x 63 cm. Signed and dated: Rembrandt f. 1656
Paris, Musée Jacquemart-André, on loan from the Institut de France

The identification of this portrait is based on the etching (Bartsch 284; Boon 271) which Rembrandt made of Tholinx probably in the same year, 1656.
Arnold Tholinx (1607–1679) was brother-in-law to Jan Six (1618–1700) whose portrait was etched by Rembrandt in 1647 and painted in 1654. Six was married to a daughter of Nicolaes Tulp (1593–1674) for whom Rembrandt painted his first Anatomy Lesson in 1632 (The Hague, Mauritshuis). Tholinx held the office of Inspector of the Collegium Medicum from 1643 to 1653. As such it was his task to review Tulp's Pharmacopeia of 1635. He was succeeded by Johan Deyman (1620–1666), another relative, for whom Rembrandt painted his second Anatomy Lesson (Amsterdam, Rijksmuseum) in the same year as Tholinx's portrait.

Tent.: Amsterdam 1898, nr. 98 ✳ Lit.: HdG 725; Bredius 281; Bauch 417; Bredius-Gerson 281; Gerson 327 ☐ Gerson 1968, 501.
Coll.: In 1912 gelegateerd aan het Institut de France.

18
JACOB ZEGENT EFRAÏM EN MANASSE
Doek 175.5 x 210.5 cm. Apocrief gesign. en gedat.: Rimbran . .
f. 1656 (mogelijk overschildering van echte signatuur)
Kassel, Staatliche Gemäldegalerie, cat. 1958, nr. 249

Volgens het bijbelverhaal (Genesis 48) zegende Jacob zijn
kleinkinderen Manasse en Efraïm met gekruiste armen. Op die
manier zegende hij met zijn rechter hand niet de oudste zoon
Manasse, die rechts van hem knielde, maar diens jongere broer
Efraïm. Jozef, die dacht dat zijn stervende vader zich vergiste,
trachtte in te grijpen, maar Jacob zei tot hem: 'Ik weet het, mijn
zoon, ik weet het; ook hij zal tot een volk worden en ook hij zal
groot worden; nochtans zal zijn jongere broer groter zijn dan hij,
en diens nageslacht zal een volheid van volken worden.'
In de eerste eeuwen van de christelijke jaartelling zijn deze
woorden uitgelegd in die zin, dat Efraïm, de jongste zoon uit het
huwelijk van Jozef en de Egyptische Asnath, de stamvader zou
zijn van de Christenen en de oudste zoon Manasse die van de
Joden. De kerkvaders Ambrosius en Augustinus hebben deze
opvatting verbreid.
Het valt op, dat Rembrandt de kwintessens van het verhaal — het
kruislings zegenen — niet heeft uitgebeeld. Bij hem zegent Jacob
met zijn rechter hand en Jozef, die niet in het minst geagiteerd is,
lijkt die verzwakte hand te ondersteunen. Het kind, dat wordt
gezegend, moet wel Efraïm, de jongste, zijn. Rembrandt schijnt
zich vooral gebaseerd te hebben op de na-bijbelse versies van
het verhaal, waarin ook geen sprake is van enig meningsverschil
tussen Jacob en Jozef en waarin Jozefs vrouw Asnath een
belangrijke rol bij de zegening speelt. In de bijbel zelf, die
▷

18
JACOB BLESSING EPHRAIM AND MANASSE
Canvas 175.5 x 210.5 cm. Apocryphically signed and dated:
Rimbran.. f. 1656 (probably overpainted original signature).
Kassel, Staatliche Gemäldegalerie, Cat. 1958, No. 249

According to the Bible story (Genesis 48), Jacob blessed his
grandsons Manasse and Ephraim with his arms crossed. Thus
he did not, with his right hand, bless the elder son Manasse
kneeling at his right, but Manasse's younger brother Ephraim.
Joseph, thinking that his dying father was making a mistake,
tried to intervene, but Jacob said to him: 'I know it, my son,
I know it; he also shall become a people, and he also shall be
great; but truly his younger brother shall be greater than he,
and his seed shall become a multitude of nations'. In the first
centuries of the Christian era these words have been explained in
the sense that Ephraim, the youngest son from the marriage of
Joseph and the Egyptian Asnath was to be the ancestor of the
Christians, and the eldest son, Manasse, the ancestor of the Jews.
Patriarchs Ambrose and Augustine have propagated this
interpretation.
The striking feature in this painting is that Rembrandt has not
represented the quintessence of the story — the blessing with
crossed arms. Here Jacob gives the blessing with his right hand,
while Joseph, not in the least perturbed, helps him by supporting
his weakened hand. The child receiving the blessing must be
Ephraim, the youngest son. Rembrandt seems to have based his
interpretation chiefly on later versions of the story, in which there
is no mention of a difference of opinion between Jacob and
Joseph either, and in which Joseph's wife Asnath plays an
▷

Rembrandt anders vaak zo stipt volgt, wordt Asnath trouwens maar eenmaal genoemd (Genesis 41 : 45).

Vermoedelijk is Rembrandt voor zijn compositie uitgegaan van een tekening uit het midden van de jaren dertig, die in vier versies tot ons is gekomen. Röntgenfoto's hebben aangetoond, dat het hoofd van Jozef aanvankelijk naar rechts was gewend en dat er ook veranderingen zijn aangebracht in de koppen van beide jongens. Asnath's costuum met de laat-middeleeuwse hennin (kap), dat Rembrandt en zijn tijdgenoten als een typisch Egyptische dracht beschouwden en dat ook werkelijk van oorsprong Egyptisch is, en haar houding ontleende Rembrandt aan een Bourgondisch beeldje (Van de Waal).

De geweldige kracht van het schilderij schuilt vooral in de grote contrastwerking tussen het hoogste licht en de diepe schaduwen en in het domineren van het prachtige rood van de deken, dat het koloriet beheerst. Het zijn krachtige, bijna brutale beeldende middelen, die alleen een schilder als Rembrandt in bedwang wist te houden om er zowel de intimiteit als de grootsheid van deze sacrale familieplechtigheid mee uit te beelden.

important role in the ceremony. In the Bible itself — which Rembrandt usually followed so accurately — Asnath is, however, mentioned only once (Genesis 41 :45). For his composition, Rembrandt probably worked from a sketch dating from the years around 1635, which has come down to us in four different versions. X-ray photographs have shown that, originally, Joseph's head was turned to the right, and that several changes have been made in the heads of the two boys. Rembrandt has derived Asnath's pose and her costume with the late-medieval 'hennin' (hood) from a Burgundian statue. He and his contemporaries took such wear for typically Egyptian and it indeed is of Egyptian origin (Van de Waal).

The overwhelming force of this painting is chiefly due to the strong contrasts between bright light and deep shadows, and to the gloriously powerful red of the blanket which dominates the colouring. These strong, almost bold effects could be competently handled only by an artist like Rembrandt, to express the intimacy and at the same time the greatness of this sacred family event.

Tent.: − * Lit.: HdG 22; Bredius 525; Bauch 34; Bredius-Gerson 525; Gerson 277 □ Martin 1942, 84−86; W. Stechow, Jacob Blessing the Sons of Joseph, from Early Christian Times to Rembrandt, Gazette des Beaux-Arts LXXXV, 1943, 193−208; H. von Einem, Der Segen Jakobs, Bonn 1950; Van de Waal 1952, 61−62; I. Manke, Zu Rembrandts Jakobssegen in der Kasseler Galerie, Zeitschrift für Kunstgeschichte XXIII, 1960, 252−260; Rosenberg 1964, 223−226; J. Held, Rembrandt and the Book of Tobit, London 1964, 32 noot 23; Rosenberg-Slive-Ter Kuile 1966, 69, 79; Haak 1968, 282−283; Gerson 1968, 110, 499.; W. Stechow, in Festschrift Ulrich Middeldorf, 1968, 460 e.v.; E. Herzog, Die Gemäldegalerie der Staatlichen Kunstsammlungen Kassel, Hanau 1969, 123, 162; J. C. H. Lebram, Jacob segnet Josephs Söhne, Oudtestamentische Studiën XV, 1969, 145−169.
Coll.: In 1751/52 aangekocht door de Landgraaf Willem VIII van Hessen, wiens verzameling de oude kern van het museum vormt.

detail ▷

19
PALLAS ATHENE of ALEXANDER DE GROTE
Doek 117 x 91 cm.
Lissabon, Fundação Calouste Gulbenkian

In 1653 had Rembrandt een portret van Aristoteles geschilderd voor Don Antonio Ruffo (zie cat. nr. 11). In 1661 bestelde de Siciliaanse edelman portretten van Alexander de Grote en Homerus bij hem, misschien met de bedoeling om ze ter weerszijden van de Aristoteles te hangen. De eerste Alexander-versie, die Rembrandt stuurde, beviel Ruffo niet. De veronderstelling, dat dit de zgn. gehelmde Mars in het museum te Glasgow zou zijn, heeft nimmer veel geloof gevonden.
Rembrandt schijnt Ruffo tevreden gesteld te hebben met een tweede schilderij van Alexander en het lijkt niet uitgesloten, dat dit het schilderij in het Gulbenkian-museum is, de zgn. Pallas Athene. Immers, in de oudheid werd Alexander vaak voorgesteld met de attributen van Pallas Athene en deze ikonografische traditie was in de Renaissance bekend (Kraft). Het is heel goed mogelijk, dat later ook Rembrandt ervan op de hoogte is geweest. Bovendien voldoet een datering van het Gulbenkian-schilderij omstreeks 1660 in stylistisch opzicht beter dan de traditionele datering: omstreeks of kort na 1655. Het huidige formaat van het doek klopt weliswaar niet met de eenheidsmaat van Ruffo's schilderijen (± 192 x 144 cm en rond van boven), maar het zou groter geweest kunnen zijn. De Alexander van Ruffo schijnt na de dood van de eigenaar
▷

19
PALLAS ATHENA or ALEXANDER THE GREAT
Canvas 117 x 91 cm.
Lissabon, Fundação Calouste Gulbenkian

In 1653, Rembrandt had painted a portrait of Aristotle for Don Antonio Ruffo (see Cat. No. 11). In 1661, this Sicilian nobleman commissioned Rembrandt to do portraits of Alexander the Great and Homer, perhaps with the intention of hanging them on either side of the Aristotle. The first Alexander version which Rembrandt sent him did not meet with Ruffo's approval. The assumption that this painting would be the so-called Helmeted Mars of the Glasgow Museum has never been generally accepted. Rembrandt seems to have satisfied Ruffo with a second version of Alexander, and it seems likely that this is the painting now in the Gulbenkian Museum — the so-called Pallas Athena. Indeed, in antiquity, Alexander was often represented with the attributes of Pallas Athena, and this iconographical tradition was known in the Renaissance (Kraft). It is quite possible that, later, Rembrandt also knew about it. Besides, a dating of the Gulbenkian painting around 1660 stylistically seems more adequate than the traditional dating around 1655 or shortly after. It is true that the current size of the canvas does not correspond with the standard size of Ruffo's paintings (c. 192 x 144 cm., and rounded at the top), but it may have been larger originally. Ruffo's Alexander seems to have been stolen after the owner's death.
▷

gestolen te zijn. Dat zou verklaren, hoe het mogelijk is, dat het Gulbenkian-schilderij op 5 juni 1765 onder nummer 48 te Amsterdam werd geveild (Een krijgsman met een helm met pluimen en een schild aan zijn linkerarm; 44 x 33 duim = circa 110 x 82.5 cm.).

Het is jammer, dat de Homerus (Den Haag, Mauritshuis), die Ruffo als tegenhanger van de Alexander bestelde en waarvan ook slechts een fragment bewaard is gebleven, niet op de tentoonstelling aanwezig kan zijn. De schenkingsvoorwaarden maken het onmogelijk, dat dit schilderij wordt uitgeleend.

Het zou een unieke gelegenheid zijn geweest om van de drie schilderijen, die Rembrandt voor Ruffo schilderde (Aristoteles met de buste van Homerus, Homerus twee leerlingen onderwijzend, Alexander de Grote), die exemplaren, welke met zekerheid en met meer of minder waarschijnlijkheid met die trits geïdentificeerd kunnen worden, met elkaar te confronteren. Gelukkig kan de getekende voorstudie voor het Haagse schilderij wel getoond worden (cat.nr. 138).

This may explain how it was possible that the Gulbenkian painting was auctioned in Amsterdam on 5th June, 1795, under no. 48. (A warrior with plumed helmet and a shield on his left arm; 44 x 33 duim, = c. 110 x 82.5 cm.).

It is a pity that the Homer (The Hague, Mauritshuis) which Ruffo ordered as a pendant of the Alexander and of which there is also only a fragment left, could not be acquired for this exhibition. The conditions of donation stipulate that this painting must not be loaned. It would have been a unique opportunity to bring together, from the three paintings which Rembrandt made for Ruffo (Aristotle with the bust of Homer, Homer teaching two pupils, Alexander the Great), those pieces which, with certainty or some degree of probability, can be?identified as belonging to this trio. Fortunately the preparatory study for the painting in The Hague can be shown (Cat. No. 138).

Tent.: − ✱ Lit.: HdG 210; Bredius 479; Bauch 281; Bredius-Gerson 479; Gerson 293 □ J. Six, Apelleisches, Jahrbuch des kaiserlichen deutschen archäologischen Instituts XXV, 1901, 147 e.v.; C. Ricci 1918, 44 e.v.; Van Gelder 1946, 341; R. van Luttervelt, Rembrandt's Pallas Athene in the Gulbenkian Collection, Gazette des Beaux-Arts XCII, 1950, 99 e.v.; Slive 1953, 63; Knuttel 1956, 175; Rosenberg 1964, 283; K. Kraft, Der behelmte Alexander, Jahrbuch für Numismatik und Geldgeschichte XV, 1965, 7 e.v.; Emmens 1968, 174; Haak 1968, 243, 265; Gerson 1968, 138, 500.
Coll.: Misschien in 1661 geschilderd voor Don Antonio Ruffo, Messina. In 1765 te Amsterdam gekocht door Catharina II van Rusland. In 1930 gekocht van de Ermitage, Leningrad, door Mr. Gulbenkian.

detail ▷

20
ZELFPORTRET ALS DE APOSTEL PAULUS
Doek 91 x 77 cm. Gesign. en gedat.: Rembrandt f. 1661
Amsterdam, Rijksmuseum, cat. 1960, nr. 2024-A-13

De apostel Paulus werd in Tarsus geboren uit Joodse ouders.
Hij was dus een oosterling en daarom heeft Rembrandt op
oosterse wijze een doek om zijn hoofd gebonden. Uit zijn mantel
steekt het gevest van een zwaard, het traditionele attribuut van
Paulus. Gewoonlijk gaven de kunstenaars Paulus tevens
een boek in de hand, maar Rembrandt verving dit door een
bundel zendbrieven. Op het bovenste blad lijkt het restant
zichtbaar van de naam Efesis (men ziet een woord van zes
letters, waarvan de eerste en de derde letter gelijkvormig zijn en
dat eindigt op sis). Het zou dus de brief aan de Efeziërs zijn, die
Paulus besloot met de aansporing: 'Voorts, mijne broeders,
wordt krachtig in den Heere en in de sterkte van zijn macht. Doet
aan de gehele wapenrusting Gods...:... en het zwaard des
Geestes, hetwelk is Gods woord.' Misschien heeft Rembrandt het
zwaard van de christenvervolger Paulus hier willen kenmerken
als het wapen des Geestes van de latere apostel, die Gods
woord verkondigde in zijn strijdbare brieven.
Het schilderij behoort vermoedelijk tot een reeks portretten van
apostelen en evangelisten, die Rembrandt in 1661 heeft
gemaakt.
Het licht, dat van links boven als een spotlight steil naar
beneden schijnt, schampt over het gezicht, zodat de ogen in de
schaduw van de oogkassen liggen. De spankracht van de strak
geschilderde hoofddoek harmonieert prachtig met de geest-
kracht, die besloten ligt in het introverte gezicht.

20
SELF-PORTRAIT AS THE APOSTLE PAUL
Canvas 91 x 77 cm. Signed and dated: Rembrandt f. 1661
Amsterdam, Rijksmuseum, Cat. 1960, No. 2024-A-13

*The Apostle Paul was born in Tarsus from Jewish parents. He
was therefore an Oriental – the reason why Rembrandt painted
him with a turban-like head-cloth tied around his head
in the oriental fashion. From under his cloak appears the hilt of a
sword, the traditional attribute of Paul. Traditionally Paul was
painted with a book in his hands as a second attribute, but
Rembrandt replaced the book by a bundle of letters. On the outer
leaf traces seem to be visible of the place-name 'Efesis' (one
sees a six-letter word ending in 'sis', of which the first and the
third letter are identical). So it would seem to be Paul's epistle
to the Ephesians, ending with the admonition: 'Finally, my
brethren, be strong in the Lord, and in the power of his
might .... Put on the whole armour of God, ..., ... and
the sword of the Spirit, which is the word of God'.
Rembrandt may have wanted to symbolize the sword of Paul,
persecutor of Christians before his conversion, as the weapon of
the Spirit of the later Apostle, who preached the word of God in
his militant letters.
This painting is probably one of a series of portraits of Apostles
and Evangelists, painted by Rembrandt in 1661.
The light pouring down, like a spotlight, from the top left skims
the face, so that the eyes remain in the shadow of their sockets.
The tension of the tightly painted head-cloth beautifully
harmonizes with the mental strength of this introvert face.*

Tent.: Amsterdam 1932, nr. 33; Amsterdam 1952, nr. 149; Amsterdam 1956,
nr. 86 * Lit.: HdG 575; Bredius 59; Bauch 338; Bredius-Gerson 59; Gerson
403 □ F. Schmidt-Degener, Rembrandt en Vondel, De Gids LXXXIII, 1919,
222; W. R. Valentiner, Die Vier Evangelisten, Kunstchronik N.F. XXXII, 1209,
219; Van Gelder 1946, 57; L. Münz, A newly discovered late Rembrandt, The
Burlington Magazine XC, 1948, 64–67; Knuttel 1956, 187; O. Benesch,
Wordly and Religious Portraits in Rembrandt's Late Art, The Art Quarterly XIX,
1956, 335–354; E. R. Meijer, De schenking De Bruijn-Van der Leeuw aan het
Rijksmuseum: De schilderijen, Bulletin van het Rijksmuseum IX, 1961, 47–48;
J. L. Cleveringa, ibidem, 65, nr. 14; Rosenberg 1964, 52–53, 287; White 1964,
122; H. Kühn, Untersuchungen zu den Malgründen Rembrandts, Jahrbuch der
Staatlichen Kunstsammlungen in Baden-Württemberg II, 1965, 194; Haak
1968, 299; Gerson 1968, 134, 140, 504. P. J. J. van Thiel, Openbaar Kunst-
bezit XIII, 1969, nr. 2.
Coll.: Verz. Fournier, Parijs; verz. Corsini, Rome, tot 1807. In dat jaar door
William Buchenan naar Engeland gebracht en daar in 1811 gekocht door Lord
Kinnaird. In 1936 gekocht door I. de Bruijn van Lord Kinnaird, Rossie Priory bij
Dundee, Schotland. In 1956 in bruikleen afgestaan en vervolgens in 1961
geschonken door het echtpaar De Bruijn-Van der Leeuw, Muri bij Bern.

Het eedverbond van de Batavieren onder Claudius Civilis, detail
Stockholm, Nationalmuseum

*The Conspiracy of the Batavians under Claudius Civilis, detail
Stockholm, Nationalmuseum*

◁ *detail, cat. nr. 20*

cat. nr. 21 ▷

21

HET EEDVERBOND VAN DE BATAVIEREN ONDER
CLAUDIUS CIVILIS
Doek 196 x 309 cm
Stockholm, Nationalmuseum, cat. 1958, nr. 578, bruikleen van
de Kgl. Akademien för de Fria Konsterna

Dit wereldberoemde schilderij, dat in de wandeling wel 'de
Nachtwacht van Zweden' wordt genoemd, is het restant van de
grootste compositie, die Rembrandt ooit heeft geschilderd. Het
werd gemaakt in opdracht van de Burgemeesters van Amsterdam.
In 1655 werd het door Jacob van Campen gebouwde Stadhuis
op de Dam — het achtste wereldwonder — ingewijd. Vier jaar
later kreeg Govert Flinck, die in de jaren 1633/35 leerling van
Rembrandt was geweest maar die zich later in klassicistische
richting had ontwikkeld, opdracht om twaalf grote decoraties
voor het nieuwe stadhuis te schilderen. Als onderwerp had men
gekozen de Opstand der Batavieren onder aanvoering van
Claudius Civilis tegen de Romeinen (69/70 na Christus). In de
vrijheidsstrijd van de Batavieren tegen de Romeinen zag men
een oud-vaderlandse parallel met de zojuist (1648) beëindigde
vrijheidsstrijd der Verenigde Provinciën tegen de Spanjaarden, en
Claudius Civilis werd beschouwd als historische voorloper van
Willem de Zwijger.
De dood verraste Flinck in februari 1660, toen hij juist was
begonnen aan de uitvoering van zijn ontwerpen op grote schaal.
De opdracht werd nu over andere schilders verdeeld. Rembrandt
kreeg het afleggen van de eed onder Claudius Civilis in het
Schakerbos (Tacitus, Historiae IV, 13–15) te schilderen. Deze
scène was bestemd voor het boogveld in de zuid-oost hoek van
▷

21

THE CONSPIRACY OF THE BATAVIANS UNDER
CLAUDIUS CIVILIS
Canvas 196 x 309 cm.
Stockholm, Nationalmuseum, Cat. 1958, No. 578, on loan from
the Kgl. Akademien för de Fria Konsterna

This world-famous painting, commonly called 'The Nightwatch
of Sweden', is all that remains of the largest composition
Rembrandt ever made. He painted it on commission of the
Burgomasters of Amsterdam. In 1655, the Town Hall on the
Dam, built by Jacob van Campen and often referred to as the
'eighth wonder of the world' was officially inaugurated. Four
years later Govert Flinck, a pupil of Rembrandt's from 1633 to
1635 but developing a classical trend afterwards, received a
commission to paint twelve large decorations for the new Town
Hall. The subject selected by the commissioners was the Rising
of the Batavians under Claudius Civilis against the Romans
(69/70 A.D.). The Batavians' fight for their freedom against the
Romans was seen as a historical parallel with the revolt of the
'United Provinces' against Spain (1568–1648). Claudius Civilis
was seen as the precursor of William the Silent.
Death overtook Govert Flinck in February, 1660 when he had
only just started to work out his sketches on a large scale. The
commission was divided over a number of other painters.
Rembrandt was asked to do 'Claudius Civilis in the Schakerbos'
(Tacitus, Historiae IV, 13–15). This scene was destined for the
roundel in the south-east corner of the Town Hall's gallery
surrounding the Great Hall. For this huge canvas, Rembrandt
made a preliminary sketch (Benesch 1061; Munich, Graphische
▷

Tent: Amsterdam 1925, nr. 455 ✳ Lit.: HdG 225; Bredius 482, Bauch 108;
Bredius-Gerson 482; Gerson 354 ☐ N. de Roever, Een Rembrandt op
't Stadhuis, I en II, Oud-Holland IX, 1891, 297 en X, 1892, 137; C. Göthe, La
conjuration de Jean Ziska par Rembrandt, Chronique des Arts XVIII 1892, 157,
192; A. Romdahl, Rembrandt's Civilistafla och en dess Förebild, Tidskirft för
Konstvetenskap V, 1920, 116; K. Bauch, Rembrandts Claudius Civilis,
Oud-Holland XLII, 1925, 223 e.v.; J. Six, Rembrandt's verschildering van zijn
Claudius Civilis, ibidem, 181 e.v.; H. Schneider, Govert Flinck en Juriaen
Ovens in het Stadhuis te Amsterdam, ibidem, 215–236; A. Gauffin, Claudius

Civilis, un tableau de Rembrandt et ses avatars, Gazette des Beaux-Arts LXXI,
1929, 127 e.v.; K. E. Steneberg, Röntgenografieni tavelforskningens tjänst,
Tidskrift för Konstvetenskap XVII, 1933, 93–107; Benesch 1935, 65–66;
C. G. Laurin, Omkring Batavernas sammansvärjning, Ord och Bild XLV, 1936,
593–594; A. Noack, De Maaltijd in het Schakerbosch en de versiering van het
Stadhuis, Oud-Holland LVI, 1939, 145 e.v.; W. Stechow, Recent Periodical
Literature on 17th Century Painting in the Netherlands and Germany, Art
Bulletin XXIII, 1941, 227–228; Martin 1942, 88–90; Van Gelder 1946,
286–294; Van de Waal 1952, 215–238; Slive 1953, 77–80, 115; E. Borg,
▷

de grote galerij van het stadhuis. Hij tekende een voorstudie (Benesch 1061; München, Graphische Sammlung) voor het enorme doek achterop een uitnodiging voor een begrafenis, die plaatsvond op 25 october 1661 (Van Eeghen); aan het schilderij zelf zal hij dus pas na die datum zijn begonnen; blijkens Fokkens' beschrijving van het stadhuis, die 21 juli 1662 is gedateerd, bevond het stuk zich toen al te bestemder plaatse (Van de Waal). Eind augustus van dat jaar waren er moeilijkheden ontstaan tussen Rembrandt en zijn opdrachtgevers, die veranderingen wensten. Het schilderij keerde terug naar de werkplaats van de schilder. Blijkbaar werd er geen overeenstemming bereikt, want eind september 1662 ging de opdracht naar Juriaen Ovens, die Flincks onvoltooide schilderij afmaakte. Het doek van Flinck-Ovens is nog ter plaatse aanwezig. Rembrandt heeft zijn Claudius Civilis, die oorspronkelijk 550 x 550 cm groot was, vermoedelijk zelf versneden om het schilderij verkoopbaarder te maken en wellicht ook om de overschietende stukken schilderslinnen te gebruiken voor andere schilderijen (Van Schendel). Het is niet bekend wat er tussen 1662 en 1734 met het schilderij is gebeurd (zie bij herkomst). De voorstudie te München (zie cat. nr. 135) is het enige document dat ons een idee geeft van de compositie in zijn oorspronkelijke vorm. Rembrandt had de nachtelijke samenzwering niet in een grot (Tacitus) in het Schakerbos gesitueerd, maar in een grote hal. Aan Tacitus ontleende Rembrandt wel de bijzonderheid, dat Claudius Civilis maar één oog had, maar in die bron wordt niet met zoveel woorden gezegd, dat de eed op het zwaard werd afgelegd. Rembrandt heeft zich dus vrijheden veroorloofd. Een vergelijking tussen de tekening en het bewaard gebleven fragment van het schilderij laat zien, hoe Rembrandt de

▷

Sammlung) on the reverse of an invitation to a funeral ceremony which took place on 25th October, 1661 (Van Eeghen); he must therefore have commenced the painting after that date. According to Fokkens' description of the Town Hall, the preface of which is dated 21st July, 1662, the canvas was then already on the spot (Van de Waal). Late in August of that year, a dispute had arisen between Rembrandt and his commissioners, who wanted some alterations. The painting went back to the artist's studio. Apparently neither party could be satisfied, and towards the end of September, 1662, the commission was given to Juriaen Ovens, who finished Flinck's painting. This canvas is now in the Town Hall.

It is highly probable that Rembrandt himself has cut down his Claudius Civilis canvas – originally 550 x 550 cm. – to make it more saleable, and probably also to use the remaining pieces of canvas for other paintings (Van Schendel). What happened to the painting between 1662 and 1734, when it appeared at an Amsterdam sale (Bille) is unknown.

The preliminary study in Munich (see Cat. No. 135) is the only document which gives us an idea of the composition in its original concept.

Rembrandt did not situate the nightly conspiracy in a cave in the 'Schakerbos' (Tacitus), but in a large hall. From Tacitus, Rembrandt gathered the detail that Claudius Civilis was one-eyed, but Tacitus does not say in so many words that the oath was sworn on the sword. Apparently Rembrandt has permitted himself several liberties. A comparison of the sketch and the remaining fragment of the canvas shows that Rembrandt's ultimate placing of the figures is slightly different from the original plan. X-ray photographs show that, originally, the table did not

▷

Rembrandt's Claudius Civilis under röntgenljuset, Stockholm 1956; H. van de Waal, The Iconological Background of Rembrandt's Civilis, Konsthistorik Tidskrift XXV, 1956, 11–25; Cl. Bille, Rembrandt's Claudius Civilis at Amsterdam in 1734, ibidem, 25–30; C. Nordenfalk, The new X-Rays of Rembrandt's Claudius Civilis, ibidem, 30–38; A. van Schendel, Notes on the Support of Rembrandt's Claudius Civilis, ibidem, 38–42; C. Müller Hofstede, Eine Nachlese zu den Münchener Civilis-Zeichnungen, ibidem, 42–55; I. H. van Eeghen, Rembrandt's Claudius Civilis and the Funeral Ticket, ibidem, 55–57; L. Münz, Claudius Civilis, sein Antlitz und seine äussere Erscheinung,

ibidem, 58–69; K. Grillo, Till frågan om Claudius Civilis' proveniens, ibidem, 69–70; C. Nordenfalk, Some Facts about Rembrandt's Claudius Civilis, ibidem, 71–93; J. Bruyn Hzn., Het Claudius Civilis-nummet van het Konsthistorisk Tidskrift, Oud-Holland LXXI, 1956, 49-54; Cl. Bille, Rembrandts Claudius Civilis and its Owners in the 18th Century, ibidem, 54-59; Knuttel 1956, 199–203; Sumowski 1957/58, 233; K. Fremantle, The Baroque Town Hall of Amsterdam, Utrecht 1959, 169, 186; White 1964, 120–121; Gantner 1964, 165-175; Rosenberg 1964, 287–292; Rosenberg-Slive-Ter Kuile 1966, 74–76; Clark 1966, 98–99; H. Brunsting, Rembrandt in Nijmegen, Numaga XIII, 1966,

▷

figuren uiteindelijk nog iets anders heeft gegroepeerd dan hij aanvankelijk van plan was. Röntgenfoto's hebben aangetoond, dat de tafel eerst links niet doorliep, zodat men Claudius Civilis zag staan, evenals op de tekening. De hoek van de tafel lag recht onder de linker rand van de schaal, die de man voor de tafel vasthoudt. Ook de jongen naast de man met de schaal, die evenmin op de tekening voorkomt, is pas later door de schilder toegevoegd, die bovendien in eerste instantie vier gekruiste zwaarden had geschilderd in plaats van drie. Het dun geschilderde zwaard, dat het zwaard van Claudius bovenaan raakt, schijnt later te zijn toegevoegd. Wellicht houden deze overschilderingen verband met de (ons onbekende) wensen van zijn opdrachtgevers; het kan ook zijn, dat ze dateren van ná de definitieve weigering van het schilderij.

De reden van die weigering is niet bekend. Vermoedelijk konden zijn opdrachtgevers geen begrip opbrengen voor Rembrandts visie op de haast legendarische samenzwering, die dan ook wél uit de toon viel van Van Campens klassicistische bouwwerk. Zijn barse Romeinse samenzweerder met zijn ene oog is niet de geïdealiseerde nationale held, die zij zich wellicht hadden voorgesteld. Wat Rembrandt ervan gemaakt had, moet hun vulgair zijn voorgekomen. En zijn grandiose penseel-voering, breed en monumentaal, zullen zij, bewonderaars wellicht van het fijnschilderen à la Dou, wel grof gevonden hebben.

De lichte kleurstelling van het schilderij is men van Rembrandt niet gewend. Men dient zich echter te realiseren, dat het doek oorspronkelijk veel groter is geweest en dat nu juist dit fragment er het helderste deel van uitmaakte, dat geheimzinnig oplichtte uit het schemerduister van de grote hal, waarin de eedaflegging was gesitueerd.

extend to the left, so that Claudius Civilis was seen standing, as in the sketch. The corner of the table was directly below the left side of the cup held by the man in front of the table. The boy next to the man with the cup does not appear in the sketch either and has been added by Rembrandt at a later stage. Also, the original sketch had four crossed swords, whereas the painting only shows three. The thinly painted sword touching the upper half of Claudius's sword seems to be added later. Possibly these over-paintings have to be ascribed to specifications — unknown to us — of Rembrandt's commissioners. It is also possible that they date from the time after the painting had been definitely refused.

The reasons for this refusal are unknown. Perhaps Rembrandt's commissioners did not appreciate his vision of the almost legendary plot which, indeed, deviated considerably from Van Campen's classicist conception of the building. This grim, one-eyed Roman conspirator is not the idealised national heroe which Rembrandt's commissioners may have imagined. His presentation must have struck them as nothing less than vulgar, and his grandiose brushstroke, broad and monumental, must have seemed coarse to the admirers of delicate painting 'à la Dou'. The light colours in this painting are unusual for Rembrandt. It should be realised, however, that originally the canvas was of a much larger size and that this particular fragment formed its brightest part, mysteriously lighting up from the dusky hall where the conspiracy was situated.

182–186; Fuchs 1968, 19 e.v.; Haak 1968, 301–305; Gerson 1968, 126–127. Coll.: in 1661/62 geschilderd voor het Stadhuis van Amsterdam, maar uiteindelijk niet aanvaard. Het bewaard gebleven fragment in 1734 te Amsterdam geveild en gekocht door Nicolaas Cohl (1672–1751), een Zweed die in Amsterdam woonde, waar hij in 1716 was getrouwd met Sophia Grill (1682–1766), een landgenote. Het schilderij werd door Hendrik Wilhelm Peill (1730–1797), die via zijn moeder geparenteerd was aan de familie Grill, waarschijnlijk in 1766, toen hij van Florence via Amsterdam naar huis reisde, meegenomen naar Zweden. In 1769 trouwde hij met Anna Johanna Grill (1745–1801), die het schilderij vóór 1780 in bruikleen gaf aan de Koninklijke Academie voor Schone Kunsten te Stockholm en het in 1798 aan die instelling schonk. In 1865 werd het door de Academie in bruikleen gegeven aan het museum. — In Zweden heette het schilderij vroeger 'Ziska förbund med sina medhellare' (het verbond van Ziska met zijn medesamenzweerders); de één-ogige Boheemse veldheer Johan Ziska werd in 1419 aanvoerder der Hussieten. Ook heeft men er wel een synode van de Vrije Boheemse Kerk over de communie in gezien.

Carl Nordenfalk and Cornelius Müller-Hofstede are preparing a monograph on the Claudius Civilis, which will be edited by the Stockholm Nationalmuseum.

De zuid-oost hoek van de Grote Galerij van het voormalige Stadhuis van Amsterdam met het schilderij van Flinck-Ovens op de oorspronkelijke plaats van Rembrandts Claudius Civilis.

The south-east corner of the Great Gallery of the former Amsterdam Town Hall with the painting by Flinck-Ovens where Rembrandt's Claudius Civilis was originally hung.

In 1663 werd Rembrandts Claudius Civilis vervangen door het schilderij, dat Govert Flinck onvoltooid had nagelaten en dat Juriaen Ovens had afgemaakt. Het schilderij van Rembrandt raakte in vergetelheid. Ruim 200 jaar later, in 1891, las de Amsterdamse archivaris Mr. N. de Roever bij toeval in Melchior Fokkens' in 1662 gepubliceerde beschrijving van het Stadhuis, dat het schilderij in de zuid-oost hoek van de Galerij door Rembrandt was geschilderd. Gewapend met een lange ladder en een lantaarn toog hij op onderzoek uit, maar tevergeefs zocht hij naar Rembrandts signatuur. Op zijn verzoek werd het schilderij in 1892 uit het boogveld naar beneden getakeld en toen ontdekten De Roever en zijn gasten (hij had voor deze gelegenheid een aantal kunsthistorici uitgenodigd) tot hun teleurstelling, dat zij te doen hadden met een werk van Ovens en dat Rembrandts schilderij verdwenen was. Onder De Roevers gasten bevond zich ook de Deense kunsthistoricus Karl Madsen en hij was het, die zich het schilderij in het museum in Stockholm herinnerde. Spoedig bleek toen, dat dit inderdaad de verloren gewaande Rembrandt – althans een groot fragment ervan – was.

In 1663 Rembrandt's Claudius Civilis was replaced by the painting which Govert Flinck left unfinished at his death and which Juriaen Ovens had completed. Rembrandt's painting was forgotten. More than 200 years later, in 1891, the Amsterdam archivist, N. de Roever, happened to read in Melchior Fokkens's description of the Town Hall published in 1662 that the painting in the south-east corner of the Gallery was by Rembrandt. Armed with a long ladder and a lantern he made an examination, but looked in vain for Rembrandt's signature. At his request the painting was lowered from the roundel in 1892. De Roever and his guests (he had invited a number of art historians for the occasion) discovered with disappointment that this was a work by Ovens and that Rembrandt's painting had disappeared. Among de Roever's guests was the Danish art historian Karl Madsen who remembered the painting in the Stockholm museum. It was soon found that that was indeed the Rembrandt thought to be lost, or at least a large fragment of it.

22

HET VERLIEFDE PAAR, genaamd DE JOODSE BRUID
Doek 121.5 x 166.5 cm. Gesign. en gedat.: Rembrandt f. 16. .
Amsterdam, Rijksmuseum, bruikleen van de Stad Amsterdam

Tot op het laatst van zijn leven is Rembrandt een creatief
kunstenaar geweest. Zijn visie op de werkelijkheid verstarde
nimmer en altijd weer vond hij nieuwe beeldende middelen om
er gestalte aan te geven.
Dit schilderij, één van de volstrekte hoogtepunten der schilderkunst in het algemeen, getuigt van zijn ongelofelijke vitaliteit en
van zijn ongeëvenaard vermogen om ook de subtielste menselijke
gevoelens feilloos te registreren. De mengeling van eerbied,
schroom en liefde waarmee de man de vrouw benadert, het
tedere gebaar waarmee de vrouw de toenadering van haar
beminde beantwoordt, kortom de zuiverheid van de verhouding
tussen deze twee mensen heeft Rembrandt tot in de kern
gepeild. Zijn brillant palet, afgestemd op het gloeiende rood van
de jurk en het goudgeel van de mouw, is volmaakt in harmonie
met de gevoelsmatige inhoud van het onderwerp. Het geheim
van dit kunstwerk schuilt misschien in de contrastwerking tussen
de stemming van het schilderij en de manier, waarop het is
geschilderd. Die is allerminst schroomvallig of teder. In vurige
schildersdrift is de rode verf met het paletmes breed uitgesmeerd
en de dikke klodders geel zijn gemodelleerd, zodat ze een zwaar
met gouddraad doorwerkte stof suggereren. De gezichten en
handen zijn voorzichtiger geschilderd. De achtergrond is slechts
globaal aangeduid en werkt juist daardoor uiterst suggestief. Het
kan zijn, dat Rembrandt die partij nimmer heeft voltooid, maar
het is ook mogelijk, dat het nooit zijn bedoeling is geweest om
die verder uit te werken.
▷

22

THE LOVING COUPLE, called THE JEWISH BRIDE
Canvas 121.5 x 166.5 cm. Signed and dated: Rembrandt f. 16..
Amsterdam, Rijksmuseum, on loan from the City of Amsterdam

Until the end of his life, Rembrandt has been a truly creative artist.
His vision of reality remained flexible, and again and again he
found new means to express his outlook upon life.
This painting, an absolute climax of painting in general, bears
witness to his incredible vitality and to his unequalled ability to
register faultlessly even the most subtle human emotions. The
mixture of reverence, timidity and love with which the man
approaches the woman, and the tender gesture with which the
woman answers his affectionate approach, in short the purity of
the relationship between these two people has been probed by
Rembrandt to its very essence. His brilliant tonation, tuned to the
glowing red of the dress and the golden yellow of the sleeve is in
perfect harmony with the emotional content of the subject. The
secret of this work may be in the contrasting effect between the
atmosphere of the painting and the technique, which is indeed
far from timid or tender. The red paint is impetuously put on with
the palette knife in broad strokes, and the thick blobs of yellow
are modelled so as to suggest a heavy fabric worked with gold
thread. The faces and hands are treated more cautiously. The
background is indicated only globally and this is precisely why it
has such an extremely strong, suggestive effect. It may be that
Rembrandt never got to finish the background, but it is also
possible that he never intended to work it out in detail.
▷

Het tijdloze thema van de liefde tussen man en vrouw, waaraan Rembrandt hier voor de eeuwigheid gestalte heeft gegeven, is niettemin in deze vorm gebonden aan tijd en plaats van ontstaan. De gezichten van de man en de vrouw zijn zo individueel, dat het wel portretten moeten zijn, al is het tot nu toe niet gelukt het paar te identificeren (men heeft gedacht aan Rembrandts zoon Titus en Magdalena van Loo, aan de Joodse dichter Don Miguel de Barrios en Abigaël de Pina, en aan de zilversmid Jan Lutma de Jonge en diens vrouw). Uit de gefantaseerde kleding, die on-zeventiende eeuws is, valt op te maken, dat het paar zich heeft laten portretteren in de gedaante van historische, met name bijbelse figuren. Dat was in die tijd niet ongebruikelijk (vgl. Rembrandts zelfportret als de apostel Paulus, cat. nr. 20). In dit verband zijn de namen genoemd van Abraham en Sara, Tobias en Sara, Boaz en Ruth, Jacob en Rachel en Isaac en Rebecca. Op een tekening (Benesch 988; verz. Kramarsky, New York), die onmiskenbaar met het schilderij samenhangt en die beschouwd kan worden als een directe voorstudie ervoor, heeft Rembrandt het moment uitgebeeld, waarop koning Abimelech uit zijn venster kijkt en Isaac en Rebecca ziet minnekozen, zodat hij ontdekt dat zij man en vrouw zijn en niet, zoals Isaac had voorgegeven, broer en zuster (Genesis 26 : 8–11). Evenals op het schilderij ziet men op de tekening rechts een grote tuinvaas. Het paar zit daar op een balustrade. Röntgenfoto's hebben aangetoond, dat de figuren op het schilderij in eerste instantie ook zittend waren voorgesteld. Naar alle waarschijnlijkheid heeft het onbekende paar zich dus door Rembrandt laten schilderen als Isaac en Rebecca.

The timeless theme of love between man and woman, pictured here by Rembrandt for all eternity, is nevertheless, in this form, bound to the time and place of its origin. The faces of the man and the woman are so highly individual that they must be portraits, although no one has ever succeeded in identifying this couple (it has been suggested that they are Rembrandt's son Titus and Magdalena van Loo, or the Jewish poet Don Miguel de Barrios and Abigael de Pina, or the silversmith Jan Lutma the Younger and his wife). The fancy garments – which are not of the 17th century – suggest that the couple was portrayed to personify historical, especially biblical figures. This was not an uncommon thing to do at that time (cf. Rembrandt's Self-portrait as the Apostle Paul, Cat. No. 20). In this connection the names have been mentioned of Abraham and Sarah, Tobias and Sarah, Boaz and Ruth, Jacob and Rachel, Isaac and Rebecca. In a drawing (Benesch 988; Coll. Kramarsky, New York) which is unmistakably related to this painting and which may be considered as an immediate preliminary study, Rembrandt has pictured the moment when King Abimelech looks out of his window and sees Isaac and Rebecca making love, so that he finds out that they are husband and wife and not brother and sister, as pretended by Isaac (Genesis 26:8–11). As in the painting, the drawing has a tall garden vase at the right. There, the couple is sitting on a balustrade. X-ray photographs have shown that, originally, the figures in the painting had been pictured seated, too. It therefore seems highly probable that the unknown couple indeed had themselves portrayed by Rembrandt as Isaac and Rebecca.

Tent.: Amsterdam 1898, nr. 119; Amsterdam 1932, nr. 40; Amsterdam 1935, nr. 30; Amsterdam 1956, nr. 96 ✳ Lit.: HdG 929; Bredius 416; Bauch 38; Bredius-Gerson 416; Gerson 356 ☐ A. Jordan, Bemerkungen zu einigen Bildern Rembrandts, Repertorium für Kunstwissenschaft VII, 1884, 183; J. Veth, Rembrandt's zoogenaamde Jodenbruid in de Kollektie van der Hoop, Oud-Holland XXIV, 1906, 41–44; W. R. Valentiner, Deutung der Judenbraut, Kunst und Künstler XXII, 1923/24, 17 e.v.; J. Zwarts, Het echtpaar van het Joodsche Bruidje van Rembrandt, Onze Kunst XLVI, 1929, 11–42; J. Zwarts, The Significance of Rembrandt's 'The Jewish Bride', Batsford 1929; J. van Rijckevorsel, Rembrandt en de traditie, Rotterdam 1932; F. Lugt, The Man with the Magnifying Glass, Art in America XXX, 1942, 174–178; Martin 1942, 94–96; F. Landsberger, Rembrandt, the Jews and the Bibel, Philadelphia 1946, 54–55; Van Gelder 1946, 347–350; Knuttel 1956, 216–217; O. Benesch, Wordly and Religious Portraits in Rembrandt's Late Art, The Art Quarterly XIX, 1956, 352; W. R. Valentiner, Noch einmal Die Judenbraut, Festschrift für K. Bauch, 1957, 227–237; Sumowski 1957/58, 225; H. P. Baard, Openbaar Kunstbezit V, 1961, nr. 6; White 1964, 125; Rosenberg 1964, 128; Rosenberg-Slive-Ter Kuile 1966, 68; Clark 1966, 142; A. Livermore, Rembrandt and Jansen; A New Interpretation, Apollo 1967, 240–245; C. Tümpel, Studien zur Ikonographie der Historien Rembrandts, Hamburg 1968, 302; Emmens 1968, 23; Haak 1968, 310, 320–322, 326; Gerson 1968, 132, 156, 502. Coll.: In 1825 gekocht door John Smith van de heer Vaillant te Amsterdam. In 1833 gekocht door Adriaan van der Hoop te Amsterdam. In 1854 door Van der Hoop gelegateerd aan de Stad Amsterdam; sedert 1885 bruikleen aan het museum.

23
ZELFPORTRET
Doek 59 x 51 cm. Gesign. en gedat.: Rembrandt f. 1669 (?)
Den Haag, Mauritshuis, cat. 1952, nr. 840

Dit prachtige zelfportret is altijd beschouwd als het sluitstuk van
de reeks geschilderde zelfbespiegelingen, die Rembrandt in de loop
van zijn ruim veertigjarige carrière heeft gemaakt. Maar een paar
jaar geleden heeft men bij het schoonmaken van een zelfportret
in de National Gallery te Londen (Bredius 55) ook daarop het
jaartal 1669 gevonden (The Burlington Magazine CIX, 1967,
355). Er zouden nu dus twee portretten zijn, die ons Rembrandt
op het laatst van zijn leven tonen, die beide een onvergetelijk
beeld geven van de oude schilder. Maar recent onderzoek heeft
twijfel gewekt aan de betrouwbaarheid van het jaartal op het
Haagse exemplaar. Vermoedelijk is dit toch iets vroeger ontstaan
en zal men kunnen vaststellen, dat het Haagse en het Londense
exemplaar hun chronologische plaats gewisseld hebben.

23
SELF-PORTRAIT
Canvas 59 x 51 cm. Signed and dated : Rembrandt f. 1669(?)
The Hague, Mauritshuis, Cat. 1952, No. 840

*This splendid self-portrait has always been considered as the last
of a long sequence of painted introspections which Rembrandt
has made in his career of forty-odd years. A few years ago,
however, when another self-portrait in the London National
Gallery (Bredius 55) was being cleaned, the same date, 1669,
appeared (The Burlington Magazine, CIX, 1967, 355). So now
there would seem to be two portraits of Rembrandt at the end
of his life, both giving an unforgettable image of the old painter.
But recent research has doubted the liability of the date on the
portrait in The Hague. This painting seems to be slightly earlier,
after all. It may become evident that the paintings in The Hague
and`London changed their places chronologically.*

Tent.: Amsterdam 1932, nr. 42 ✳ Lit.: HdG 527; Bredius 62; Bauch 342;
Bredius-Gerson 62; Gerson 420 ☐ Pinder 1943, 109; Van Gelder 1946, 58;
Knuttel 1956, 225–226; H. E. van Gelder, Openbaar Kunstbezit I, 1957, nr. 28;
Rosenberg 1964, 55; White 1964, 126; Haak 1968, 331; Gerson 1968, 142,
504.
Coll.: In 1947 aangekocht met steun van de Vereniging Rembrandt.

tekeningen   *drawings*

24
ZELFPORTRET
Pen in bruin, penseel in grijs; 12.7 x 9.5 cm.
Amsterdam, Rijksprentenkabinet

Rembrandt bestudeerde zijn eigen gezicht voor het maken van
een reeks geëtste expressie-studies, waaruit zich, omstreeks 1629,
het echte zelfportret ontwikkelt. Uit deze tijd dateren ook twee
getekende zelfportretten. In het eerste (British Museum;
Benesch 53) bestudeert hij zichzelf bij een kunstmatige
belichting, als een romantische held. Het tweede, dat hier wordt
getoond, heeft een meer beschrijvend karakter. De zeer vrije
behandeling van de haardos met afzonderlijke penseelstreken
over een getekende ondergrond geeft een effect, dat Rembrandt
in zijn vroege geschilderde zelfportretten nastreefde door met de
achterkant van het penseel in de natte verf te krassen. (coll.
Cevat; bruikleen aan het Rijksmuseum).

24
SELF-PORTRAIT
Pen with brown ink; brush with grey; 12.7 x 9.5 cm.
Amsterdam, Rijksprentenkabinet

In his etchings Rembrandt used his own face for a series of studies
of expressions out of which grows, around 1629, the true self-
portrait. He also drew two self-portraits about this time. In the
first which is in the British Museum (Benesch 53) he studies
himself, under artificial light, as a romantic hero. The second,
shown here, is of a more descriptive nature. The very free treatment
of the hair with separate brush strokes over a drawn-in ground
gives an effect which Rembrandt, in his early, painted self-
portraits, aimed at by scratching away the paint with the back of
his brush (cf. the portrait in the Cevat Collection, now on loan to
the Rijksmuseum).

Tent.: Amsterdam 1932, nr. 223; Amsterdam 1952, nr. 227 * Lit.: Valentiner II,
nr. 658 (ca. 1630); Benesch I, nr. 54 (ca. 1628/29); Bauch 1960, 262; J. Q.
van Regteren Altena, De Schenking De Bruijn-Van der Leeuw. Bulletin van het
Rijksmuseum IX, 1961, nr. 31; Seymour Slive, The young Rembrandt, Bulletin

Oberlin College, Spring 1963, 148; J. Q. van Regteren Altena en L. C. J.
Frerichs, Keuze uit de Tekeningen, Rijksprentenkabinet Amsterdam 1965, nr. 55;
Erpel 1967, nr. 22 (ca. 1629/30)
Coll.: Sir Thomas Lawrence; W. Esdaile; R. Kann; C. Hofstede de Groot;
I. de Bruijn

25

DE OPRICHTING VAN HET KRUIS
*Zwart krijt; 19.2 x 14.8 cm. Op de keerzijde krijtschets van twee
zittende figuren. Beneden gemerkt in latere hand: 'Rembrant'.
Rotterdam, Museum Boymans-Van Beuningen*

Het kruis wordt door drie mannen omhooggetrokken, terwijl
anderen, nauwelijks te onderscheiden, bezig zijn het van achteren
omhoog te duwen. De Hoofdman over Honderd domineert over
een grote schare Romeinse krijgsknechten; beneden hem zijn
Maria en Johannes slechts met enkele contouren aangegeven.
De tekening is misschien een eerste compositiegedachte voor
het schilderij van de Kruisoprichting uit de reeks Passie-taferelen
die in de dertiger jaren door Stadhouder Frederik Hendrik werd
verworven. De barokke bewegingsmotieven van de kruisoprichters
herinneren aan Rubens' schilderij van 1612 in de Kathedraal van
Antwerpen, dat Rembrandt door de prent van Vorsterman kende.
In compositie en tekenmanier is de invloed van Lastman en Callot
merkbaar.

Tent.: Amsterdam 1932, nr. 222; Rotterdam 1956, nr. 11 * Lit.: Hofstede
de Groot, nr. 1362 (ca. 1633); Valentiner II, nr. 483 (ca. 1631); Benesch I, nr.
6 (ca. 1627/28); Benesch, Druaghtsman, 8, nr. 1; Haverkamp Begemann
1961, 19; Slive 1965 II, nr. 425
Coll.: J. C. Robinson; Chambers Hall; H.Teixeira de Mattos; F. Güterbock;
F. Koenigs

25

THE RAISING OF THE CROSS
*Black chalk; 19.2 x 14.8 cm. On the reverse chalk sketch of two
seated figures. At bottom left by a later hand: 'Rembrant'.
Rotterdam, Museum Boymans-Van Beuningen*

*Three men are pulling up the cross while others, hardly
recognisable, are busy pushing it up from behind. The Centurion
is seen at the head of a multitude of Roman soldiers; below him
Mary and John are roughly sketched in.
The drawing is perhaps an early idea for the composition of the
painting 'The Raising of the Cross', one of the series of Passion-
scenes which Stadhouder Frederik **Hendrik** acquired in the
thirties. The baroque pattern of movements of the men raising the
cross is reminiscent of Rubens' painting of 1612 in Antwerp
Cathedral, known to Rembrandt from the Vorsterman print. In the
composition and the manner of drawing Lastman's and Callot's
influences are noticeable.*

26
OOSTERSE BOOGSCHUTTER
Rood krijt op gedeeltelijk rood geprepareerd papier;
30.6 x 16.2 cm. Rechts beneden door latere hand: 'Van Segen'.
Dresden, Kupferstichkabinett der Staatlichen Kunstsammlungen

De tekening hangt evenals een tweede roodkrijtstudie in de
Graphische Sammlung te München (Benesch 4) nauw samen
met figuren van Oosterse krijgers op de historie-schilderijen, die
Rembrandt in zijn Leidse tijd maakte. Benesch heeft het verband
gezien tussen deze krijger en de figuur uiterst rechts op het
schilderij David met het hoofd van Goliath voor Saul, te Bazel
(Bredius 488), waarvan de datering (ca. 1626) niet precies
vaststaat. Het type van de man is nog afhankelijk van figuren op
de schilderijen van Pieter Lastman. Tegelijkertijd komt in de
sterke licht-schaduwwerking, tot stand gebracht door het
herhaaldelijk aanzetten van de contour, de invloed van Callots
grafiek tot uiting.

26
ORIENTAL ARCHER
Red chalk on partly red-tinted paper; 30.6 x 16.2 cm. Inscribed
by a later hand: 'Van Segen'.
Dresden, Kupferstichkabinett der Staatlichen Kunstsammlungen

This drawing, as well as another closely related red chalk study in
the Graphische Sammlung at Munich (Benesch 4) is
connected with figures of Oriental warriors in the historical
paintings which Rembrandt made when at Leiden. Benesch has
noted the relationship between this warrior and the figure at the
extreme right of the painting 'David with the Head of Goliath
before Saul' in Basle (Bredius 488), the date of which, c. 1626,
is not definitely established. This sort of figure still owes something
to similar figures in the paintings of Pieter Lastman. At the same
time the influence of Callot's graphic work is noticeable in the
strong chiaroscuro effects realised by means of the heavily
re-worked contour.

Lit.: Valentiner II, nr. 795 A (ca. 1629); Benesch I, nr. 3 (ca. 1627); Bauch
1960, 107/8; Haverkamp Begemann 1961, 20; Scheidig 1962, nr. 3; Slive
1965 II, nr. 456 (ca. 1627/28)

27
STAANDE MAN MET TAS
Zwart krijt; 29 x 16.9 cm.
Rechts beneden een afgesneden signatuur: R
Amsterdam, Rijksprentenkabinet

De tas, die deze oude man voor zijn lichaam draagt, doet
vermoeden dat hij ten onrechte als bedelaar is beschreven.
Waarschijnlijk oefende hij een beroep uit, waarbij de tas een
functie had.
Omstreeks 1628 begon Rembrandt onder invloed van etsen van
Callot te tekenen en te etsen naar de straattypen en bedelaars die
Leidens straten bevolkten. De tekening heeft samen met twee
andere krijtstudies naar staande oude mannen, eveneens uit de
verzameling De Vos in het Rijksprentenkabinet gekomen
(Benesch 30 en 32), tot één schetsboek behoord.

27
STANDING MAN WITH BAG
Black chalk; 29 x 16.9 cm.
At bottom right a cutt of signature: R
Amsterdam, Rijksprentenkabinet

The bag which this old man holds in front of him may have been
the reason that he has been wrongly described as a 'beggar'.
He probably practised a profession in which the bag played a
part.
Influenced by Callot's etchings, Rembrandt began around 1628
to draw and etch the characters and beggars who crowded the
streets of Leiden. This drawing, together with two other chalk
studies of standing old men, which have also come to the
Rijksprentenkabinet from the De Vos collection (Benesch 30
and 32), belonged to one sketchbook.

Lit.: Hofstede de Groot, nr. 1185 (ca. 1630/35); Henkel, nr. 3 (1628);
Benesch I, nr. 31 (ca. 1629); Bauch 1960, 107/8; Slive 1965 II, nr. 303
(ca. 1628/29)
Coll.: J. de Vos Sr.; J. de Vos Jr.

28
ZITTENDE OUDE MAN
Rood en zwart krijt ; 22.6 x 15.7 cm.
Berlijn, Kupferstichkabinett der Staatlichen Museen

Omstreeks 1631 maakte Rembrandt een aantal zeer doorwerkte roodkrijtstudies naar levend model : een oude man, die hij in peinzende houding in een leunstoel in het atelier liet poseren. Enkele van deze tekeningen zijn gedateerd in de jaren 1630, 1631 en 1633. Een tekening in Teylers Stichting te Haarlem (Benesch 40), die eenzelfde model in een iets andere houding weergeeft, draagt het jaartal 1631. Rembrandt heeft deze modellen ook in etsen weergegeven : een niet gedateerde ets (Hind 26 ; Boon 32) geeft het hoofd van dezelfde oude man in spiegelbeeld weer.
In de achtergrond is met enkele lijnen een architectuur aangegeven ; dit wijst erop dat Rembrandt, toen hij deze modellen tekende, al van plan was ze te gebruiken in interieurstukken met mediterende oude mannen, hetzij als 'geleerdenportret', hetzij als Bijbelse figuur (cf. cat. nr. 1).

28
OLD MAN SEATED
Red and black chalk ; 22.6 x 15.7 cm.
Berlin, Kupferstichkabinett der Staatlichen Museen

Around 1631 Rembrandt made a number of elaborately worked red chalk studies from life : an old man posing in a meditating attitude seated in an armchair in the studio. Some of these drawings are dated 1630, 1631 and 1633. A drawing at Teylers Foundation in Haarlem (Benesch 40) showing a similar model in a slightly different position is dated 1631. Rembrandt has also used these models in print : an undated etching (Hind 26 ; Boon 32) shows a reversed version of the head of the same old man.
In the background a few lines suggest some architectural details ; this points to the fact that when drawing these models Rembrandt was already planning to use them in interiors with meditating old men, such as 'Portrait of a Scholar' or as a biblical figure (cf. Cat. No. 1).

Lit.: Bock-Rosenberg, 232 (ca. 1633) ; Benesch I, nr. 41 (ca. 1631) ; Sumowski 1956/57, 256, 262 ; Benesch, Draughtsman, nr. 5 ; J. Q. van Regteren Altena, Een onbekende eerste staat van Rembrandt's 'Vieillard à la grande barbe', Bulletin van het Rijksmuseum IX, 1961, 3–10 ; Slive 1965 I, nr. 10 (ca. 1631)
Coll.: C. Ploos van Amstel? ; Dupper ; B. Suermondt

29
SLAPENDE WAAKHOND IN ZIJN HOK
Pen en penseel in grijs en bruin; 14.4 x 16.5 cm.
Boston, Museum of Fine Arts

De tekening is de enige bekende waarop een hond onderwerp is van een studie naar het leven. Al vroeg speelt in Rembrandts werken de hond een rol als begeleider van bedelaars en blinden; later wordt zijn nerveuze reactie vaak graadmeter der menselijke emoties; als slapend huisdier versterkt hij de intimiteit van een familietafereel.

De slapende hond op een kleine ets van 1640 (Hind 174; Boon 157) en dezelfde hond op de grisaille Jozef vertelt zijn dromen van 1637 (Rijksmuseum; Bredius 504) zijn het meest verwant aan deze in krachtige lijnen en sterke contrasten weergegeven geketende waakhond.

29
A WATCHDOG SLEEPING IN HIS KENNEL
Pen and brush with grey and brown ink; 14.4 x 16.5 cm.
Boston, Museum of Fine Arts

This is the only known drawing in which a dog is the subject of a study from life. At an early stage in Rembrandt's work the dog already plays a part as the companion of beggars and of blind people; later its nervous reactions often accompanied human emotions; the domestic animal asleep intensifies the intimate atmosphere of a family scene.

The sleeping dog in a small etching from 1640 (Hind 174; Boon 157) and the same dog in the grisaille of 1637 in the Rijksmuseum, 'Joseph Relating his Dreams' (Bredius 504), are most closely related to this chained watchdog rendered in vigorous lines and with strong contrasts.

Tent.: New York 1960, nr. 5 * Lit.: Benesch II, nr. 455 (ca. 1633); Scheidig 1962, nr. 21
Coll.: Narcisse Revil; Lucien Guiraud

30
BOERDERIJEN ONDER DONKERE LUCHT
*Pen en penseel in bruin en grijs; 18.2 x 24.5 cm. De linker
bovenhoek is gerestaureerd.*
Wenen, Graphische Sammlung Albertina

Naast overeenkomsten in de motieven met Bloemaert en Van
Goyen onderscheidt deze tekening zich door een romantische
uitbeelding van de natuur, waarin enkele kleine personen geheel
zijn opgenomen. Landschappen met dreigende onweersluchten
vinden we in Rembrandts geschilderd werk al in de dertiger jaren,
bijvoorbeeld het Landschap met de Stenen Brug (Rijksmuseum;
Bredius 440). In de Verkondiging aan de Herders, een ets van
1634 (Hind 120; Boon 106), komt een verwante contrastwerking
tot uiting. De krachtige ritmiek der penlijnen wijst op een datering
in het begin van de Amsterdamse tijd.

30
COTTAGES UNDER A STORMY SKY
Pen and brush with brown and grey ink; 18.2 x 24.5 cm.
The top left corner has been restored.
Vienna, Graphische Sammlung Albertina

*Even if the motif is similar to those used by Bloemaert and
Van Goyen, this drawing distinguishes itself by a romantic
representation of nature into which some small figures are
completely merged. Already in the thirties we find landscapes
with threatening skies amongst Rembrandt's paintings, for
example the 'Landscape with the Stone Bridge' in the Rijksmuseum (Bredius 440). A similar effect of contrasts can be seen
in 'The Annunciation to the Shepherds', an etching from 1634
(Hind 120; Boon 106). The vigorous rhythm of the pen lines
points to a date at the beginning of his Amsterdam period.*

Tent.: Amsterdam 1935, nr. 51; Rotterdam 1956, nr. 117 ∗ Lit.: Hofstede
de Groot, nr. 1484; Benesch IV, nr. 800 (ca. 1641); Benesch, Draughtsman,
nr. 37; Scheidig 1962, nr. 61

31

TWEE VROUWEN LEREN EEN KIND LOPEN
Pen en penseel in bruin, met wit gehoogd; 16 x 14.4 cm.
Parijs, Institut Néerlandais, coll. F. Lugt

In zijn eerste huwelijksjaren heeft Rembrandt telkens weer het
zeer jonge kind in zijn eerste levensuitingen getekend.
Een fascinerend lijnenspel, een verfijnd ritme van arceringen en
melodieuze contouren begeleidt hier de eerste onvaste stappen.
De veranderingen in de vormentaal tussen de tegen de schaduw
van de huisingang zich majestueus aftekenende jonge vrouw en de
meer abstracte contouren van de oudere vrouw in het volle licht,
maken deze tekening tot een der rijkste uit de reeks van het
'vrouwenleven met de kinderen'.

31

TWO WOMEN TEACHING A CHILD TO WALK
Pen and brush with brown ink, heightened with white; 16 x 14.4 cm.
Paris, Institut Néerlandais, F. Lugt Collection

During the early years of his married life Rembrandt again and
again drew the first expressive gestures of the very young child.
A fascinating play of lines, a refined rhythm of hatching and
melodious contours accompany the first unsure steps.
The change in the treatment of the young woman, standing
out majestically against the shadow of the entry to the house,
and the more abstract contours of the older woman placed
in full light, make this drawing one of the richest from the series
of 'Women and their Children'.

Tent.: Amsterdam 1932, nr. 343 ∗ Lit.: Benesch II, nr. 391 (ca. 1632/33)
Coll.: De Lagoy; P. Mathey; E. A. Veltman

32
STUDIE VOOR EEN AANBIDDING DER KONINGEN
Pen in bruin; 17.7 x 15.9 cm.
Amsterdam, Rijksprentenkabinet

De compositiegedachte ontstond waarschijnlijk spontaan uit een
van de snelle studies naar het leven, die Rembrandt in de eerste
Amsterdamse jaren maakte. Een schilderij, waarmee deze tekening
samenhangt, is niet bekend, al vertoont de groep van Maria en
de oudste koning op de Aanbidding der Wijzen in Leningrad,
die 1632 gedateerd is (cf. Irina Linnik, Bulletin of the Hermitage
XXIX, 1968, 26 e.v.), wel formele verwantschappen.

32
STUDY FOR AN ADORATION OF THE MAGI
Pen and brown ink; 17.7 x 15.9 cm.
Amsterdam, Rijksprentenkabinet

*The compositional idea probably came spontaneously from one
of the quick life studies Rembrandt made during the early years in
Amsterdam. This drawing cannot be related to any known painting,
but the group of Mary and the oldest of the kings in the 'Adoration
of the Magi' in Leningrad dated 1632 (cf. Irina Linnik, Bulletin of
the Hermitage XXIX, 1968, 26 ff.) does show a formal relationship.*

Tent.: Rotterdam 1956, nr. 66; Amsterdam 1964/5, nr. 89 ∗ Lit.: Hofstede
de Groot, nr. 1268 (ca. 1657); Valentiner I, nr. 302 (ca. 1637); Henkel, nr. 47
(ca. 1638/39); Benesch I, nr. 115 (ca. 1635); Slive 1965 II, nr. 324 (ca. 1635)
Coll.: J. P. van Suchtelen; Remy van Haanen; H. Lang Larisch; C. Hofstede
de Groot

33

TWEE PARADIJSVOGELS
Pen in bruin en witte dekverf ; 18.1 x 15.4 cm.
Parijs, Cabinet des dessins du Musée du Louvre

In de Inventaris van 1656 (Urkunden, nr. 169, sub 280) wordt
vermeld : 'Een laede, daer in een paradijsvogel en ses wayers'.
Op een andere tekening in het Louvre (Benesch 158) ligt deze
vogel dood met de pootjes in de lucht. Hoewel ook hier dezelfde
vogel is getekend, is door de plaatsing in het vlak en het weg-
laten van de poten, het vliegen prachtig gesuggereerd.

33

TWO BIRDS OF PARADISE
Pen with brown ink and white body-colour ; 18.1 x 15.4 cm.
Paris, Cabinet des dessins du Musée du Louvre

The 1656 Inventory (Urkunden, No. 169, sub 280) mentions :
'Een laede, daer in een paradijsvogel en ses wayers' ('A drawer
with a bird of paradise and six fans'). In another drawing in the
Louvre (Benesch 158) this bird is lying dead with its feet in the
air. Although the same bird is drawn here, the suggestion of
flying is superbly achieved by the way it is placed on the paper
and by the omission of the feet.

Tent. : Amsterdam 1932, nr. 324 ✳ Lit. : Hofstede de Groot, nr. 757 (ca. 1635/40) ;
Lugt, Louvre III, nr. 1195 (ca. 1640) ; Benesch II, nr. 456 (ca. 1637) ; Slive 1965
I, nr. 174 (ca. 1637)
Coll. : U. Price ; L. Bonnat

34
SASKIA ZITTEND IN BED
Pen en penseel in bruine inkt; 15 x 13.8 cm.
Dresden, Kupferstichkabinett der Staatlichen Kunstsammlungen

Het kerkelijk huwelijk van Rembrandt en Saskia werd 22 juni
1634 te Sint Annaparochie voltrokken. Saskia was de jongste
uit het gezin van negen kinderen van de Leeuwardense burge-
meester Rombout van Uylenburgh, die in 1625 was overleden.
Toen Saskia huwde had ze al een broer en een getrouwde zuster
verloren; zij zelf stierf vóór ze dertig was.
De nog meisjesachtige gaafheid van haar trekken, binnen het
ovaal dat de strakke hoofddoek omsluit, hebben algemeen tot
een vroege datering voor deze tekening geleid. Misschien is zij
hier in verwachting van haar eerste kind: Rumbartus werd in
december 1635 geboren.

34
SASKIA SITTING IN BED
Pen and brush with brown ink; 15 x 13.8 cm.
Dresden, Kupferstichkabinett der Staatlichen Kunstsammlungen

*Rembrandt and Saskia were married on June 22, 1634 at Sint
Annaparochie. Saskia was the youngest of nine children of the
Leeuwarden burgomaster Rombout van Uylenburgh who had
died in 1625. When Saskia married she had already lost a brother
and a married sister; she herself was to die before she was thirty.
The girlish perfection of her features within the oval enclosed by
the tight headscarf has led to this drawing being generally dated
early. Perhaps she is here expecting her first child; Rumbartus
was born in December 1635.*

Lit.: Hofstede de Groot, nr. 255 (ca. 1635); Valentiner II, nr. 687 (ca. 1636);
Benesch II, nr. 255 (ca. 1634); Scheidig 1962, nr. 25

35
SASKIA IN HET RAAM
Pen en penseel in bruin; 23.6 x 17.8 cm.
Rotterdam, Museum Boymans-Van Beuningen

Saskia van Uylenburgh verschijnt hier, op de middaghoogte van
haar korte levensbaan, in het venster van de echtelijke woning.
Het is niet mogelijk die woning precies te situeren; de adressen
die Rembrandt opgeeft in zijn brieven aan Huijgens zijn uit later
jaren, dan waarin deze tekening wordt gedateerd.
Saskia is afgebeeld met de hand onder het hoofd, een houding
– kenteken van een beschouwende natuur – die op zoveel
tekeningen terugkeert, dat die haar zeer eigen moet zijn geweest.
De voor ons onbekende wereld van Rembrandts huiselijkheid,
waarin zij in deze jaren de hoofdpersoon was in een spel van
metamorphosen – zij poseerde als Minerva in haar studeervertrek,
als Proserpina aan de uitgang van de Onderwereld – dié wereld
vertegenwoordigt zij hier, als huisvrouw en als Muze, zodat wij,
voorbijgangers in de straat, haar zouden willen vragen: 'Muze,
vertel ons de man . . .'

35
SASKIA AT THE WINDOW
Pen and brush with brown ink; 23.6 x 17.8 cm.
Rotterdam, Museum Boymans-Van Beuningen

Saskia van Uylenburgh, at the zenith of her short life-span,
appears here in the window of the conjugal home. It is not
possible to identify precisely where this dwelling was; the
addresses given by Rembrandt in his letters to Huijgens are of
a later date than this drawing.
Saskia is shown with one hand under her chin, a position which
recurs in so many drawings that it must have been characteristic
of her, reflecting her contemplative nature. We know little of
Rembrandt's domestic life in which, in these years, she was the
key figure in a series of metamorphoses known to us from the
paintings such as Minerva in her study, Proserpina at the entrance
to the underworld. Here she represents the housewife and the
muse in a domestic world so that we, passers-by in the street,
might well ask her: 'Muse, tell us about the man...'

Tent.: Amsterdam 1932, nr. 274; Rotterdam 1956, nr. 23 * Lit.: Hofstede
de Groot, nr. 1016 (ca. 1635); Valentiner II, nr. 676 (ca. 1636); Benesch II,
nr. 250 (ca. 1633/34); Slive 1965 I, nr. 198.(ca. 1633/34)
Coll.: Poignon Dyonval; M. de Vindé; Th. Dimsdale; Th. Lawrence; W. Esdaile;
C. S. Bale; J. P. Heseltine; M. Bonn; H. E. ten Cate; F. Koenigs

36
STUDIE VOOR DE ETS 'DE GROTE JODENBRUID'
Pen en penseel in bruin; 24.1 x 19.3 cm.
Stockholm, Nationalmuseum

In de ets (Hind 127; Boon 125), waarvan het jaartal 1635, ook wel 1634 en zelfs 1637(!) is gelezen, is de figuur maar tot de knieën zichtbaar. De nadruk valt daardoor sterk op de rol, die de jonge vrouw in haar rechterhand houdt. Landsberger heeft deze geïdentificeerd met de 'ketubah', een document dat de Joodse bruid op haar huwelijksdag ontving van de bruidegom, die daarin zijn onderhoudsplichten had vastgelegd. Op deze dag wachtte de bruid met loshangend haar de bruidegom op. De benaming van de ets gaat terug op een oude traditie; zij wordt reeds door Gersaint (1751) zo genoemd. Andere oplossingen zijn naar voren gebracht: Saskia als Sibylle, Saskia als actrice in de rol van Minerva (Valentiner). Madlyn Kahr identificeert de voorstelling met koningin Esther op het punt bij koning Ahasverus te interveniëren ten bate van de Joden (Esther 4:15–17).

36
STUDY FOR THE ETCHING 'THE GREAT JEWISH BRIDE'
Pen and brush with brown ink; 24.1 x 19.3 cm.
Stockholm, Nationalmuseum

In the etching (Hind 127; Boon 125), the date of which has been read as 1635, 1634 and even 1637(!), the figure is only visible as far as the knees. The emphasis lies thus on the scroll which the young woman is holding in her right hand. Landsberger has identified this as the 'ketubah', a document the Jewish bride received on her wedding day from the bridegroom who had set out in it his obligation for maintenance. As she waited for her bridegroom, the bride had her hair hanging down loosely. The title of the etching goes back to an old tradition; as early as 1751 Gersaint has recorded it. Other suggestions made were: Saskia as Sibyl, Saskia as an actress in the role of Minerva (Valentiner). Madlyn Kahr identified the representation as Queen Esther on the point of intervening with King Ahasuerus on behalf of the Jews (Esther 4:15–17).

Tent.: Amsterdam 1935, nr. 35; Rotterdam 1956, nr. 32 * Lit.: Hofstede de Groot, nr. 1569 (ca. 1634); Valentiner II, nr. 572; F. Landsberger, Rembrandt, the Jews and the Bible, Philadelphia 1946, 74 e.v.; Benesch II, nr. 292; Benesch, Draughtsman, nr. 16; Madlyn Kahr, Rembrandt's Esther, a painting and an etching newly interpreted and dated, Oud-Holland LXXXI, 1966, 228 e.v. (1637); Slive 1965 I, nr. 235
Coll.: P. Crozat (?); Graaf Tessin

37

STUDIEBLAD MET KOPPEN EN FIGUREN
Pen en penseel in bruin; rood krijt; 22 x 23.3 cm.
Birmingham, Barber Institute of Fine Arts

In dit blad zijn zes studies in ellipsvorm verenigd om de studie
naar een forse gebaarde man, wiens gepluimde hoed en
gehandschoeide hand een sterke ruimtewerking suggereren. De
kring begint links beneden met twee studies naar een man met
gedrapeerde baret, die samenhangen met het geëtste profielportret van een jonge man (Hind 134; Boon 118), dat ca. 1635
wordt gedateerd. Ter rechter zijde zet hij zich voort in drie pen-
studies van een vrouw die een kind de borst geeft. De kring wordt
gesloten door een schets in pen en rood krijt van een jongetje.
De opeenvolging van houdingen en standen, inventies en studies
naar het leven, wordt gebonden door het materiaalgebruik.
Daardoor groeide een geheel van zo subtiele overgangen, dat
het blad een voorbeeld werd van Rembrandts meesterschap als
arrangeur. Dergelijke bladen, thans zeldzaam, moeten vroeger
talrijk zijn geweest; de vele piepkleine schetsjes die thans over
zijn, zijn vermoedelijk in later tijd uit zulke verzamelbladen
geknipt.

37

SHEET WITH STUDIES OF HEADS AND FIGURES
Pen and brush in brown ink; red chalk; 22 x 23.3 cm.
Birmingham, Barber Institute of Fine Arts

On this sheet six studies are grouped in the shape of an ellipse
around the study of a robust, bearded man whose plumed hat
and gloved hand give a strong suggestion of depth. The circle
begins at the bottom left with two studies of a man with a
draped beret which are related to the etched profile portrait of
a young man (Hind 134; Boon 118) dated c. 1635. It continues
to the right with three pen studies of a woman nursing a child.
A pen and red chalk sketch of a little boy closes the circle. The
sequence of postures and poses, invention and studies from life is
held together by the material used. There emerges thus a whole of
such subtle transitions that this sheet has become an example of
Rembrandt's mastery of arranging. Such sheets, rare today, must
formerly have been numerous; the many tiny sketches still in
existence have presumably been cut out from such collective
sheets.

Tent.: Rotterdam 1956, nr. 42 * Lit.: Hofstede de Groot, nr. 1024 (ca. 1635);
Benesch II, nr. 340 (ca. 1636)

38
TONEELSPELER ALS CAPITANO
Pen en penseel in bruin; 18.2 x 15.3 cm. Op de keerzijde twee penschetsen
Amsterdam, Rijksprentenkabinet

De Capitano houdt een stok (of degen?) in de linkerhand en ziet neer op een man die hem een geopende tas voorhoudt. De tekening behoort tot een reeks penschetsen, die alle geïnspireerd zijn door de Commedia dell'Arte.
Het virtuoze lijnenspel, dat verwant is aan dat van de Kruisdraging (cat. nr. 40), voert onze blik in een roterende beweging naar het hoogmoedige profiel.

38
ACTOR AS CAPITANO
Pen and brush with brown ink; 18.2 x 15.3 cm. On the verso two pen sketches
Amsterdam, Rijksprentenkabinet

The Capitano holds a stick (or sword?) in his left hand and looks down on a man who is holding up to him an opened bag. The drawing belongs to a series of pen sketches inspired by the Commedia dell'Arte.
The masterly play of lines akin to that of 'Christ Falling under the Cross' (Cat. No. 40) leads our eyes with a rotating movement to the haughty profile.

Lit.: Valentiner II, nr. 753 A en B (ca. 1635); Benesch II, nr. 293 (ca. 1635); J. Q. van Regteren Altena, Bulletin van het Rijksmuseum IX, 1961, nr. 32; V. Volskaja, Theaterpersonages in tekeningen van Rembrandt, Iskusstwo 4, 1961, 54 e.v.
Coll.: C. Hofstede de Groot; I. de Bruijn

39
TONEELSPELER ALS PANTALONE
Pen in bruin ; 15.8 x 24 cm.
Groningen, Museum voor Stad en Lande

Een staande man met grote hoed buigt lachend voor zijn publiek :
Pantalone, de gierige koopman met zijn geldbuidel en 'baton' aan
zijn gordel, één van de meest populaire figuren uit de Commedia
dell'Arte. Dit blad hoort tot dezelfde groep tekeningen als de
Capitano, evenals een tekening in Hamburg (Benesch
296), waar Pantalone met zijn haviksneus en sluwe grijns in
profiel is weergegeven.

39
ACTOR AS PANTALONE
Pen with brown ink ; 15.8 x 24 cm.
Groningen, Museum voor Stad en Lande

*A standing man with a large hat, bowing before his public and
laughing : Pantalone, the greedy merchant, his purse and 'baton'
at his belt, one of the most popular figures of the Commedia
dell'Arte. This sheet belongs to the same group of drawings as
the Capitano, and so does a drawing in Hamburg (Benesch 296)
where Pantalone with his aquiline nose and his sly grin is shown
in profile.*

Tent.: Rotterdam 1956, nr. 39 ✷ Lit.: Valentiner II, nr. 755 (ca. 1635);
Benesch II, nr. 295 (ca. 1635) ; J. Bolten, Dutch Drawings from the collection
of dr. C. Hofstede de Groot, Utrecht 1967, nr. 56
Coll.: C. Hofstede de Groot

40

CHRISTUS VALT ONDER HET KRUIS

Pen en penseel in bruin; 14.5 x 26 cm. Links beneden in later
handschrift: Rembrant
Berlijn, Kupferstichkabinett der Staatlichen Museen

Terwijl Christus in volle lengte neerstort, valt Maria ruggelings
in de armen van een vrouw, die door de knieën zinkt. Een tweede
komt aansnellen van de overzijde, waar een derde bewegingloos
toeziet. Twee mannen komen Christus te hulp; een derde, op de
voorgrond links, die een mand aan een spade over zijn schouder
draagt, is herkenbaar als Simon van Cyrene, die terugkerend van
de akker gedwongen werd het Kruis van Christus over te nemen
(Lucas 23:26).
De sterk in één vlak gehouden voorstelling gaat terug op een
lange beeldtraditie. Hieraan voegt Rembrandt met de figuur
van Simon van Cyrene een nieuw verhalend en ruimtescheppend
element toe. De ellipsvorm van de compositie vinden we terug in
Rembrandts Bijbelse voorstellingen uit die jaren, in het bijzonder
in het schilderij De blindmaking van Simson van 1636 (Bredius
501). Door het pengebruik wordt de handeling dramatisch
gebonden en de individuele expressie geaccentueerd.

40

CHRIST FALLING UNDER THE CROSS

Pen and brush with brown ink; 14.5 x 26 cm. At the bottom left
in a later hand: Rembrant
Berlin, Kupferstichkabinett der Staatlichen Museen

While Christ is falling full length, Mary falls backwards into the
arms of a woman who is staggering under her weight. A second
woman hurries towards them from the other side where a third
watches motionless. Two men are coming to Christ's aid; a third,
in the foreground left, who is carrying over his shoulder a spade
from which hangs a basket, is recognisable as Simon of Cyrene
who, returning from his field, was forced to take over the Cross
from Christ (Luke 23:26).
This representation which is kept very much in one plane
continues an old tradition. With the figure of Simon of Cyrene
Rembrandt adds a new narrative and spatial element to a
composition, the elliptical shape of which can also be found in
Rembrandt's biblical representations of these years, especially in
the painting 'The Blinding of Samson' of 1636 (Bredius 501).
By the way the pen is used the action is dramatically held together
and the individual expression is stressed.

Lit.: Hofstede de Groot, nr. 71 (ca. 1635); Valentiner II, nr. 481 (ca. 1636);
Benesch, I, nr. 97 (ca. 1635); Benesch, Draughtsman, nr. 15; Gantner 1964,
97 e.v.; Slive 1965 I, nr. 15 (midden dertiger jaren)
Coll.: J. C. Robinson

41

DE KRUISIGING

Pen en penseel in bruin, met wit gehoogd; 21.8 x 17.9 cm. De bovenhoeken zijn afgerond, de rechter benedenhoek is afgescheurd, waarna de kunstenaar heeft doorgetekend op een nieuw stuk papier.
Berlijn, Kupferstichkabinett der Staatlichen Museen

Het Kruis is opgericht op een heuvel in de nabijheid van de stad Jeruzalem. Christus is stervende, op de voorgrond rechts valt Maria in zwijm, terwijl Johannes zich in wanhoop afwendt. Aan de voet van het Kruis knielt Maria Magdalena. Geheel links, bij een groep toeschouwers, staat een krijgsknecht met de lans. Op het aangezette stuk papier is een tweede kruis schetsmatig aangegeven; een rad, waarop het hoofd van een veroordeelde is gespiest, steekt schuin naar voren.
Het feit dat de wond van Christus in zijn linkerzijde is aangebracht, doet vermoeden dat deze tekening in eerste instantie een ontwerp voor een prent is geweest. Er bestaan ook relaties met de ets De Kruisiging (Hind 123; Boon 111), die 1634 gedateerd wordt, maar het Kruis is daar niet centraal geplaatst. Een zo gruwzaam en ongewoon detail als het rad, was in Rembrandts dagen een actualiteit.

41

THE CRUCIFIXION

Pen and brush with brown ink, heightened with white; 21.8 x 17.9 cm. The top corners have been rounded off, the bottom right hand corner has been torn off after which the artist has continued the drawing on another piece of paper.
Berlin, Kupferstichkabinett der Staatlichen Museen

The cross has been erected on a hill not far from the city of Jerusalem. Christ is dying, in the foreground to the right Mary is fainting, while John turns away in despair. Mary Magdalene kneels at the foot of the cross. At the extreme left a soldier holding the lance stands with a group of onlookers. On the added piece of paper a second cross is roughly sketched in; a wheel with the head of a condemned man impaled on it is thrust forward slantingly.
The fact that the wound has been inflicted at Christ's left suggests that this drawing may have been a draft for a print. There are similarities with the etching 'The Crucifixion' (Hind 123; Boon 111) which has been given the date 1634, but the cross is here not placed centrally. A detail as cruel and unusual as the wheel was a reality in Rembrandt's days.

Lit.: Bock-Rosenberg, 227 (ca. 1634); Valentiner II, nr. 486 (ca. 1634); Benesch I, nr. 108 (ca. 1635)
Coll.: Sir Michael Sadler

42
JOZEF DOOR ZIJN BROEDERS AAN DE ISMAËLIETEN
VERKOCHT (Genesis 37 : 28)
Pen en penseel in bruin; 17.2 x 26.7 cm.
New York, The Pierpont Morgan Library

In het midden onderhandelen Jacobs zonen met de Midianietische
koopman, die zijn handen naar de huilende Jozef uitstrekt.
Rechts een dromedaris en een olifant met hun berijders, waar-
tussen gewapend escorte. Links halverwege het hellend terrein,
een groep reizigers : de overige broers.
Benesch meende dat de fijne pentekening, die hij 1632/33
dateerde, door Rembrandt (of door een andere hand) in het begin
van de veertiger jaren met een bredere pen en met penseel zou
zijn opgewerkt.

42
*JOSEPH BEING SOLD BY HIS BROTHERS TO THE
ISHMAELITES (Genesis 37 : 28)*
Pen and brush with brown ink; 17.2 x 26.7 cm.
New York, The Pierpont Morgan Library

*In the centre Jacob's sons are negotiating with the Midianite
merchant who is stretching out his hands towards the weeping
Joseph. On the right a dromedary and an elephant with their
riders, between them an armed escort. On the left, half way down
the hill, a group of travellers : the other brothers. Benesch thought
that the fine pen drawing which he dated 1632/33 had been
touched up by Rembrandt (or another hand) with a broader pen
and a brush at the beginning of the forties.*

Lit.: Hofstede de Groot, nr. 1076; H. T. van Guldener, Het Jozefverhaal bij
Rembrandt en zijn school,Amsterdam 1947, 27; Benesch I, nr. 73 (ca. 1632/33);
Sumowski 1956/57, 264
Coll.: C. Fairfax Murray

43
STUDIE VOOR EEN AANBIDDING DER KONINGEN
Pen en penseel in bruine inkt, arceringen in lichtere inkt door
latere hand; 18 x 20 cm.
Turijn, Koninklijke Bibliotheek

Rembrandt heeft zich in zijn oeuvre slechts zelden bezig gehouden
met het thema van de Aanbidding der Koningen. Een grisaille
met dit onderwerp in Leningrad (cf. cat. nr. 32), die 1632 gedateerd
is, biedt enige aanknopingspunten met deze tekening. Er zijn
overeenkomsten in de rangschikking van de groepen, maar lichtwerking en ruimtelijkheid zijn zeer verschillend.

43
STUDY FOR AN ADORATION OF THE MAGI
Pen and brush with brown ink, hatching in a lighter ink by a later
hand; 18 x 20 cm.
Turin, Biblioteca Reale

In his entire work Rembrandt has only rarely occupied himself
with the subject of 'The Adoration of the Magi'. A recently
published grisaille on this theme in Leningrad (cf. Cat. No. 32)
dated 1632 has something in common with this drawing. There
are some similarities in the way the groups have been arranged,
but the distribution of dark and light and the spatial effects are
very different.

Tent.: Rotterdam 1956, nr. 77 ✷ Lit.: Valentiner I, nr. 300 (ca. 1634);
Benesch III, nr. 522 (ca. 1642/43); Haverkamp Begemann 1961, 51;
Sumowski 1961, 10; Rotermund, nr. 148
Coll.: J. Goll van Franckenstein

44

EEN VROUW DRAAGT EEN KIND DE TRAP AF
Pen en penseel in bruin; 18.7 x 13.3 cm.
New York, Pierpont Morgan Library

De traditionele benaming van deze tekening als Saskia met
Rumbartus moet opgegeven worden in het licht van archief-
onderzoek van I. H. van Eeghen (De kinderen van Rembrandt
en Saskia, Maandblad Amstelodamum 1956, 44), waaruit blijkt
dat, met uitzondering van de in 1641 geboren Titus, geen van
Rembrandts kinderen ouder werd dan twee maanden. De vele
moeders met jonge kinderen, die Rembrandt in de tweede helft
der dertiger jaren tekende moeten worden opgevat als studies
naar het leven, ontstaan in zijn omgeving, zoals ook de meer
algemene titel van een 'portfolio' met dergelijke tekeningen
aanduidt, dat zich in 1680 bevond in het bezit van zijn vriend
de marine-schilder Jan van de Cappelle: Het vrouwenleven met
kinderen (Urkunden, nr. 350).

44

A WOMAN CARRYING A CHILD DOWNSTAIRS
Pen and brush with brown ink; 18.7 x 13.3 cm.
New York, Pierpont Morgan Library

The traditional title of this drawing 'Saskia with Rumbartus'
must be abandoned. I. H. van Eeghen (De kinderen van Rembrandt
en Saskia, Maandblad Amstelodamum 1956, p. 44) has proved
that, with the exception of Titus (born in 1641), none of
Rembrandt's children lived longer than two months. The many
mothers with young children whom Rembrandt drew in the
second half of the thirties must be regarded as studies from life
observed in his surroundings. The more general title of a portfolio
with such drawings: 'Women and their Children' which in 1680
was in the possession of his friend, the marine painter Jan van de
Cappelle (Urkunden, No. 350) also points in this direction.

Tent.: New York 1960, nr. 23 * Lit.: Valentiner II, nr. 675 (ca. 1636); Benesch
II, nr. 313 (ca. 1636); Benesch, Draughtsman, nr. 21; J. G. van Gelder
1961, 115; Scheidig 1962, nr. 29
Coll.: C. Fairfax Murray

45
OLIFANT
Zwart krijt; 17.8 x 25.6 cm.
Londen, Printroom of the British Museum

Onder de dierstudies van Rembrandt bevinden zich enkele tekeningen van olifanten, die hij in 1637, het jaar waarin de gesigneerde en gedateerde studie in de Albertina ontstond (zie het volgend nummer), in Amsterdam moet hebben gezien. Zoals uit een prent van 1641 blijkt (F. Muller, nr. 1854) werden olifanten op Amsterdamse kermissen vertoond. Door achter de olifant een groepje toeschouwers te plaatsen, heeft Rembrandt het enorme volume van het beest, dat het tekenblad geheel vult, duidelijk aanschouwelijk gemaakt. Het grijze krijt was het ideale materiaal om de werking van het licht op het rulle, door duizend plooien doorploegde huidoppervlak te volgen; de individualiteit van het dier is in het intelligente oog goed tot uitdrukking gebracht.

45
ELEPHANT
Black chalk; 17.8 x 25.6 cm.
London, Printroom of the British Museum

Among Rembrandt's animal studies are a few elephants that he must have seen in Amsterdam in 1637, the year in which he made the signed and dated study in the Albertina (see the following number). It is evident from a print of 1641 (Fred. Muller 1854) that elephants were shown at fairs. By placing a small group of onlookers behind the elephant Rembrandt has given a vivid picture of the enormous bulk which completely fills the sheet. The grey chalk was the ideal material to express the effect of the light on the crumbly surface of the skin, ploughed with a thousand furrows; the individuality of the animal is well expressed in the intelligent eye.

Litt.: Hofstede de Groot, nr. 948 (ca. 1637/38); Hind, nr. 43 (circa 1637); Benesch II, nr. 459 (ca. 1637); Slive 1965 I, nr. 120 (ca. 1637)
Coll.: C. M. Cracherode

46
OLIFANT
Zwart krijt; 23 x 24 cm. Gesigneerd en gedateerd: Rembrandt
ft. 1637
Wenen, Graphische Sammlung Albertina

Misschien ontstond deze tekening na die in Londen (cat. nr. 45).
Het geposeerde, wat statische van de voorafgaande is veranderd
in een beweging; de kunstenaar was vertrouwd geworden met
het lijnenspel van het huidoppervlak en kon het virtuoos
abstraheren. In het volgend jaar 1638 heeft Rembrandt een
olifant weergegeven in zijn ets Adam en Eva (Hind 159; Boon
140), waaruit blijkt dat de olifant in Rembrandts voorstellings-
vermogen was verbonden met de oertijd.

46
ELEPHANT
Black chalk; 23 x 24 cm. Signed and dated in full: Rembrandt
ft. 1637
Vienna, Graphische Sammlung Albertina

Perhaps this drawing was made after the one in London
(Cat. No. 45). The somewhat static pose of the previous drawing
has given way to movement; the artist had become familiar with
the play of lines on the surface of the skin and could give a
masterly interpretation of it. The following year, 1638, Rembrandt
included an elephant in his etching 'Adam and Eve' (Hind 159;
Boon 140) from which it would appear that Rembrandt's
imagination connected the animal with primeval times.

Tent.: Rotterdam 1956, nr. 67 ✳ Lit.: Hofstede de Groot, nr. 1469; Benesch II,
nr. 457; Benesch, Draughtsman, nr. 27

47
BOERDERIJ IN HET ZONLICHT
Pen en penseel in bruin; 16.4 x 22.6 cm.
Links beneden in later handschrift: Rembrant
Boedapest, Szépmüvészeti Múzeum

Als een waaier spreiden zich de ranken van een knoestige
wijnstok uit tegen de gevel en over de daken van een boerderij.
De sfeer van een warme, stille dag wist Rembrandt voelbaar te
maken door de licht- en schaduwwerking en door de afwezigheid
van enig levend wezen.
Reeds eerder tekende Rembrandt deze boerderij op grotere
afstand (Benesch 463).

47
COURTYARD OF A FARM-HOUSE
Pen and brush with brown ink; 16.4 x 22.6 cm.
At the bottom left in a later hand: Rembrant
Budapest, Szépmüvészeti Múzeum

The tendrils of a gnarled vine spread fanlike up the front and
over the roofs of a farm-house.
Rembrandt understood very well how to give the feel of a warm,
still day by the effects of light and shadow and by the absence
of any living soul.
Earlier in the day Rembrandt drew this farm-house from a greater
distance (Benesch 463).

Tent.: Rotterdam 1956, nr. 96b ∗ Lit.: Hofstede de Groot, nr. 1394; Benesch
II, nr. 464 (ca. 1636); Bauch 1960, 262; Scheidig 1962, nr. 23
Coll: Prins N. Esterházy; Prins P. Esterházy

48
ZITTENDE MAN OP EEN STOEP
Pen en penseel in bruin; gehoogd met witte dekverf;
14.6 x 13.8 cm.
New York, Metropolitan Museum of Art

Rembrandts feilloos gevoel voor enscenering brengt in deze
tekening motieven die wij uit andere situaties uit de dertiger
jaren kennen. De stoep, met de suggestie van een deuropening
waarbinnen de trap zich voortzet, herinnert aan de ets De
Terugkeer van de Verloren Zoon van 1636 (Hind 147; Boon
129). Het lage bankje terzijde is een geliefd onderdeel van het
Amsterdamse woonhuis. De man met zijn schilderachtig
costuum zou zeer goed een acteur kunnen zijn, maar zijn
peinzende houding stempelt zijn optreden tot een entr'acte.

48
MAN IN A FLAT CAP SEATED ON A STEP
Pen and brush with brown ink, heightened with white body-
colour; 14.6 x 13.8 cm.
New York, Metropolitan Museum of Art

In this drawing Rembrandt's faultless feeling for a
setting brings together motifs we know from other situations
of the thirties: the steps, with the suggestion of a doorway
inside which the stairs continue, are reminiscent of the
etching 'The Return of the Prodigal Son' of 1636 (Hind 147;
Boon 129). The small low seat is a popular feature of the
Amsterdam town-house. The man's picturesque costume might
well point to his being an actor; but his musing attitude indicates
his appearance to be an entr'acte.

Tent.: New York 1960, nr. 25 * Lit.: Benesch II, nr. 324 (ca. 1636); Slive
1965 I, nr. 154 (ca. 1637)
Coll.: Sir Joshua Reynolds; Sir Th. Lawrence; S. Woodburn; W. Esdaile;
F. Seymour Haden; Mr. and Mrs. H. O. Havemeijer

49

STUDIE VAN EEN STAANDE NAAKTE VROUW ALS CLEOPATRA
Rood krijt; 24.5 x 14 cm.
Londen, Collectie Villiers David

De tekening is een studie naar het naaktmodel, waaraan
Rembrandt de Oosterse hoofdtooi en de slang heeft toegevoegd.
De keuze van de ratelslang, in plaats van de kleinere adders
waardoor Cleopatra zich volgens de legende in de borst liet
bijten, verbaast niet bij Rembrandt, die in 1638, in zijn ets
Adam en Eva (Hind 159; Boon 140) de slang als een draak
heeft uitgebeeld (Byam Shaw).
Wij kennen geen andere zo uitvoerige naaktstudie in rood krijt,
een materiaal dat Rembrandt na de dertiger jaren slechts zelden,
en dan meestal in verbinding met andere media, heeft gebruikt.
Stylistische verwantschap met studies in zwart krijt uit 1637
(cf. nrs. 45 en 46) is de basis voor de datering.

49

STUDY OF A STANDING FEMALE NUDE AS CLEOPATRA
Red chalk; 24.5 x 14 cm.
London, Villiers David Collection

*The drawing is a study from the nude to which Rembrandt has
added the Oriental head-dress and the snake. The preference for
the rattlesnake instead of the smaller adders which, according to
legend, Cleopatra allowed to bite her breasts, is not surprising
considering that in 1638 in his etching 'Adam and Eve' (Hind
159; Boon 140) Rembrandt had rendered the snake as a dragon
(Byam Shaw).*
*We do not know of any other study from the nude in red chalk
as finished as this one. Rembrandt used this material rarely after
the thirties, and if he did it was together with other media. The
date is based on the stylistic relationship with black chalk studies
from 1637 (cf. Cat. Nos. 45 and 46).*

Tent.: Amsterdam 1932, nr. 238; Rotterdam 1956, nr. 68 * Lit.: James Byam
Shaw, Old Master Drawings, III, Sept. 1928, 31, pl. 29 (ca. 1637); Benesch I,
nr. 137 (ca. 1637); Benesch, Draughtsman, nr. 30
Coll.: Fouret; O. Gutekunst

circa 1637

50
ZITTENDE OUDE VROUW
Zwart krijt; 14 x 11 cm.
Londen, Count Antoine Seilern

Terwijl het gezicht van deze vrouw in zachte tonen is getekend,
zijn haar hoofdtooi en costuum in forse lijnen en contouren
geschetst. In rijkere kleding en met een boek op haar schoot
poseert zij op een schilderij van 1643 in Leningrad (Bredius 361),
dat waarschijnlijk door Abraham van Dijck, een leerling van
Rembrandt, werd geschilderd (Slive). Dit is de reden waarom de
tekening meestal 1643 wordt gedateerd.

50
OLD WOMAN SEATED
Black chalk; 14 x 11 cm.
London, Count Antoine Seilern

While the face of this woman is rendered in soft tones, her large
head-dress and costume are sketched with vigorous lines and
contours. Dressed in richer clothes and with a book in her lap,
she appears in a painting of 1643 in Leningrad (Bredius 361)
which was probably painted by Abraham van Dijck, one of
Rembrandt's pupils (Slive). This is the reason why the drawing
has been generally dated 1643.

Lit.: Hofstede de Groot, nr. 306; Valentiner II, nr. 727; Coll. Seilern, Catalogue III,
1961, nr. 191; Benesch IV, nr. 684; Slive 1965 I, nr. 145
Coll.: Friedrich August II

51

VROUW IN NOORDHOLLANDS COSTUUM, OP DE RUG
GEZIEN
*Pen en penseel in bruin; 22 x 15 cm. Op de keerzijde, in
rood krijt in 18de-eeuws handschrift: 'De minne moer van
Titus Soon van Rembrandt'*
Haarlem, Teylers Stichting

Wij kennen het gelaat van de boerenvrouw door een tweede
tekening die Rembrandt van haar maakte (Benesch 314), evenals
deze in de eerste plaats een costuumstudie. Het is de vraag of de
struise boerin geïdentificeerd mag worden met de uit Edam
afkomstige trompettersweduwe Geertje Dircx, die de verzorgster
(droge min) is geweest van de in 1641 geboren Titus. Het
opschrift op de keerzijde, waarop deze identificatie steunt, is
door een achttiende-eeuwse hand geschreven. Voor een
vroegere datering dan die, welke de identificatie met Geertje
impliceert, pleiten relaties met costuumstudies die 1638
gedateerd moeten worden. Een studie van een actrice in de rol
van Badeloch uit Vondels Gijsbrecht (Benesch 321) bezit
eenzelfde sterke ruimtelijkheid en levendige licht-donker-
schakering.

51

*WOMAN IN A NORTH HOLLAND COSTUME, SEEN FROM
BEHIND*
Pen and brush with brown ink; 22 x 15 cm. On the verso, with
red chalk in an 18th century hand: 'De minne moer van Titus
Soon van Rembrandt'
Haarlem, Teyler Foundation

*We know the face of the countrywoman from a second drawing
Rembrandt made of her (Benesch 314) which, like this one, was
also primarily a costume study. The question presents itself:
can the sturdy countrywoman be identified as Geertje Dircx,
the trumpeter's widow from Edam, who in 1642 probably became
foster-mother (dry nurse) to Titus who was born in 1641? The
inscription on the verso on which this identification is based,
has been written in an eighteenth century hand.*
*A connection with costume studies from 1638 would speak for
an earlier date than the identification with Geertje implies.*
*A study of an actress in the role of Badeloch from Vondel's
Gijsbrecht (Benesch 321) gives the same strong suggestion of
depth and lively chiaroscuro effects.*

Tent.: Amsterdam 1932, nr. 266; Rotterdam 1956, nr. 105 * Lit.: Hofstede
de Groot, nr. 1327 (Noordhollands costuum, ca. 1635); Valentiner II, nr. 704
(ca. 1642); Benesch II, nr. 315 (ca. 1636); Slive 1965 I, nr. 176 (ca. 1642);
H. F. Wijnman, Een episode uit het leven van Rembrandt: De geschiedenis van
Geertje Dircks, Jaarboek Amstelodamum LX, 1968, 103 e.v.
Coll.: J. Richardson Sr.; Benjamin West; Th. Dimsdale; Sir Th. Lawrence;
W. Esdaile; Mendes de Leon; J. G. Baron Verstolk van Soelen; G. Leembruggen

52
TWEE NEGERTROMMELAARS OP MUILEZELS
Pen en penseel in bruin en geel, olieverf, rood krijt en witte
dekverf; 22.9 x 17.1 cm.
Londen, Printroom of the British Museum

Geïnspireerd door een kleurrijke ruiterstoet waarin ook trompetters
te voet meeliepen (cf. Benesch 366/368) heeft Rembrandt deze
tekening meer uitgewerkt dan gewoonlijk. Het is echter niet met
zekerheid te zeggen, waar en wanneer hij deze ruiters heeft
gezien. Er waren herhaaldelijk blijde inkomsten en festiviteiten,
waarbij dergelijke muzikanten optraden. Van Regteren Altena heeft
verondersteld, dat Rembrandt in 1638 in Den Haag getuige is
geweest van feestelijkheden ter gelegenheid van het huwelijk van
Wolfert van Brederode met Louise Christine van Solms, de
schoonzuster van Frederik Hendrik. Bij de beschrijving van een
caroussel worden 'chevaliers mores' genoemd, in wier gevolg
deze trommelslagers wellicht meereden. De plaatsing van de
ezel in het vlak en de nerveus gespitste oren, suggereren zowel
het voorbijtrekken als het begeleidend tromgeroffel.

Lit.: Hofstede de Groot, nr. 924; Hind, nr. 8 (ca. 1630/35); Valentiner II, nr. 792
(ca. 1633/35); Benesch II, nr. 365 (ca. 1637/38); Benesch, Draughtsman,
nr. 29; J. Q. van Regteren Altena, Retouches aan ons Rembrandtbeeld IV,
Oud-Holland LXVII, 1952, 62; Slive 1965 I, nr. 119
Coll.: J. Richardson Sr.; T. Hudson; R. Payne Knight

52
TWO NEGRO DRUMMERS MOUNTED ON MULES
Pen and brush with brown ink and yellow water-colour, oil paint,
red chalk and white body-colour; 22.9 x 17.1 cm.
London, Printroom of the British Museum

Inspired by a colourful, mounted procession including some
trumpeters on foot (cf. Benesch 366/368), Rembrandt has
developed this drawing further than usual. However, it cannot be
said precisely when and where he saw these riders.
At pageants and festivities such musicians often made their
appearance. Van Regteren Altena suggests that Rembrandt
witnessed such festivities in 1638 in The Hague on the occasion
of the wedding of Wolfert van Brederode and Louise Christine
van Solms, the sister-in-law of Frederik Hendrik. 'Chevaliers
mores' are referred to in the description of a merry-go-round;
the drummers might well have been part of their retinue. The
placing of the mule on the paper and its nervously pointed ears
suggest the passing of the group as well as the accompanying
roll of drums.

53

DE BEWENING

Pen en penseel in bruin, rood en zwart krijt en olieverf;
21.6 x 25.3 cm. Uitgevoerd op vele kleine stukken papier, die
naast en over elkaar op een groter stuk papier zijn geplakt.
Londen, Printroom of the British Museum

Christus is van het Kruis genomen, Jozef van Arimathea en
een vrouw assisteren Maria. Geheel links omarmt Maria
Magdalena de voeten van Christus. Schalen en een fles,
op de voorgrond rechts, duiden aan dat het ogenblik van de
zalving is aangebroken; rechts hangen windsels voor dit doel
gereed. Onder Christus' Kruis staat een groep Schriftgeleerden,
onder het Kruis van de Goede Moordenaar, wiens benen zichtbaar
zijn, staan drie vrouwen.
De tekening is een voorbereidende studie voor de grisaille-
schildering in de National Gallery te Londen (Bredius 565), die
gedeeltelijk ook op papier werd uitgevoerd en ook als horizon-
tale compositie was gedacht (cf. V. MacLaren, National Gallery
Catalogues, The Dutch School, London 1960, Nr. 43). De
samenstelling van deze tekening getuigt van voortdurend
wisselende compositiegedachten, die opeenvolgende momenten
uit de Passie weergeven.
In de grisaille-schildering, die door Bernard Picart in prent werd
gebracht toen zij zich nog in een Amsterdamse verzameling
bevond, heeft Rembrandt de compositie vereenvoudigd en de
afstand tot de stad Jeruzalem vergroot. In het landschap, dat zo
ter beschikking van de kunstenaar kwam, ziet men de aftocht
der Romeinen.

53

THE LAMENTATION

Pen and brush with brown ink; red and black chalk and oil paint;
21.6 x 25.3 cm. On many small pieces of paper which have been
pasted next to and over each other on a larger sheet.
London, Printroom of the British Museum

The body of Christ has been taken down from the cross: Joseph
of Arimathea and a woman are supporting Mary. At the extreme
left Mary Magdalene embraces Christ's feet. Some vessels and a
bottle in the foreground right suggest that the moment has come
for the embalment; on the right bandages are hanging ready for
this purpose. A group of scribes is standing at the foot of the
cross, three women stand under the cross of the Good Thief
whose legs are visible.
The drawing is a preparatory sketch for the grisaille painting in
the National Gallery (Bredius 565) which was partly done on
paper and intended for a horizontal composition (cf. V. MacLaren,
National Gallery Catalogues, The Dutch School, London 1960,
No. 43). The way in which this drawing is put together bears
witness to constantly changing compositional ideas which render
successive moments of the Passion. In the grisaille painting, of
which Bernard Picart made a print when it was still in an
Amsterdam collection, Rembrandt has simplified the composition
and increased the distance to the city of Jerusalem. In the
landscape which thus became available to the artist we see the
withdrawal of the Romans.

Lit.: Hofstede de Groot, nr. 890 (1642); Valentiner II, nr. 495 (ca. 1640);
W. Stechow, Rembrandts Darstellungen der Kreuzabnahme, Jahrbuch der
preussischen Kunstsammlungen I, 1929, 226/228; Benesch I, nr. 154
(ca. 1637/38); Haverkamp Begemann 1961, 23 (ca. 1642); Slive 1965 I,
nr. 104 (ca. 1642)
Coll.: J. Richardson Jr.; Sir Joshua Reynolds; R. Payne Knight

54

MARIA TRIP

Pen en penseel in bruin, rood krijt en witte dekverf;
16 x 12.9 cm.
Londen, Printroom of the British Museum

De tekening is een voorstudie voor het 1639 gedateerde
geschilderde portret, dat door de Familie van Weede-Stichting
in bruikleen is gegeven aan het Rijksmuseum (Bredius 356).
De voorgestelde is door I. H. van Eeghen (Maandblad
Amstelodamum 1956, 166 e.v.) geïdentificeerd met Maria Trip,
dochter van Aletta Adriaensz., weduwe van Eli s Trip, die in
hetzelfde jaar door Rembrandt geschilderd werd (Rotterdam,
Stichting Van der Vorm; Bredius 355). De jonge vrouw poseert
in het staatsie-costuum van het schilderij, maar zonder paarlen,
kanten kraag en manchetten. Het architectonisch kader versterkt
de ruimtelijkheid en het representatief karakter van het portret;
de tekening maakt duidelijk dat Rembrandt het schilderij, waarvan
hij de lijst heeft meegetekend, oorspronkelijk groter heeft gedacht.

Lit.: Hofstede de Groot, nr. 900; Hind, nr. 56; Valentiner II, nr. 722; Benesch II,
nr. 442; Slive 1965 II, nr. 537
Coll.: Sir Thomas Lawrence; W. Esdaile

54

MARIA TRIP

Pen and brush with brown ink, red chalk and white body-colour;
16 x 12.9 cm.
London, Printroom of the British Museum

The drawing is a preparatory study for the painting dated 1639
cn loan to the Rijksmuseum by the Van Weede Family Foundation
(Bredius 356). The person portrayed has been identified by
I. H. van Eeghen, (Maandblad Amstelodamum 1956, 166 ff.),
as Maria Trip, daughter of Aletta Adriaensz., widow of Elias Trip
who was painted by Rembrandt during the same year (Rotterdam,
Van der Vorm Foundation; Bredius 355).
The young woman is posing in the state costume of the painting,
but without pearls, lace collar and cuffs. The architectural
framework emphasises the feeling of depth and the stateliness
of the portrait; the drawing shows plainly that Rembrandt had
originally intended the painting, the frame of which is also drawn,
to be larger.

55
MARGARETHA DE GEER (?)
Pen en penseel in bruin; 12.5 x 10.5 cm.
Rotterdam, Museum Boymans-Van Beuningen

Evenals het portret van Maria Trip (cat. nr. 54), heeft deze tekening
het karakter van een voorstudie; een schilderij dat hiermee
verband houdt is niet bekend.
De vrouw vertoont gelijkenis met Margaretha de Geer, de
vrouw van Jacob Trip (oom van Maria Trip), die zich beiden
omstreeks 1660 door Rembrandt en door andere kunstenaars
hebben laten portretteren.
De indeling van de achtergrond komt overeen met die van het
schilderij Meisje met dode pauwen in het Rijksmuseum (Bredius
456), dat aan het einde der dertiger jaren wordt gedateerd.

55
MARGARETHA DE GEER (?)
Pen and brush with brown ink; 12.5 x 10.5 cm.
Rotterdam, Museum Boymans-Van Beuningen

*Like the portrait of Maria Trip (Cat. No. 54) this drawing is in the
nature of a preparatory study; a related painting is not known.
The woman resembles Margaretha de Geer, the wife of Jacob
Trip (uncle of Maria Trip), both of whom had their portraits
painted around 1660 by Rembrandt and other artists. The way in
which the background is divided up corresponds to that of 'Girl
with Dead Peacocks' in the Rijksmuseum (Bredius 456) which
should be dated at the end of the thirties.*

Tent.: Amsterdam 1898; Amsterdam 1932, nr. 254; Amsterdam 1936, nr. 199;
Rotterdam 1956, nr. 84 ✱ Lit.: Hofstede de Groot, nr. 999 (ca. 1661);
Valentiner II, nr. 720 (ca. 1634); Benesch IV, nr. 757 (ca. 1640); Slive 1965 I,
nr. 91 (ca. 1635/40)
Coll.: J. Richardson Sr.; J. Reynolds; Th. Lawrence; W. Esdaile; C. S. Bale;
J. P. Heseltine; M. Kappel; F. Koenigs

56

TITIA VAN UYLENBURGH

*Pen en penseel in bruin; 17.7 x 14.7 cm. Onderschrift in
Rembrandts hand: 'tijtsija van ulenburch 1639', in latere hand:
'Rhimbrand'
Stockholm, Nationalmuseum*

In tegenstelling tot de voorstudies voor schilderijen (cat. nrs.
54 en 55), waar vooral de compositie van belang is en de
geportretteerden poseren, heeft Rembrandt hier van zijn schoonzuster Titia van Uylenburgh (1605–1641) een intiem genre-
portret gemaakt. Zij was getrouwd met François Coopal en
beiden waren getuigen bij de doopplechtigheden van
Rembrandts kinderen. Titus, die na haar dood werd geboren, is
naar haar vernoemd.

56

TITIA VAN UYLENBURGH

Pen and brush with brown ink; 17.7 x 14.7 cm. Inscribed in the
artist's hand: 'tijtsija van ulenburch 1639' and in a later hand:
'Rhimbrand'
Stockholm, Nationalmuseum

*Different from the preparatory studies for paintings (cf. Cat.
Nos. 54 and 55), where the composition is of foremost
importance and where the persons portrayed are posing,
Rembrandt has made an intimate genre portrait of his sister-in-law,
Titia van Uylenburgh (1605–1641).
She was married to François Coopal; both of them were
sponsors at the ceremonial christening of Rembrandt's children.
Titus, born after her death, was named after her.*

Tent.: Amsterdam 1935, nr. 45; Rotterdam 1956, nr. 92 * Lit.: Hofstede de
Groot, nr. 1567; Kruse III, nr. 1; Valentiner II, nr. 703; Benesch II, nr. 441;
Benesch, Draughtsman, nr. 31; Slive 1965 I, nr. 232
Coll.: P. Crozat, Tessin

57
SASKIA ZIEK TE BED
Pen en penseel in bruin, op enkele plaatsen met wit gecorrigeerd;
16.4 x 14.5 cm.
Parijs, Musée du Petit Palais, collection Dutuit

In deze tekening is Saskia, vergeleken bij de tekening in Dresden
(cat. nr. 34) zo sterk veranderd, dat soms twijfel heeft bestaan aan
de identificatie. De trekken, die hier door koortsen zijn gezwollen,
zijn in wezen dezelfde. De tegenstelling is schrijnend : Saskia die
drie kinderen binnen twee maanden na de geboorte verloor, is
hier een vroeg verouderde en lijdende vrouw. Op een ets
(Hind 163; Boon 142), die 1638 gedateerd wordt, zijn twee
verwante studies van Saskia op haar ziekbed weergegeven.

57
SASKIA ILL IN BED
Pen and brush with brown ink ; a few corrections with white ;
16.4 x 14.5 cm.
Paris, Musée du Petit Palais, Dutuit Collection

In this drawing, compared with the Dresden drawing (Cat.
No. 34), Saskia has changed so much that there has been some
doubt about the identification. Her features, here distorted by a
feverish illness, are essentially the same. The contrast is heart-
rending : Saskia who lost three children within two months of
their births, is shown here as a suffering woman aged before her
time. An etching (Hind 163 ; Boon 142), supposed to have been
made in 1638, shows two related studies of Saskia on her sick-bed.

Tent.: Rotterdam 1956, nr. 53 * Lit.: Hofstede de Groot, nr. 773 (ca. 1636/38) ;
Valentiner II, nr. 695 (ca. 1640) ; F. Lugt, Les dessins des écoles du Nord de la
collection Dutuit, Parijs 1927, nr. 59 (ca. 1640) ; Benesch II, nr. 283 (ca. 1635) ;
Haverkamp Begemann 1961, 24 (ca. 1640)
Coll.: Dutuit

58

SASKIA IN HET ZIEKENVERTREK
Pen en penseel in bruin en grijs; met wit gehoogd;
14.3 x 17.6 cm.
Parijs, Institut Néerlandais, verz. F. Lugt

Binnen de schaduw van de bedgordijnen is Saskia ingedommeld.
De baker zit voor het bed en klost kant. Een paar muilen ligt op
de grond bij Rembrandts lege stoel. Het bed staat tussen de deur
en de monumentale schouw; de tekening ontstond in of na 1639,
het jaar van de verhuizing naar het huis in de Antoniesbreestraat
(cf. cat. nr. 99). In 1640 werd daar het dochtertje Cornelia
geboren, dat na enkele weken stierf.
De tekening, die door Rembrandt zeer zorgvuldig is uitgewerkt,
dankt haar zeer vaste compositie aan een schema, dat de twee
vrouwen opneemt in een stelsel van twee elkaar kruisende
diagonalen. De plaatsing van de baker in één diagonaal met de
hermen van de schouw versterkt het karakter van een onafwend-
bare fataliteit, alsof zij deel uitmaakt van een groep Parcen, die
Saskia's levensdraad langzaam afspinnen.

58

SASKIA'S LYING-IN-ROOM
Pen and brush with brown and grey ink; heightened with white;
14.3 x 17.6 cm.
Paris, Institut Néerlandais, F. Lugt Collection

In the shadow of the bed curtains Saskia has dozed off, the
nurse is seated by the bed making lace. A pair of slippers lies
on the floor near Rembrandt's empty chair. The bed is placed
between the door and the monumental chimney; the drawing
was, therefore, made in or after 1639, the year of removal to the
house in the Antoniesbreestraat. In 1640 their daughter Cornelia
was born there; she died when she was a few weeks old.
The drawing has been elaborately worked by Rembrandt. Its
very firm composition is due to an underlying scheme, the two
women being placed within a system of two diagonals that cross
each other. The position of the nurse in a diagonal which continues
in the terms of the chimney strengthens the feeling of an inevitable
calamity, as if she was one of a group of Fates slowing coming
to the end of Saskia's thread of life.

Lit.: Valentiner II, nr. 701 (ca. 1640); W. R. Valentiner, Aus Rembrandt's
Häuslichkeit, Jahrbuch für Kunstwissenschaft I, 1923, 279; Benesch II, nr. 426
(ca. 1639); Benesch, Draughtsman, nr. 32
Coll.: J. Heywood Hawkins

59

VERTUMNUS EN POMONA (Ovidius: Metamorphosen XIV: 644)
Pen en penseel in bruine inkt, met wit gehoogd: 17 x 15.2 cm.
De bovenhoeken zijn afgerond
Rotterdam, Museum Boymans-Van Beuningen

De nimf Pomona, die haar aanbidders op een afstand hield door
een omheining om haar tuin, werd tenslotte gefopt door de god
Vertumnus, die tot haar doordrong in de gedaante van een oude
vrouw. In een lang gesprek met Pomona bepleitte hij het huwelijk
en prees als candidaat Vertumnus aan. Toen hij zich tenslotte in
zijn ware gedaante vertoonde, gaf Pomona zich gewonnen.
Rembrandt heeft zich bij de uitbeelding van dit onderwerp
beperkt tot enkele essentialia: de hoge omheining, de wijnrank,
hier symbool van het huwelijk en het stokje van Vertumnus:
'Het steunstocksken der traecheijt', dat hij volgens Van Mander in
zijn Uijtlegginge en singhevende verclaringe op den Metamorphosis Publij Ovidij Nasonis (1604), 'met alle Vrouwlijck
wesen' af moet leggen ten einde te komen tot de Deugd, d.w.z.
Pomona.

59

VERTUMNUS AND POMONA (Ovid., Metamorphoses, XIV, 644)
Pen and brush with brown ink, heightened with white;
17 x 15.2 cm. The top corners have been rounded off.
Rotterdam, Museum Boymans-Van Beuningen

The nymph Pomona, who kept her admirers at a distance by
putting a fence round her garden, is tricked in the end by the
God Vertumnus who penetrates in the shape of an old woman.
During a long conversation with Pomona he advocates marriage
and recommends Vertumnus as a candidate. When he finally
shows himself in his true shape Pomona gives in.
In the rendering of this subject Rembrandt limits himself to a few
essentials: the high fence, the vine tendril – here as a symbol of
marriage – and Vertumnus's little stick 'the prop of slothfulness'
which, according to Van Mander in his 'Uijtlegginge en sin-
ghevende verclaringe op den Metamorphosis Publij Ovidij
Nasonis' (1604) he must lay aside together with 'all woman-
liness' in order to embrace Virtue, i.e. Pomona.

Lit.: Valentiner II, nr. 614 (ca. 1645); Benesch I, nr. 165 (ca. 1638)
Coll.: Earl of Dalhousie; F. Koenigs

60

DE ONTHOOFDING VAN JOHANNES DE DOPER
(Mattheus 14:3–12)
Pen in bruin; 15.3 x 22.5 cm. Rechts beneden: Rembrandt fec:
Londen, Printroom of the British Museum

Koning Herodes had Johannes de Doper gevangen gezet, nadat
deze hem vermaand had in verband met Herodias, de vrouw van
zijn broer. Toen nu de dochter van Herodias, Salomé, voor
Herodus danste, bekoorde zij hem zozeer, dat hij haar beloofde
een wens te vervullen. Zij, opgestookt door haar moeder, vroeg
om het hoofd van Johannes de Doper. Op deze tekening zijn
drie momenten van de onthoofding weergegeven: rechts heeft
de beul zijn hand al aan het zwaard; links de voltrekking van het
vonnis; in het midden de romp en het hoofd.
De linker scene heeft Rembrandt gebruikt voor de ets met de
Onthoofding van Johannes de Doper (Hind 171; Boon 155; 1640).

60

THE BEHEADING OF JOHN THE BAPTIST (Matthew 14:3–12)
Pen with brown ink, 15.3 x 22.5 cm. At the bottom right:
Rembrandt fec:
London, Printroom of the British Museum

King Herod arrested John the Baptist after the latter had
admonished him in connection with Herodias, the wife of his
brother. When Herodias's daughter Salome was dancing before
Herod he was so enchanted by her that he promised to grant
her a wish. At the instigation of her mother she asked for the
head of John the Baptist. This drawing shows three moments of
the beheading: on the right the executioner has his hand ready
on the sword; on the left the execution of the sentence; in the
centre we see the trunk and the head.
Rembrandt has used the left-hand scene for the etching of the
Beheading of John the Baptist (Hind 171; Boon 155; 1640).

Lit.: Hofstede de Groot, nr. 892; J. L. A. A. M. van Ryckevorsel, Rembrandt en
de traditie, Rotterdam 1932, 184; Valentiner II, nr. 543 (Dood van Jacobus(?),
ca. 1640); Benesch III, nr. 479 (Onthoofding van Tarquiniaanse samenzweerders,
ca. 1640); O. Benesch, Rembrandt and ancient history, Art Quarterly, XXII,
1959, 309/32; Scheidig 1962, nr. 43; Slive 1965 II, nr. 532 (ca. 1640);
W. Krönig, Cranach und Gossaert bei Rembrandt; Festschrift Trautscholdt,
Hamburg 1965, 100 e.v.; Clark 1966, 67/68 (copie?)

61

DRIEKONINGEN : HET ZINGEN MET DE STER
Pen en penseel in bruin, één figuur afgedekt; 20.4 x 32.3 cm.
Gesigneerd : Rembrandt f.
Londen, Printroom of the British Museum

Op Driekoningen gaan de kinderen in het donker zingend langs
de huizen met een grote lichtende ster. De duisternis wordt op
deze tekening voornamelijk gesuggereerd door de arceringen
achter de figuren en, evenals op De barmhartige Samaritaan
(cat. nr. 66), door de donkere rugfiguur, die de ster vóór zich
houdt. In een latere ets (Hind 254 ; Boon 224) heeft Rembrandt
nogmaals dit zingen met de ster uitgebeeld, maar dan in diepe
duisternis.

61

TWELFTH-NIGHT: THE STAR OF THE KINGS
Pen and brush with brown ink ; one figure obliterated with wash ;
20.4 x 32.3 cm. Signed : Rembrandt f.
London, Printroom of the British Museum

On Twelfth-night the children walk past the houses in the dark,
singing and carrying a big illuminated star. In this drawing the
darkness is primarily suggested by the hatching behind the
figures and as in 'The Good Samaritan' (Cat. No. 66) by the dark
figure seen from the back who is holding the star.
In a later etching (Hind 254 ; Boon 224) Rembrandt has again
rendered the singing children with the star, but then in real
darkness.

Lit. : Hofstede de Groot, nr. 1129 (ca. 1635) ; Valentiner II, nr. 783 (ca. 1636) ;
Hind, nr. 31 (ca. 1635) ; Benesch IV, nr. 736 (ca. 1641/42) ; Benesch,
Draughtsman, nr. 41 ; Scheidig 1962, nr. 63
Coll. : Fries ; James ; G. Salting

62
DE KOEKENBAKSTER
Pen in bruin; 10.7 x 14.2 cm.
Amsterdam, Rijksprentenkabinet

Rembrandt heeft dit onderwerp ook in een ets (Hind 41; Boon 121)
behandeld, die 1635 is gedateerd. De tekening is echter geen
directe voorstudie. De koekenbakster (in de lijst van Rembrandts
etsen uit het bezit van Clement de Jonge van 1679 'wijfje met
boeckende Koecken' genoemd) oefende haar beroep uit in de
open lucht en Rembrandt heeft de kleine scène naar de
werkelijkheid geobserveerd. De ets is geïnspireerd door
de traditie: Jan van de Velde, Buytewech en Brouwer hebben
vóór hem dit onderwerp behandeld (cf. E. Trautscholdt,
Pantheon 1961, 187 e.v.).

62
THE PANCAKE WOMAN
Pen and brown ink; 10.7 x 14.2 cm.
Amsterdam, Rijksprentenkabinet

Rembrandt has rendered the same subject in an etching (Hind
41; Boon 121) which is dated 1635. The drawing, however, is
not a direct preparatory study. The Pancake Woman (called
'the woman who fries the cakes' in the list of Rembrandt's
etchings from the property of Clement de Jonge) carried on her
trade in the open air and Rembrandt has observed the little scene
on the spot. The etching is inspired by tradition: Jan van de
Velde, Buytewech and Brouwer have treated this subject before
him (cf. E. Trautscholdt, Pantheon, 1961, 187 ff).

Tent.: Rotterdam 1956, nr. 31 * Lit.: Hofstede de Groot, nr. 1198 (ca. 1635);
Valentiner II, nr. 760 (ca. 1635); Henkel, nr. 16; Benesch II, nr. 409
Coll.: J. de Vos Sr.; J. de Vos Jr.

circa 1640

63
DRIE VROUWEN EN EEN KIND OP DE STOEP VAN EEN HUIS
Pen in bruin; 23.2 x 18.7 cm.
Amsterdam, Rijksprentenkabinet

Een onderwerp dat hem vertrouwd was uit zijn Leidse tijd, een
studie naar een zeer oude, in zichzelf gekeerde vrouw, heeft
Rembrandt als uitgangspunt gekozen voor dit tafereeltje. Binnen
het voor Rembrandt typische kader van de deuropening en het
bankje op de stoep zetten de jonge vrouw en het kind, die met
forse contouren zijn geschetst, de stroom der generaties voort,
die in de oude vrouw haar oorsprong vindt.

63
THREE WOMEN AND A CHILD ON A DOORSTEP
Pen with brown ink; 23.2 x 18.7 cm.
Amsterdam, Rijksprentenkabinet

A subject with which he was familiar from his time in Leyden.
Rembrandt has taken a study of a very old, retiring woman as
the starting point for this scene. Within the framework of the
doorway and the little bench on the pavement, a typical Rembrandt
setting, the young woman and the child, sketched with vigorous
outlines, continue the stream of generations which has its origins
in the old woman.

Tent.: Rotterdam 1956, nr. 65 ✱ Lit.: Hofstede de Groot, nr. 1194; Valentiner II,
nr. 779 (ca. 1636); Henkel, nr. 17 (1635); Benesch II, nr. 407 (1635); Slive
1965 I, nr. 242 (1635/1640)
Coll.: J. de Vos Sr.; J. de Vos Jr.

64

DRIE STUDIES VAN EEN KIND EN ÉÉN VAN EEN VROUW
Pen en penseel in bruin; correcties in grijs-zwart;
21.4 x 16 cm.
Cambridge (Mass.), Fogg Art Museum

Bij het driemaal getekende kopje van het jonge meisje werd
Rembrandt in het bijzonder geboeid door de gecompliceerde
haardracht. Het alleen met de pen getekende portret van de
oudere vrouw is een studie voor de echtgenote van Ds. Cornelis
Anslo op het dubbelportret in Berlijn van 1641 (Bredius 409).
Aeltje Gerritsdochter Schouten was drie jaar ouder dan haar
echtgenoot; geboren in 1589 is zij dus hier iets ouder dan
vijftig jaar. Het sculpturale karakter van de tekenwijze verbindt
dit studieblad met de voorstudie voor Anslo in het Louvre
(Benesch 759), die 1640 is gedateerd.

64

THREE STUDIES OF A CHILD AND ONE OF A WOMAN
Pen and brush in brown ink; corrections in grey-black;
21.4 x 16 cm.
Cambridge (Mass.), Fogg Art Museum

It was the complicated hair-style which fascinated Rembrandt
when making the three drawings of the head of the young girl.
The portrait of the older woman, drawn only with the pen, is a
study for the wife of the Mennonite minister Cornelis Anslo in the
double portrait in Berlin of 1641 (Bredius 409). Aeltje Gerrits-
dochter Schouten was three years older than her husband;
born in 1589 she is a little over fifty in this drawing. The
sculptural character of the manner of drawing relates this sheet
of studies to the preparatory study for Anslo in the Louvre
(Benesch 759) which is dated 1640.

Tent.: New York 1960, nr. 21 ✱ Lit.: A. Mongan and P. Sachs, Drawings in the
Fogg Museum of Art. Cambridge 1946, nr. 524 (early forties); Benesch II, nr.
A 10 (vóór 1635); Van Regteren Altena 1955, 120; Van Gelder 1955, 396;
Sumowski I, 1956/7, (veertiger jaren); Rosenberg 1956, 69 (1634/6);

Haverkamp Begemann 1961, 90 (1634/6); Van Gelder 1961, 150, noot 13
H. R. Hoetink, Nog een portret van Margaretha de Geer, Miscellanea I. Q. van
Regteren Altena, Amsterdam 1969, 156 en noot 8.
Coll.: Th. Dimsdale; M. J. Perry; Duveen; Paul Sachs

65
DE TERUGKEER VAN DE VERLOREN ZOON (Lucas 15 : 20)
Pen en penseel in bruin; 19 x 22.7 cm. Toevoegingen in de achtergrond van latere hand?
Haarlem, Teylers Stichting

Rembrandt heeft, evenals Maerten van Heemskerck (Hollstein 53) de ontmoeting van vader en zoon weergegeven in het portaal van de ouderlijke woning. 'En toen hij nog veraf was, zag zijn vader hem en werd met ontferming bewogen. En hij liep hem tegemoet, viel hem om de hals en kuste hem'.
De ontferming van de vader en de inkeer van de zoon, versterkt door het intense meeleven van het jongetje, is door Rembrandt als één emotie tot uiting gebracht.
De prent, die J. J. de Claussin in de 18de eeuw naar deze tekening maakte, is 1642 gedateerd.

65
THE RETURN OF THE PRODIGAL SON (Luke 15 : 20)
Pen and brush with brown ink; 19 x 22.7 cm. Additions in the background by a later hand?
Haarlem, Teyler Foundation

Rembrandt, like Maerten van Heemskerck (Hollstein 53), has set the meeting of father and son at the portal of the parental home. 'But when he was yet a great way off, his father saw him, and had compassion, and ran, and fell on his neck, and kissed him'. The father's compassion and the son's repentance, enhanced by deep sympathy shown by the little boy, have been expressed by Rembrandt as one emotion.
The print after this drawing, made by J. J. de Claussin in the eighteenth century, is dated 1642.

Tent.: Amsterdam 1932, nr. 240; Rotterdam 1956, nr. 108; Amsterdam 1964/65, nr. 102 * Lit.: Hofstede de Groot, nr. 1318 (ca. 1635); Valentiner I, nr. 388 (ca. 1636); Benesch III, nr. 519 (1642); Rosenberg 1959, 112; Haverkamp Begemann 1961, 51; Scheidig 1962, nr. 76; Rotermund, nr. 202; Slive 1965 I, nr. 177 (ca. 1642)
Coll.: Simon; J. de Vos Jr.

66

DE BARMHARTIGE SAMARITAAN BIJ DE HERBERG
(Lucas 10 : 30–36)
Pen en penseel in bruin; correcties in wit; 18.4 x 28.7 cm.
Londen, Printroom of the British Museum

Een op de weg tussen Jeruzalem en Jericho gewonde en beroofde
Jood wordt gevonden door een Samaritaan. Deze vervoert hem
naar de herberg en betaalt de volgende dag de waard voor zijn
verdere verpleging. In tegenstelling tot zijn ets van 1633 (Hind
101 ; Boon 90), waarop deze beide momenten uit de Gelijkenis
zijn verenigd, heeft Rembrandt hier alléén de aankomst
uitgebeeld. De figuur van de waard is een herinnering aan het
tafereel van de uitbetaling.

66

THE GOOD SAMARITAN ARRIVING AT THE INN
(Luke 10 : 30–36)
Pen and brush in brown ink ; corrections in white ; 18.4 x 28.7 cm.
London, Printroom of the British Museum

A Jew who has been robbed and wounded on the way between
Jerusalem and Jericho is found by a Samaritan. The latter takes
him to the inn and, the day after, pays the innkeeper to look
after him. In contrast with his etching of 1633 (Hind 101 ;
Boon 90) where these two moments from the parable are
combined, Rembrandt has only illustrated the arrival here. The
figure of the innkeeper is reminiscent of the payment scene.

Lit.: Hofstede de Groot, nr. 885 (ca. 1648) ; Hind, nr. 70 (ca. 1648) ; Valentiner I,
nr. 379 (ca. 1648) ; Benesch III, nr. 518a (ca. 1641/3) ; Bruijn 1959, 15 ;
Scheidig 1962, nr. 71 ; Slive 1965 I, nr. 206 (ca. 1641/3)
Coll.: Woodburn ; A. Hohn ; Earl Spencer

67
DE BARMHARTIGE SAMARITAAN BIJ DE HERBERG
(Lucas 10 : 30–36)
Pen en penseel in bruin, correcties met wit ; 20.9 x 31 cm.
Rotterdam, Museum Boymans-Van Beuningen

Zoals bij Heemskerck (1549) en Jan van de Velde zijn hier de
twee niet gelijktijdige scenes van de aankomst en het vertrek
uit de herberg weer verenigd. Het paard is zeer verwant aan het
dier op de Eendracht van het Land van 1641 (cat. nr. 6).

67
THE GOOD SAMARITAN ARRIVING AT THE INN
(Luke 10 : 30–36)
Pen and brush with brown ink ; corrections in white ; 20.9 x 31 cm.
Rotterdam, Museum Boymans-Van Beuningen

As in the prints of Heemskerck (1549) and Jan van de Velde the
two scenes of arrival at and departure from the inn which
happened at different moments, have again been combined.
The horse is closely related to the one in the 'Concord of the State',
painted in 1641 (Cat. No. 6).

Tent.: Amsterdam 1932, nr. 259 ; Rotterdam 1956, nr. 111 * Lit.: Hofstede
de Groot, nr. 1350 (ca. 1648) ; Valentiner, nr. 378 (ca. 1648) ; Benesch III,
nr. 518b (ca. 1640/43) ; Bruyn 1959, 15 ; Benesch, Draughtsman, nr. 39 ;
Sumowski 1961, 10 (wohl von Flinck) ; Rotermund, nr. 191 ; Slive 1965 II,
nr. 383 (ca. 1641/43)
Coll.: F.J.O. Boymans

68
JACOB EN ZIJN ZONEN (Genesis 45 : 25–28)
*Pen in bruin; 17.6 x 23.1 cm; linker zittende man op toegevoegd
stuk papier*
Amsterdam, Rijksprentenkabinet

De twijfel van de oude Jacob of hij geloof mag hechten aan het
verhaal van zijn zoons, dat Jozef nog in leven is en heerser over
Egypte, is het centrale thema van deze tekening. 'Maar toen zij
hem de woorden overbrachten, die Jozef tot hen gesproken had,
en toen hij de wagens zag, die Jozef gezonden had om hem te
vervoeren, leefde de geest van hun vader Jacob op.' En hij
besloot naar Egypte te vertrekken.
Hofstede de Groot had destijds een andere opvatting over het
thema van deze tekening: de beker van Benjamin, die gezien
mag worden als een toespeling op de dramatische gebeurtenissen,
die geleid hadden tot Jozef's Verzoening met zijn broers, werd
door hem beschouwd als een attribuut. Hij meende dat de eerste
terugkeer, waarbij Juda het verzoek van Jozef overbrengt om
Benjamin met de broers te laten reizen (Genesis 43 : 3–13) is
weergegeven. Voor deze opvatting, die Benesch deelt, pleit de
haveloosheid van de broeders en het feit dat zij niet voltallig zijn.

Tent.: Rotterdam 1956, nr. 90 (ca. 1638/40); Amsterdam 1964/5, nr. 61 ✻
Lit.: Hofstede de Groot, nr. 1160; Valentiner I, nr. 117 (ca. 1638); C. Hofstede
de Groot, Rembrandt's Bijbelse en Historische voorstellingen, Oud-Holland XLI,
1923/24, 108; Lugt, Louvre III, nr. 112; Henkel, nr. 46; Benesch III, nr. 541

68
JACOB AND HIS SONS (Genesis 45 : 25–28)
Pen with brown ink; 17.6 x 23.1 cm; the man seated at the left is
drawn on an additional piece of paper
Amsterdam, Rijksprentenkabinet

*Old Jacob's doubts as to whether he can believe the story of
his sons that Joseph is still alive and ruler of Egypt: this is the
central theme of the drawing. 'And they told him all the words of
Joseph, which he had said unto them: and when he saw the
wagons which Joseph had sent to carry him, the spirit of Jacob
their father revived.' And he decides to leave for Egypt.
Hofstede de Groot at the time gave a different interpretation of
this drawing. Benjamin's goblet which can be seen as an allusion
to the dramatical events which had led to Joseph's reconciliation
with his brothers, was regarded by him as an attribute. He thought
that it was a representation of the first return when Judah conveys
Joseph's request to let Benjamin travel with his brothers
(Genesis 43 : 3–13). The raggedness of the brothers and the fact
that their number is not complete speak for this interpretation
which is shared by Benesch.*

(ca. 1643); Benesch, Draughtsman, nr. 43; Haverkamp Begemann 1961, 52
(circa 1638); Scheidig 1962, nr. 89; Slive 1965 I, nr. 300
(circa 1638/40); Clark 1966, 69 (ca. 1642)
Coll.: H. Croockewit; B. Suermondt; W. Pitcairn Knowles

69
ESAU VERKOOPT ZIJN EERSTGEBOORTERECHT AAN JACOB
Pen in bruin; 15.5 x 14.8 cm.
Amsterdam, Gemeente Musea, coll. Fodor

Wij kennen de bron, waaruit Rembrandt deze voorstelling heeft
geput: een prent van Swanenburgh naar een compositie van
Moreelse. Deze prent, die 1609 gedateerd is, geeft de voorstelling
van de tweelingbroers die elkaar over de tafel de hand reiken.
Rembrandt heeft de voorstelling een halve slag gedraaid, waardoor
dieptewerking ontstond. Esau, de bedrogene, is door enkele
details als jagersman gekenschetst. Jacob met zijn lange lokken is
zodanig in het beeld geplaatst dat wij zijn onoprechtheid ervaren;
de handdruk die het lot der volken bezegelt, is niet zichtbaar
weergegeven.

69
ESAU SELLING HIS BIRTHRIGHT TO JACOB
Pen with brown ink; 15.5 x 14.8 cm.
Amsterdam, Gemeente Musea, Fodor Collection

*Rembrandt's source for this scene may be a print by Swanenburgh
after a composition by Moreelse. This print, dated 1609, shows
the twin brothers clasping hands over a table. By giving the
representation a half-turn Rembrandt suggested depth. A few
details mark Esau, the dupe, as a huntsman. Jacob with his long
locks is placed in such a way that we feel his dishonesty: the
handshake, putting the seal to the lot of the peoples, can not be
seen.*

Tent.: Rotterdam 1956, nr. 110; Amsterdam (100 jaar Fodor) 1963, nr. 29;
Amsterdam 1964/65 nr. 56 * Lit.: Hofstede de Groot, nr. 1213; Valentiner I, nr.
55 (ca. 1633); Benesch III, nr. 564 (ca. 1645); Slive 1965 II, nr. 424 (ca. 1645)
Coll.: Th. Lawrence; W. Esdaile; Mendes de Léon; C. J. Fodor

70
DE DROOM VAN JACOB (Genesis 28 : 10–16)
Pen en penseel in bruin, correcties met wit ;
25 x 20.8 cm.
Parijs, Cabinet des dessins du Musée du Louvre

Vluchtend voor zijn broeder Esau overnachtte Jacob in de open
lucht. Terwijl hij sliep opende zich de hemel, engelen daalden
neer en stegen op, en Gods stem zegde Jacob het land waarop
hij lag toe voor zijn nageslacht. Voorts sprak God : 'Ik zal U
behoeden waar gij gaat'. Gods woorden worden hier uitgedrukt
in het beschermend gebaar van de Engel, die als boodschapper
Gods is voorgesteld. De ladder ontbreekt.
Rembrandt week af van de letterlijke tekst, ten einde de kern van
het verhaal, de Goddelijke bescherming van Jacob, aanschouwelijk
te maken (Rosenberg). De behoefte het bovenaardse over te
brengen in de menselijke sfeer wordt in het begin van de
veertiger jaren in Rembrandts werk sterk voelbaar.

70
JACOB'S DREAM (Genesis 28 : 10–16)
Pen and brush with brown ink ; corrections in white ;
25 x 20.8 cm.
Paris, Cabinet des dessins du Musée du Louvre

Jacob, fleeing from his brother Esau, spent the night in the open.
While he was asleep the heavens opened, angels descended and
ascended and God's voice promised Jacob the land on which
he was lying for his progeny. And God said further : 'I will keep
thee in all places whither thou goest'. God's words are here
expressed in the protective gesture of the angel who is represented
as God's messenger. The ladder is missing.
Rembrandt deviated from the literal text to illustrate the gist of
the story : God protecting Jacob (Rosenberg). It becomes evident
from his work at the beginning of the forties that Rembrandt felt
the need to introduce the spiritual into the human world.

Lit.: Hofstede de Groot, nr. 591 (ca. 1635) ; Valentiner, nr. 72 (ca. 1638/40) ;
Benesch III, nr. 557 (ca. 1644) ; J. Rosenberg, Great Draughtsmen from
Pisanello to Picasso, Cambridge 1959, 80 ; Rotermund, nr. 42 ; Slive 1965 I,
nr. 163 (ca. 1640)
Coll.: P. J. Mariette

71
DE WESTERPOORT OF UTRECHTSE POORT TE RHENEN
Pen en penseel in bruin, sporen van witte hoogsels;
16.5 x 22.6 cm.
Haarlem, Teylers Stichting

Rembrandt werd op een reis naar Gelderland, waarbij hij vergezeld werd door zijn leerling Lambert Doomer (Van Regteren Altena), getroffen door de ligging van de oude vesting Rhenen. De drie imposante stadspoorten, resten van de middeleeuwse stadsverdediging, die de Fransen in 1673 zouden vernietigen, inspireerden hem tot een groep tekeningen waarin het verval, maar ook de weerbaarheid van de oude gebouwen is uitgedrukt. De Westerpoort, waardoor men de stad betrad van de Utrechtse zijde, werd door hem aan de binnenkant getekend. De korte penlijnen, waarover Rembrandt een toon heeft gelegd, verbinden deze tekening met 'De Singel in Amersfoort' (cat. nr. 73).

71
THE WESTERPOORT OR UTRECHTSE POORT AT RHENEN
Pen and brush with brown ink; traces of heightening with white;
16.5 x 22.6 cm.
Haarlem, Teyler Foundation

During his journey to Guelders on which he was accompanied by his pupil Lambert Doomer (Van Regteren Altena), Rembrandt was struck by the site of the old fortress of Rhenen. The three imposing town gates, remnants of the town defenses from the middle-ages which the French were to destroy in 1673, inspired him to make some drawings in which not only the decay but also the defensive character of the old buildings is expressed. The Westerpoort, through which one approached the town on coming from the direction of Utrecht, has been drawn by him from the inside. The short strokes of the pen over which Rembrandt spread a tonal wash relate this drawing to 'The Singel in Amersfoort' (Cat. No. 73).

Tent.: Amsterdam 1932, nr. 281; Rotterdam 1956, nr. 118 * Lit.: Hofstede de Groot, nr. 1334; Lugt, Amsterdam, 160/161 (tussen 1650 en 1660); J. Q. van Regteren Altena, Cat. [della] mostra di incisioni e disegni di Rembrandt, Roma e Firenze 1951, nr. 77; Benesch IV, nr. 826 (circa 1647/48); Slive 1965 I, nr. 225 (ca. 1648); Benesch, Draughtsman, nr. 54 (ca. 1647/48) Coll.: D. Muilman; J. C. van der Dussen; L. Dupper

72
DE RUÏNE VAN DE KERK TE MUIDERBERG
Pen en penseel in bruin; 18.5 x 27.2 cm.
Opschrift in latere hand: 'de omgevallen dom te Utrecht'
en '20 aug. 1674'
Verzameling V. de S.

Verschillende kunstenaars hebben de vervallen kerk van
Muiderberg, een dorp aan de Zuiderzee niet ver van Amsterdam,
in beeld gebracht, maar alleen Rembrandt en de tekenaar(?) op
de rechter voorgrond hebben de nog overeind staande muur van
binnen getekend; zo ontstond een sterk contrast tussen de open
lucht en de gesloten muur, die zich over de hele breedte van het
blad uitstrekt. Frits Lugt heeft verondersteld, dat Rembrandt deze
tekening op een reis naar Gelderland maakte.

72
THE RUINS OF THE CHURCH AT MUIDERBERG
Pen and brush with brown ink; 18.5 x 27.2 cm. Caption in a later
hand in Dutch: 'the collapsed cathedral of Utrecht'
and '20 aug. 1674'
Collection V. de S.

Various artists have represented the ruined church of Muiderberg,
a village on the Zuyder Zee not far from Amsterdam, but only
Rembrandt and the draughtsman (?) in the foreground right have
drawn the wall, which is still standing, from the inside, creating
thus a strong contrast between the open air and the containing
wall which spreads over the entire width of the sheet. Frits Lugt
has suggested that Rembrandt made this drawing on a journey
to Guelders.

Tent.: Rotterdam 1956, nr. 174 * Lit.: Hofstede de Groot, nr.1315;
Lugt, Amsterdam, 157 (1650/60); Benesch IV, nr. 823 (ca. 1647/8);
Haverkamp Begemann 1961, 56; Sumowski 1961, 15; Slive 1965 II, nr. 427
(ca. 1648)
Coll.: Gobius

73
DE SINGEL IN AMERSFOORT
Pen en penseel in bruin; 15.3 x 27.7 cm.
Parijs, Cabinet des dessins du Musée du Louvre

Rembrandt tekende, op dezelfde reis waarop hij ook de Stadspoorten te Rhenen tekende (cf. cat. nr. 71), de huizen aan de
Singel en de achterkant van de huizen aan de Langestraat te
Amersfoort. Frits Lugt herkende de plaats waar Rembrandt zich
bevond: aan de voet van de toren van de Onze Lieve Vrouwekerk. Op de voorgrond de ondiepe tuintjes van de huizen langs
de Onze Lieve Vrouwestraat. De krachtige ritmiek van de penlijnen, wier stramien zich naar de achtergrond toe verfijnt, geeft
de spontane schets een grote monumentaliteit.

73
THE SINGEL IN AMERSFOORT
Pen and brush in brown ink; 15.3 x 27.7 cm.
Paris, Cabinet des dessins du Musée du Louvre

On the same journey when he drew the town gates at Rhenen
(cf. Cat. No. 71) Rembrandt also drew the houses at the Singel
and the backs of the houses at the Langestraat in Amersfoort.
Frits Lugt has recognised the place where Rembrandt stood:
at the foot of the steeple of Onze Lieve Vrouwekerk (Church of
Our Lady). In the foreground the shallow gardens of the houses
at the Onze Lieve Vrouwestraat. The powerful rhythm of the
pen lines which, in the background, change to a finer mesh,
gives the spontaneous sketch a tremendous strength.

Tent.: Rotterdam 1956, nr. 120 * Lit.: Hofstede de Groot, nr. 659; Lugt,
Amsterdam, 157/181; Lugt, Louvre III, nr. 1196 (1650/55); Benesch IV,
nr. 824 (ca. 1647/48); Slive 1965 I, nr. 165 (ca. 1648/50).
Coll.: P. Crozat(?); P. J. Mariette.

74
BOERDERIJ MET HOOIBERG
Pen en penseel in bruin; 14.9 x 24.8 cm.
Chicago, The Art Institute of Chicago

Rembrandt tekende deze boerderij verschillende malen van
verschillende kanten. Bij de ingang zitten twee figuren aan een
tafel; een derde staat bij de fuiken die te drogen hangen.
De tekeningen van deze boerderij worden door Benesch gelijk-
tijdig gedateerd: ca. 1652/53 (Benesch 1294 recto, 1295 en
1296). De ritmische lijnvoering hier, doet vermoeden dat dit
blad vroeger is dan de andere tekeningen, die met kortere lijnen
en subtiele schaduweffecten zijn gemaakt.

74
FARM-HOUSE WITH HAYSTACK
Pen and brush with brown ink; 14.9 x 24.8 cm.
Chicago, The Art Institute of Chicago

*Rembrandt has drawn this farm-house several times from
different angles. Two figures are seated at a table by the entry
to the house; a third is standing by the bow-nets which are
hung up to dry.
Benesch dates all the drawings of this farm-house about the
same time: c. 1652/53 (Benesch 1294 recto, 1295 and 1296).
The rhythmic play of lines in this drawing suggests that the sheet
is of an earlier date than the other drawings where shorter lines
and subtle shadow effects are used.*

Tent.: Rotterdam 1956, nr. 172 * Lit.: Hofstede de Groot, nr. 954; Lugt,
Amsterdam, 5; Benesch VI, nr. 1297 (ca. 1652/53)

75

STUDIE VOOR HET GEËTSTE PORTRET VAN J. C. SYLVIUS
Pen en penseel in bruin; 28.3 x 19.3 cm.
Londen, Printroom of the British Museum

Het welsprekend gebaar van de uitgestoken hand, dat het beeldvlak doorbreekt in een 'trompe l'oeil' effect, is bij dit posthuum
portret een toespeling op de redenaarstalenten van Sylvius. De
bewondering, die zijn welsprekendheid bij zijn tijdgenoten heeft
opgewekt, is uitgedrukt in een gedicht van Barlaeus, dat onder de
ets van 1646 (Hind 225; Boon 205) is gegraveerd, waar deze
tekening een voorstudie voor is. Rembrandt hield in deze
magistrale schets, evenals in een zeer vluchtig ontwerp in de
verzameling De la Gardie (Benesch 762a), reeds rekening met
deze bestemming als 'in memoriam'. De brede marge onder het
portret toont dit aan. De hervormde predikant, die van 1610
tot zijn dood in 1638 in Amsterdam stond, was getrouwd met
een nicht van Saskia. Hij was haar gemachtigde bij de
ondertrouw in 1634, en doopte hun tweede kind. In 1633 etste
Rembrandt zijn portret 'naar het leven' (Hind 111; Boon 89).

Litt.: Hofstede de Groot, nr. 898; Valentiner II, nr. 730; Hind, nr. 65; Benesch IV,
nr. 763; Slive 1965 I, nr. 123
Coll.: Howard

75

STUDY FOR THE ETCHED PORTRAIT OF J. C. SYLVIUS
Pen and brush with brown ink; 28.3 x 19.3 cm.
London, Printroom of the British Museum

*In this posthumous portrait the eloquent gesture of the extended
hand which breaks through the picture plane in a 'trompe l'oeil'
effect is an allusion to Sylvius's oratorical talents. The admiration
which his eloquence evoked in his contemporaries is expressed in
a poem by Barlaeus engraved on Rembrandt's print of 1646
(Hind 225; Boon 205). In this magisterial sketch for this print
as well as in a very hasty draft for it in the De La Gardie
Collection (Benesch 762a), Rembrandt made allowance for its
use as a 'in memoriam', as appears from the broad margin
under the drawing.*
*The Reformed preacher who stood in Amsterdam from 1610
until his death in 1638 was married to a cousin of Saskia's. He
was authorised to act for her at the publication of the banns in
1634 and baptised their second child. In 1633 Rembrandt etched
his portrait from life (Hind 111; Boon 89).*

76
STAAND MANLIJK MODEL
Pen en penseel in bruin, met wit gehoogd, rood en zwart krijt;
25.2 x 19.3 cm.
Londen, Printroom of the British Museum

Er zijn, behalve dit blad, nog twee tekeningen (Benesch 709;
Lugt, Louvre III, nr. 1327), die, evenals een ongesigneerde ets
(Hind 222; Boon 202), naar hetzelfde model in dezelfde houding
zijn gemaakt.
In deze jaren heeft Rembrandt vaak met zijn leerlingen naar het
manlijk model getekend, maar merkwaardigerwijs wordt geen van
deze studies unaniem aan Rembrandt toegeschreven. Wel zijn er
twee gesigneerde en gedateerde (1646) etsen met manlijke
modellen (Hind 220 en 221; Boon 200 en 203).

76
STANDING MALE NUDE
Pen and brush with brown ink, heightened with white; red and
black chalk; 25.2 x 19.3 cm.
London, Printroom of the British Museum

*Apart from this sheet there are two other drawings (Benesch 709;
Lugt, Louvre III, No. 1327) and an unsigned etching (Hind 222;
Boon 202), all made from the same model in an identical pose.
During these years Rembrandt, together with his pupils, often
made drawings from a male model, but strangely enough none of
these studies is unanimously attributed to Rembrandt. There are,
however, two signed and dated (1646) etchings of male models
(Hind 220 and 221; Boon 200 and 203).*

Lit.: Hofstede de Groot, nr. 933; Hind, nr. 66; Benesch IV, nr. 710; H. Gerson,
Aktdarstellungen bei Rembrandt und seinen Schülern, Kunstchronik X, 1957,
148 e.v.; Haverkamp Begemann 1961, 54; Sumowski 1961, 14; Slive 1695 I,
nr. 270
Coll.: C. M. Cracherode; R. Payne Knight

77

STAANDE JONGEN, DIE AAN EEN TOUW TREKT
Pen en penseel in bruin, met wit gehoogd;
29 x 17.8 cm.
Amsterdam, Rijksprentenkabinet

Vroeger werd deze tekening beschouwd als een voorstudie voor
een van de knechten op De Geseling van Christus in Darmstadt
(Bredius 593). De datum op het schilderij werd zowel 1658 als
1668 gelezen. Men dateerde de tekening, ook uit stilistisch
oogpunt, aan het eind van de vijftiger jaren. Echter, de
authenticiteit van het schilderij wordt betwijfeld; bovendien heeft
Benesch de tekening veel vroeger gedateerd, nl. 1636, maar dit is
niet algemeen aanvaard.
Het harmonisch gebruik van pen en penseel, de souplesse van de
lijnen, de tintelende lichtval, de plasticiteit van de figuur en de
sterke contouren, zijn kenmerken, die worden aangetroffen bij
tekeningen uit de veertiger jaren (cf. Sumowski).

77

A YOUNG MAN PULLING AT A ROPE
Pen and brush with brown ink; heightened with white;
29 x 17.8 cm.
Amsterdam, Rijksprentenkabinet

This drawing used to be looked upon as a preparatory study for
one of the assistants of the executioner in the painting 'Christ at
the Column' in Darmstadt (Bredius 593). The date on the painting
was read as 1658 or 1668. The drawing was usually dated late in
the fifties, partly in view of its style. However, the authenticity of
the painting is doubtful; furthermore Benesch has dated the
drawing earlier (1636), but this is not generally accepted.
The perfect harmony in the use of pen and brush, the suppleness
of the lines, the sparkle of the light, the plasticity of the figure
and the strong contours are the characteristics of his drawings
from the forties (cf. Sumowski).

Tent.: Amsterdam 1932, nr. 325; Rotterdam 1956, nr. 232 * Lit.: Hofstede de
Groot, nr. 1280 (ca. 1668); Valentiner II, nr. 480 (ca. 1655); Henkel, nr. 38
(ca. 1656/58); Benesch II, nr. 311 (ca. 1636); Sumowski 1956/57, 262
(ca. 1646); Slive 1965 II, nr. 430 (ca. 1656/58)
Coll.: M. von Heyl zu Herrnsheim; C. Hofstede de Groot

78

BOERDERIJEN AAN DE SINT ANTHONIESDIJK
Pen en penseel in bruin en zwart; 14.3 x 24.2 cm. Onderschrift
in andere hand: Rembrant
Londen, Printroom of the British Museum

Vanuit zijn huis aan de Sint Anthoniesbreestraat bereikte
Rembrandt door de Sint Anthoniespoort in korte tijd de Sint
Anthonies- of Diemerdijk, een gedeelte van een oude zeewering
waarlangs een binnendijk liep. De besloten wereld aan de voet
van deze dijk, waar enkele boerderijen lagen, inspireerde
Rembrandt tot deze zeer intieme landschapstekening, waarvan
we enkele elementen herkennen in de ets 'Het Landschap met
Melkboer' (Hind 242; Boon 219). Deze ets wordt omstreeks
1650 gedateerd. In het Museum te Providence (Rhode Island)
bevindt zich een tweede gewassen tekening met ditzelfde gezicht
van iets dichterbij (Benesch 831).

78

FARM BUILDINGS AT THE SINT ANTONIESDIJK
Pen and brush with brown and black ink; 14.3 x 24.2 cm.
Inscribed by another hand: Rembrant
London, Printroom of the British Museum

From his house in the Sint Anthoniesbreestraat Rembrandt could,
in a very short time, reach the Sint Anthonies- or Diemerdijk by
way of the Sint Anthoniespoort. This dike was part of an old sea
wall at the side of which there was an inner dike. The secluded
world at the foot of the dike with a few farms here and there
inspired Rembrandt to make this very intimate landscape
drawing, some elements of which we recognise in the etching
'The Landscape with the Milkman' (Hind 242; Boon 219). This
etching has been dated around 1650. There is another pen and
wash drawing of the same view, seen from a little closer by
(Benesch 831) in the Providence Museum (Rhode Island).

Lit.: Hofstede de Groot, nr. 950; Hind, nr. 112; Lugt, Amsterdam, 141;
Benesch IV, nr. 832 (ca. 1648); Scheidig 1962, nr. 108; Slive 1965 I, nr. 117
(ca. 1648)
Coll.: S. Feitama; C. M. Cracherode

79
WINTERLANDSCHAP
Pen en penseel in bruin en zwart; 10.3 x 18 cm.
Opschrift in latere hand: Rembrant
Amsterdam, Rijksprentenkabinet

Met enkele accenten van krachtige penlijnen heeft Rembrandt
de voorgrond afgebakend van een desolaat winterlandschap,
waar een schipper het zeil inhaalt. De boomkruinen en de met riet
afgedekte daken van de boerderijen zijn met voorzichtige, haast
tastende lijntjes geschetst. Overeenkomsten in de compositie met
een 1646 gedateerd winterlandschap in het Museum te Kassel
(Bredius 452) boden een aanknopingspunt voor de datering.

79
WINTER LANDSCAPE
Pen and brush with brown and black ink; 10.3 x 18 cm.
Inscribed by a later hand: Rembrant
Amsterdam, Rijksprentenkabinet

With a few accents of vigorous pen strokes Rembrandt has
marked out the foreground of a desolate winter landscape where
a bargeman is taking in the sail. The tree tops and the thatched
roofs of the farm-houses are sketched with careful, almost
probing lines. Compositional similarities with a winter landscape
dated 1646 in the Kassel Museum (Bredius 452) gave a
starting point for dating this drawing.

Tent.: Amsterdam 1913, nr. 84; Amsterdam 1932, nr. 290; Rotterdam 1956,
nr. 144 * Lit.: Hofstede de Groot, nr. 1309; Henkel, nr. 73 (1646/47);
Benesch IV, nr. 837 (ca. 1650); Scheidig 1962, nr. 98; Slive 1965 II, nr. 322
(ca. 1648/50)
Coll.: J. P. Zoomer; J. Goll van Franckenstein?; W. Esdaile; von Kap-Herr;
C. Hofstede de Groot

80
WINTERLANDSCHAP
Pen en penseel in bruin; 6.7 x 16.1 cm.
Cambridge (Mass.), Fogg Art Museum

Een brede landweg tussen twee sloten leidt in de richting van een
boerenbehuizing, die is ingedommeld in de greep van de winter.
Meer nog dan in het voorgaande winterlandschap heeft
Rembrandt door een weloverwogen mise-en-page de afstand
voelbaar gemaakt tussen de voorgrond met het breed-
uitzwaaiende hek over de toegesneeuwde sloot en de boerderij
aan de hoogliggende horizon. In de donzige stilte van de winter-
middag ontbreekt ieder spoor van menselijke activiteit.

80
WINTER LANDSCAPE
Pen and brush with brown ink; 6.7 x 16.1 cm.
Cambridge (Mass.), Fogg Art Museum

A broad country road with a ditch at either side leads towards a
farmstead which has gone to sleep in the grip of winter. Even
more than in the previous winter landscape does Rembrandt
convey, by a well-considered mise-en-page, the feeling of space
between the foreground with the wide sweep of the fence over
the snowed-up ditch and the farmstead at the high horizon.
There is no trace of any human activity in the hush of the winter
afternoon.

Tent.: New York 1960, nr. 48 ✳ Lit.: Hofstede de Groot, nr. 1142; Lugt,
Amsterdam, 113; Agnes Mongan and Paul J. Sachs, Drawings in the Fogg
Museum of Art, Cambridge 1940, nr. 525 (ca. 1647); Benesch IV, nr. 845
(ca. 1649/50); Haverkamp Begemann 1961, 57
Coll.: F. Didot; M. von Heyl zu Herrnsheim; Ch. A. Loeser

81
TOBIAS EN DE VIS (Tobias 6:1—10)
Pen in bruin, correcties met pen en penseel (van andere hand?);
20.6 x 28.9 cm.
Kopenhagen, Kongelige Kobberstiksamling

Het boek Tobias verhaalt hoe de jonge Tobias, uit Niniveh
vertrokken om een schuld te vorderen voor zijn blinde vader, een
onverwachte begeleider ontmoet in een Engel. Wanneer Tobias
schrikt van een vis, die uit de Tigris omhoog springt, raadt de
Engel hem de vis te vangen en er gal, lever en hart uit te snijden.
Met de gal zal hij later zijn vaders blindheid genezen.
Rembrandts voorliefde voor het Boek Tobias hangt wellicht
samen met zijn vaders blindheid (Madlyn Kahr). Een andere
verklaring voor Rembrandts bijzondere belangstelling voor dit
Boek ligt in het feit dat de deugden die erin worden onderwezen:
ouderliefde, vroomheid, geduld en eerlijkheid in zaken,
beantwoordden aan de doelstellingen der Doopsgezinden, tot
wie Rembrandt vooral in de veertiger jaren in nauwe relatie heeft
gestaan (Held).

Lit.: Hofstede de Groot, nr. 5; Valentiner I, nr. 236b (ca. 1650); Benesch III,
nr. 638 (ca. 1649/50); J. S. Held, Rembrandt and the Book of Tobit,
Northampton 1964, 20 en 26
Coll.: L. Spengler

81
TOBIAS AND THE FISH (Tobit 6:1—10)
Pen with brown ink; corrections with pen and brush (by another
hand?); 20.6 x 28.9 cm.
Copenhagen, Kongelige Kobberstiksamling

The Book of Tobit relates how the young Tobias, having left
Niniveh to claim a debt that was owing to his blind father, meets
an unexpected companion: an Angel. When Tobias is startled
by a fish jumping up from the Tigris the Angel advises him to
catch it and to cut out its gall-bladder, liver and heart. Later Tobias
was to heal his father's blindness with the gall-bladder.
Rembrandt's predilection for the Book of Tobit is perhaps
connected with his father's blindness (Madlyn Kahr). Another
explanation for his particular interest in this book lies in the fact
that the virtues taught in it, filial love, devoutness, patience and
honesty in business matters, met the tenets of the Mennonites
with whom Rembrandt was, particularly during the forties closely
associated (Held).

82
RUTH EN BOAS (Ruth 3:15–16)
Pen in bruin, met wit gehoogd; 12.6 x 14.3 cm.
Amsterdam, Rijksprentenkabinet

Nadat Ruth, die aren had gelezen op het veld van Boas, zich
's nachts op de dorsvloer bij hem te rusten had gelegd, schudt
Boas de volgende ochtend zes maten gerst in haar kleed. Hiermee
bevestigt Boas de belofte op de dorsvloer gedaan, dat hij Ruth,
een kinderloze weduwe uit zijn geslacht, zal huwen. Door dit
huwelijk wordt Ruth de voormoeder van het huis van David,
en daardoor van Christus.
In deze tekening uit de tweede helft der veertiger jaren heeft
Rembrandt alleen de kern van het verhaal uitgebeeld. Het gerst,
symbool van de vruchtbaarheid van hun verbintenis, vormt een
schakel tussen de twee figuren, wier toewijding en lotsaanvaarding
op treffende wijze zijn uitgedrukt.

82
RUTH AND BOAZ (Ruth 3:15–16)
Pen with brown ink; heightened with white; 12.6 x 14.3 cm.
Amsterdam, Rijksprentenkabinet

After Ruth has gleaned in Boaz's field and laid herself to rest at
night on his threshing-floor, Boaz pours six measures of barley
into her veil the following morning. He thus fulfills his promise
made on the threshing-floor that he will marry Ruth, a childless
widow from his kin. By this marriage Ruth becomes the
progenitress of the house of David and thus of Christ.
In this drawing from the second half of the forties Rembrandt has
only pictured the essentials of the story. The barley, symbol of
the fertility of their marriage forms a link between the two figures
whose devotion to each other and acceptance of their destiny
have been well expressed.

Tent.: Amsterdam 1932, nr. 295; Amsterdam 1939, nr. 46a; Amsterdam 1964/65
nr. 70 * Lit.: Hofstede de Groot, nr. 1254; Valentiner I, nr. 149 (ca. 1650);
Henkel, nr. 54 (1647/48); Benesch III, nr. 643 (ca. 1649/50); Rotermund,
nr. 91; Slive 1965 II, nr. 431 (ca. 1648/50)
Coll.: P. Mathey; C. Hofstede de Groot

83
GEZICHT OP DIEMEN
Pen en penseel in bruin en grijs op bruinachtig papier;
9 x 17 cm.
Haarlem, Teylers Stichting

Afslaande van de Diemerdijk, bij de zgn. 'Diemer Afloop', koos Rembrandt een standpunt dat hem in staat stelde zowel de drie boerderijen die daar gelegen waren, als het verderop aan een dwarsweg liggende dorp, in één blik te vatten. De weg die vóór hem lag gebruikte Rembrandt als diagonaal. Door het silhouet van het dorpje als een coulisse achter de boerderijen te schuiven, schiep hij distantie. Door een subtiel afwegen der horizontalen, door één enkele voorgrondsarabesk, is het verschil in bodem-gesteldheid tussen de zandige Diemer Afloop, het veen waarop de boerderijen lagen, en de polder waarin Diemen ligt, op miraculeuze wijze kenbaar gemaakt.

83
VIEW OF DIEMEN
Pen and brush with brown and grey ink, on brownish paper;
9 x 17 cm.
Haarlem, Teyler Foundation

Turning off the Diemerdijk at the so-called 'Diemer Afloop' Rembrandt chose a point which enabled him to take in, at one glance, not only the three cottages but also the village situated further up at a cross-road. Rembrandt used the road in front of him as a diagonal and created distance by sliding the silhouette of the village like a back-drop behind the cottages. By subtly balancing the horizontals, by means of a single arabesque in the foreground, he has miraculously made visible the difference in the kind of soil from the sandy Diemer Afloop to the fen with the cottages and the polder in which Diemen is situated.

Tent.: Amsterdam 1925, nr. 625; Amsterdam 1932, nr. 279; Rotterdam 1956, nr. 163 * Lit.: Hofstede de Groot, nr. 1333; Lugt, Amsterdam, 147; Benesch VI, nr. 1229 (ca. 1649/50); Scheidig 1962, nr. 99
Coll.: J. P. Zoomer; G. Leembruggen

84
GEZICHT OVER HET IJ BIJ AMSTERDAM
Pen en penseel in bruin, witte dekverf, op grijs papier;
7.6 x 24.4 cm.
Chatsworth, The Devonshire Collection

Voortgaande langs de Diemerdijk bereikte Rembrandt een punt
waar de dijk, die tot dusver door buitendijks land was beschermd,
bijzonder kwetsbaar werd en door zware ingeheide en beschoeide
palen was versterkt (Lugt). Op dit punt had hij een vrij uitzicht
over het IJ naar het dorp Schellingwoude, met links de toren van
Nieuwendam en rechts, meer landinwaarts, de toren van Ransdorp
(cf. cat. nr. 95).
Het kantig silhouet van Schellingwoude en de scheepjes op het
IJ, het grijze licht en het door de frisse bries gebogen gras bepalen
de sfeer van deze landschapstekening.

84
VIEW OVER THE RIVER IJ NEAR AMSTERDAM
Pen and brush with brown ink, white body-colour, on grey paper;
7.6 x 24.4 cm.
Chatsworth, The Devonshire Collection

Continuing along the Diemerdijk Rembrandt would reach a point
where the dike, thus far protected by land on its outside, now ran
along the IJ and was especially vulnerable necessitating
strengthening by heavy piles driven into the ground and faced
with campshot (Lugt). At this point he had an unobstructed view
over the IJ to the village of Schellingwoude, with the Nieuwendam
Tower on the left and the Ransdorp Tower a little further inland
on the right (cf. Cat. No. 95).
The angular silhouette of Schellingwoude and the small boats
on the IJ, the grey light and the grass bent by the fresh breeze
determine the atmosphere of this landscape drawing.

Tent.: Rotterdam 1956, nr. 177 ✳ Lit.: Hofstede de Groot, nr. 844; Lugt,
Amsterdam, 143; Benesch VI, nr. 1239 (ca. 1650/51); Haverkamp
Begemann 1961, p. 88; Slive 1965 I, nr. 56 (ca. 1650/53)
Coll.: N. A. Flinck

85
BOERDERIJ TUSSEN BOMEN
Pen en penseel in bruin op kardoespapier; 17.2 x 27.1 cm
New York, Metropolitan Museum of Art

Op een verhoging in het vlakke land ligt een boerderij tussen de
bomen. Links staat een kar en rechts tussen de bomen ligt een wiel.
Terwijl de verre horizon met enkele lijntjes is aangeduid, zijn het
huis en de bomen met een scherpe, bewegelijke pen weergegeven.
Zowel de structuur van het afgebeelde als de atmosfeer, de wind
en het licht, zijn op briljante wijze voelbaar gemaakt. De bomen
en het lage hek, die de boerderij nauw omsluiten, roepen een
gevoel op van beslotenheid, maar tevens van afzondering.

85
A COTTAGE AMONG TREES
Pen and brush with brown ink, on buff paper; 17.2 x 27.1 cm.
New York, Metropolitan Museum of Art

On a rise in the flat countryside there lies a cottage surrounded by
trees. On the left a cart and on the right a wheel among the trees.
While the distant horizon is suggested with a few lines, the
house and the trees are rendered with a sharp, mobile pen. Not
only the structure of the objects represented but also the
atmosphere, the wind and the light have been brilliantly conveyed.
The trees and the low fence which tightly enclose the cottage
create a feeling of privacy but at the same time one of isolation.

Tent.: New York 1960, nr. 47 ∗ Lit.: Hofstede de Groot, nr. 1037; Benesch VI,
nr. 1249 (ca. 1650/1); Slive 1965 I, nr. 148 (ca. 1650)
Coll.: J. P. Zoomer; Sir Thomas Lawrence; S. Woodburn; W. Esdaile;
I. H. Hawkins; F. Seymour Haden; J. P. Heseltine; H. O. Havemeyer

86
BOERDERIJ AAN DE AMSTELDIJK
Pen en penseel in bruin ; 14 x 20.4 cm
Dresden, Kupferstichkabinett der Staatlichen Kunstsammlungen

In een flauwe bocht van de Amstel(?) ligt een grote boerderij.
Het woongedeelte gaat schuil achter bomen en struiken. Achter
de deel is het dak van de hooiberg zichtbaar. Het paard met zijn
schrijlings zittende berijder trekt een onzichtbare last, een trek-
schuit, door het achter de berm gelegen water.
Twee door Rembrandt vaak toegepaste compositieschema's zijn
op deze tekening verenigd : de parallel met het beeldvlak getekende
boerderij en bomen en de naar de horizon verdwijnende weg.

86
FARMSTEAD AT THE AMSTELDIJK
Pen and brush with brown ink ; 14 x 20.4 cm.
Dresden, Kupferstichkabinett der Staatlichen Kunstsammlungen

A large farmstead is situated in a gentle bend of the river Amstel(?).
The living quarters are hidden behind trees and shrubbery. The
top of the haystack can be seen behind the threshing-floor.
The horse with a rider sitting astride is pulling a load, a tow-boat
which is not shown, across the water behind the side-path.
In this drawing Rembrandt combined two compositional ideas
often used by him : the farmstead with trees drawn parallel to
the picture plane and the road disappearing towards the horizon.

Lit.: Hofstede de Groot, nr. 284 (ca. 1650) ; Lugt, Amsterdam, 101 ;
Benesch VI, nr. 1234 (ca. 1650) ; Scheidig 1962, nr. 100
Coll.: niet geïdentificeerd verzamelaarsmerk

87
BOERDERIJ MET DUIVENTIL
Pen en penseel in bruin; 12.8 x 20 cm. Op de keerzijde in andere
hand: Rembrandt van Rijn.
Chatsworth, The Devonshire Collection

De grote boerderij met het dubbele woonhuis aan de holle weg is
niet geïdentificeerd in de omgeving van Amsterdam. De dijk in
de verte, en het verwaaide duin links doen vermoeden, dat het
een hoeve bij de Zuiderzee is geweest. De beweging van de wind
door de boomkruinen en de vlucht der duiven om de nok van het
dak dragen bij tot het feestelijk karakter van deze landschaps-
compositie, draagster van wat Schmidt-Degener 'l'euphorie
hollandaise' heeft genoemd.

87
FARMSTEAD WITH PIGEON LOFT
Pen and brush with brown ink; 12.8 x 20 cm. On the verso in
another hand: Rembrandt van Rijn.
Chatsworth, The Devonshire Collection

The great farmstead with the twin roof at the hollow road has not
been recognised in the surroundings of Amsterdam. The low
dike in the distance and the windswept dune on the left give rise
to the thought that it was a farmstead near the Zuyder Zee. The
movement of the wind in the tree tops and the pigeons flying
round the ridge of the roof contribute to the festive character of
this landscape composition representative of what Schmidt-
Degener has called 'l'euphorie hollandaise'.

Tent.: Amsterdam 1935, nr. 70 ∗ Lit.: Hofstede de Groot, nr. 851; Benesch VI,
nr. 1233 (ca. 1650); Slive 1965 I, nr. 63 (ca. 1650)
Coll.: niet geïdentificeerd verzamelaarsmerk; N. A. Flinck

88
BOERDERIJ MET HOGE BOOM
Pen in bruin, gedeeltelijk met de vinger uitgewreven;
17.5 x 26.7 cm
Chatsworth, The Devonshire Collection

De boerderij in het polderland is voor Rembrandt een geliefd
motief geweest. De schijnbaar eindeloze vlakte links contrasteert
met het door groen en hekwerk omsloten erf.
Rembrandt gebruikte hier de rietpen om de houten muren, het
rieten dak en het loof, waarin het licht bewegelijk speelt, te
karakteriseren. Het gevoel van verlatenheid, dat deze tekening
aanvankelijk oproept, wordt weggenomen wanneer we voor de
boerderij aan een lange stok de was zien hangen en rechts tussen
de boerderij en de struiken een mens ontwaren.

88
A THATCHED COTTAGE BY A TREE
Pen with brown ink; in parts rubbed out with a finger;
17.5 x 26.7 cm.
Chatsworth, The Devonshire Collection

The cottage in the polderland has been a favourite motif of
Rembrandt. The seemingly endless plain on the left contrasts
with the yard enclosed by greenery and fencing. Rembrandt used
the reed pen to characterise the wooden walls, the thatched
roof and the foliage with the lively play of light on it. The
feeling of desolation which this drawing seems to create at
first, disappears when we perceive the washing hung on a long
stick in front of the cottage and discover a human being on the
right between the building and the shrubbery.

Lit.: Hofstede de Groot, nr. 859 (ca. 1635); Benesch VI, nr. 1282 (ca. 1652);
Slive 1965 I, nr. 80 (ca. 1652)
Coll.: N. A. Flinck

89

DE AMSTELDIJK BIJ TROMPENBURG
Pen en penseel in bruin, witte dekverf, op bruin geprepareerd papier; 13 x 21.7 cm
Chatsworth, The Devonshire Collection

Dicht bij zijn huis in de St. Anthoniesbreestraat kon Rembrandt via de St. Anthoniespoort de stad verlaten. Zuidwaarts bereikte hij in enkele minuten de rivier de Amstel en oostwaarts lag de Diemer- of Anthoniesdijk, die zich langs het IJ en de Zuiderzee tot Muiden en verder uitstrekte. Niet alleen de Amstel met haar buitenhuizen, zoals op deze tekening bij het landgoed Trompenburg, en de Diemerdijk, maar ook de stadswallen met de talrijke bolwerken zijn door Rembrandt op unieke wijze vereeuwigd.
Een grote groep landschapstekeningen kwam in 1723 in het bezit van de tweede hertog van Devonshire. Deze met een F gemerkte bladen (cat. nrs. 84, 87, 88, 91, 93 en 94) behoorden tot de verzameling van Nicolaes Flinck, de zoon van Rembrandts leerling Govaert Flinck. Rembrandt bewaarde zijn tekeningen per onderwerp en Flinck is kennelijk in het bezit gekomen van het 'cunstboeck' (of een gedeelte ervan) 'vol lantschappen, nae 't leven geteeckent bij Rembrant' (Urkunden, nr. 169 sub 244).

89

THE AMSTELDIJK NEAR TROMPENBURG
Pen and brush with brown ink, white body-colour, on brown prepared paper; 13 x 21.7 cm.
Chatsworth, The Devonshire Collection

Not far from his house in the St. Anthoniesbreestraat Rembrandt could leave the city via the St. Anthoniespoort. In a southerly direction he would reach the river Amstel in a few minutes and to the east the Diemer- or Anthoniesdijk which ran along the IJ and the Zuyder Zee as far as Muiden and further. Rembrandt has uniquely immortalised not only the Amstel near the Trompenburg estate, as in this drawing, and the Diemerdijk, but also the ramparts with their numerous bastions.
In 1723 a large number of landscape drawings became the property of the second Duke of Devonshire. These sheets marked with the letter F were part of the collection of Nicolaes Flinck, the son of Rembrandt's pupil Govaert Flinck. Rembrandt kept his drawings sorted according to subject matter and Flinck obviously gained possession of the 'portefolio full of landscapes drawn by Rembrandt from life', or obtained at least part of it. (Urkunden, No. 169 sub 244).

Tent.: Rotterdam 1956, nr. 149 ＊ Lit.: Hofstede de Groot, nr. 836 (ca. 1645); Lugt, Amsterdam, 97; Benesch VI, nr. 1218 (ca. 1649/50); Slive 1965 I, nr. 54 (ca. 1650)
Coll.: N. A. Flinck

90
GEZICHT OVER DE AMSTEL
Pen en penseel in bruin op perkament; 13.2 x 23 cm.
Amsterdam, Rijksprentenkabinet

Rembrandt tekende dit weidse Amstelpanorama vanaf de
Blauwbrug, een houten wipbrug, die ter hoogte van de oude
bolwerken, niet ver van zijn huis, de Amsteloevers verbond.
Staande op deze laatste brug over de Amstel kon zijn blik de
rivier ongehinderd volgen; de steigers, masten, bebouwing en
begroeiing inspireerden hem tot een subtiel spel van korte lijnen,
waarin de roeiboot een schakel vormt tussen de oevers en de
suggestie van het wateroppervlak versterkt.

90
VIEW OVER THE RIVER AMSTEL
Pen and brush with brown ink, on parchment; 13.2 x 23 cm.
Amsterdam, Rijksprentenkabinet

Rembrandt drew this wide Amstel panorama from the Blauwbrug,
a wooden drawbridge which connected the banks of the Amstel
by the old ramparts, not far from his house. From this last bridge
over the Amstel his eye could follow the river without hindrance;
the jetties, masts, buildings and the greenery inspired him to a
subtle play of short lines in which the rowing boat forms a link
between the banks and enhances the suggestion of the water
surface.

Tent.: Amsterdam 1932, nr. 299; Rotterdam 1956, nr. 146 ✻ Lit.: Hofstede de
Groot, nr. 1208; Lugt, Amsterdam, 88; Henkel, nr. 74 (1646/7); Benesch IV,
nr. 844 (ca. 1648/50); Benesch, Draughtsman, nr. 55; Slive 1965 II, nr. 317
(ca. 1648/50)
Coll.: J. de Bary; J. de Vos Sr.; Six van Hillegom?; G. Leembruggen; J. de Vos Jr.

91

DE AMSTEL BIJ DE OMVAL
Pen en penseel in grijs, op geprepareerd papier;
10.8 x 19.7 cm.
Chatsworth, The Devonshire Collection

In deze tekening heeft Rembrandt zich geconcentreerd op de
huizengroep van de 'Omval', een landtong die gevormd wordt
door een sterke binnenwaartse bocht van de Amstel en de
Ringvaart om de Diemermeer. Voor de plaatsbepaling hebben we
een aanknopingspunt in Rembrandts ets van 1645 (Hind 210;
Boon 195), die de gebouwen op de rechter helft van deze tekening
in spiegelbeeld weergeeft. Links achter elkaar drie molens langs
de Ringvaart, en rechts, ter hoogte van het scheepje, de staketsels
van het voormalige 'Gerecht'. De hijige atmosfeer van een warme
zomermiddag wordt gesuggereerd door brede verticale vegen
met het bijna droog penseel en een ragfijne tekening met de pen.

91

THE RIVER AMSTEL AT THE OMVAL
Pen and brush with brown ink, brush with grey ink, on prepared
paper; 10.8 x 19.7 cm.
Chatsworth, The Devonshire Collection

In this drawing Rembrandt has concentrated, a little further up
the river, on the group of houses of the 'Omval', a tongue of land
formed by a sharp bend of the Amstel and the Ringvaart around
the Diemermeer. Rembrandt's etching of 1645 (Hind 210;
Boon 195) which shows a reversed version of the buildings in
the right half of this drawing, helps to determine the actual place.
At the left we see three windmills, one after the other, along the
Ringvaart and on the right, level with the small boat, the railings
of the former 'Gerecht' (Place of execution). The hazy atmosphere
of a warm summer afternoon is suggested by broad vertical marks
made with an almost dry brush and a very fine pen.

Tent.: Rotterdam 1956, nr. 19 ∗ Lit.: Hofstede de Groot, nr. 87; Lugt,
Amsterdam, 93; Benesch VI, nr. 1321; Rosenberg 1964, 153;
Slive 1965 I, nr. 74 (ca. 1650/53)
Coll.: N. A. Flinck

92
DE HERBERG 'HET MOLENTJE'
Pen en penseel in bruin, met wit gehoogd, op kardoespapier;
8.2 x 22.6 cm.
Cambridge, Fitzwilliam Museum

De herberg 'Het Molentje', dicht bij de Omval op de rechter
Amsteloever, is door Rembrandt herhaaldelijk getekend. De
papiersoort spreekt hier mee, om de ietwat ruige atmosfeer,
waarin de vormen zich met grote helderheid aftekenen, op te
roepen. Die vormen hebben zo'n expressieve kracht, dat enkele
stippellijnen voldoende waren om oeverlijn en horizon aan te
geven; met de steiger en de gemeerde schuit roepen zij het beeld
van de brede Amstelstroom op.

92
THE INN 'THE LITTLE MILL'
Pen and brush with brown ink, heightened with white, on roughly
textured buff paper; 8.2 x 22.6 cm.
Cambridge, Fitzwilliam Museum

Rembrandt has repeatedly drawn the inn 'Het Molentje' close
by the 'Omval' on the right bank of the Amstel. The quality of the
paper adds to the rendering of the somewhat rough atmosphere
in which the shapes stand out clearly. These shapes have such
expressive power that a few broken lines are sufficient to indicate
the banks and the horizon; together with the jetty and the moored
barge they evoke the picture of the broad river Amstel.

Lit.: Benesch VI, nr. 1353 (ca. 1654); Malcolm Cormack, Exhibition Catalogue
'Drawings by Rembrandt and his circle', Cambridge 1966, nr. 7
Coll.: A. A. van Sittart

93
HET BOLWERK 'DE ROSE'
Pen en penseel in bruin op geelbruin papier;
13.5 x 21.8 cm.
Chatsworth, The Devonshire Collection

Op een wandeling langs de bolwerken schetste Rembrandt dit
half landelijk, half steeds perspectief. Ter linkerzijde, van het
bolwerk gescheiden door een greppel, een gedeelte van de houten
lijnbanen, die langs de bolwerken liepen tot aan het IJ. Links op
de achtergrond de laatste hoge huizen van de Lijnbaansgracht,
waar deze de Rozengracht snijdt. Recht vooruit een groep huizen
in het bolwerk, daarnaast, juist nog zichtbaar boven de wal, het
lange dak van het Pesthuis. Voor de molen 'De Smeerpot' uiterst
rechts liggen twee huizen in de diepte van het bolwerk. Frits Lugt,
die de plek herkende, voegde aan zijn beschrijving het volgende
toe: 'De piëteit waarmee wij deze tekening beschouwen, zal nog
verhoogd worden, wanneer wij bedenken, dat zij een plaats weergeeft op enkele passen afstand van de woning, waar Rembrandt
in zijn laatste tien levensjaren een teruggetrokken leven leidde'.

93
THE BULWARK 'DE ROSE'
Pen and brush with brown ink on yellow-brown paper;
13.5 x 21.8 cm.
Chatsworth, The Devonshire Collection

Rembrandt sketched this view, partly rural partly urban, on a walk
along the bulwarks. On the left, separated from the bulwark by a
ditch, part of the wooden rope-walks which ran along the
bulwarks up to the IJ. In the background left the last high houses
of the Lijnbaansgracht where it crosses the Rozengracht.
Straight ahead a group of houses within the bulwark, next to it
only just visible above the embankment the long roof of the plague-
house. In front of the windmill 'De Smeerpot' at the extreme right
two houses deep down in the bulwark. Frits Lugt, who identified
the spot, added to his description: 'The affection we feel when
looking at this drawing will be intensified when we realise that it
shows a spot only some yards away from the place where
Rembrandt spent his last ten quiet years.'

Lit.: Hofstede de Groot, nr. 845; Lugt, Amsterdam, 76/77; Benesch VI,
nr. 1263 (ca. 1651); Slive 1965 I, nr. 57 (ca. 1650)
Coll.: N. A. Flinck

94
GEZICHT OP DE NIEUWE MEER (?)
Pen en penseel in bruin; 8.8 x 18.1 cm.
Chatsworth, The Devonshire Collection

Rembrandt heeft met een paar motieven het Hollandse land
gekarakteriseerd: het water, het door de wind bewogen riet en
de smalle strook land met een boerderij, een groep bomen en
torens op de horizon. Ondanks de in Holland zo afwisselende
wolkenluchten, is op Rembrandts landschapstekeningen de
hemel strak en egaal.
Lugt heeft verondersteld, dat hier de Nieuwe Meer is afgebeeld,
een water tussen de thans ingepolderde Haarlemmermeer en de
Schinkel.

94
VIEW OVER THE NIEUWE MEER (?)
Pen and brush with brown ink; 8.8 x 18.1 cm.
Chatsworth, The Devonshire Collection

Rembrandt has characterised the Dutch countryside with just a
few features: the water, the reeds moving in the wind and the
narrow strip of land with a farmstead, some trees and towers at the
horizon. Although the Dutch sky usually has fast-changing cloud
scenes, the sky in Rembrandt's landscape drawings is solid and
uniform.
Lugt has suggested that this is a representation of the Nieuwe
Meer, a lake between the Haarlemmermeer, which has since been
reclaimed, and the Schinkel.

Tent.: Amsterdam 1935, nr. 64 ∗ Lit.: Hofstede de Groot, nr. 848; Lugt,
Amsterdam, 155; Benesch IV, nr. 847 (ca. 1649/50); Slive 1965 I, nr. 60
(ca. 1650)
Coll.: N. A. Flinck

circa 1652

95
DE KERK VAN RANSDORP
Pen en penseel in bruin; 13.1 x 8.9 cm.
Oxford, Ashmolean Museum

De kerk van Ransdorp, die Rembrandt ook vanaf de Diemerdijk
tekende (cat. nr. 84) is op deze kleine schets van dichtbij gezien.
De toren, die eeuwenlang onvoltooid is gebleven, werd pas in
1936 gerestaureerd.
Ransdorp of Rarep is een klein dorp in Noord-Holland, waar,
volgens Houbraken, het boerinnetje vandaan kwam, dat
Rembrandt 'ten huisvrouw had'. Dit boerinnetje is thans
geïdentificeerd met Geertje Dircks (D. Vis, Rembrandt en Geertje
Dircks, Haarlem 1965). De tekening van het afgebrande
stadhuis van Amsterdam, die 1652 gedateerd is (Benesch 1278)
biedt een aanknopingspunt voor de datering van deze schets.

95
THE CHURCH AT RANSDORP
Pen and brush with brown ink; 13.1 x 8.9 cm.
Oxford, Ashmolean Museum

*The church at Ransdorp which Rembrandt also drew from the
Diemerdijk (Cat. No. 84) is seen from close by in this little sketch.
The tower, unfinished for centuries, was at last restored in 1936.
Ransdorp or Rarep is a small village in the province of North-
Holland from where came, according to Rembrandt's first
biographer Houbraken, the little country woman who 'was his
housekeeper'. This country woman has recently been identified
as Geertje Dircks (D. Vis, Rembrandt en Geertje Dircks, Haarlem
1965).
The drawing of the burnt out Amsterdam town hall (Benesch
1278) dated 1652 offers a starting-point for dating this one.*

Lit.: Hofstede de Groot, nr. 1137; Parker 1938, nr. 185 (1645/50); Benesch VI,
nr. 1310 (ca. 1652/53)
Coll.: Chambers Hall

96
DE MOLEN OP HET BOLWERK 'HET BLAUWHOOFD'
Pen en penseel in bruin; 11.7 x 20 cm.
Parijs, Institut Néerlandais, verz. F. Lugt

Toen Rembrandt deze tekening maakte bevond hij zich op het
laatste westelijke bolwerk van Amsterdam, genaamd het Blauwhoofd; dit keek uit over de haven en het IJ. Zelfs de kanonnen
links vinden we terug op de kaart die Cornelis Danckerts (?) in
1650 van Amsterdam maakte.
Rembrandts pen heeft de vormen eenvoudig en direct weergegeven; met zijn penseel heeft hij de sfeer van een late namiddag
opgeroepen, waarin de horizon onder nevelige wolken oplicht.

96
WINDMILL ON A BULWARK OF AMSTERDAM
Pen and brush with brown ink; 11.7 x 20 cm.
Paris, Institut Néerlandais, F. Lugt Collection

*When Rembrandt made this drawing he was standing on the last
westerly bulwark of Amsterdam called the Blauwhoofd; from
here one had a view over the harbour and the IJ. Even the canons
on the left are found on the map that Cornelis Danckerts(?)
made of Amsterdam in 1650.
Rembrandt's pen has rendered the shapes simply and directly;
his brush suggested the atmosphere of a late afternoon where
the horizon lights up under hazy clouds.*

Lit.: Benesch VI, nr. 1333 (ca. 1654); Benesch, Draughtsman, nr. 70; Carlos
van Hasselt, Landschaptekeningen van Hollandse meesters uit de XVIIde eeuw,
cat. tent. 1968/69, nr. 116
Coll.: R. Houlditch; Viscountess Churchill

97
MOLENS TEN WESTEN VAN AMSTERDAM
Pen en penseel in bruin op grijs papier; 12 x 26.3 cm. Op de achterkant: 'Buiten Amsterdam aan de Weetering op de Stadspakhuizen te zien'.
Kopenhagen, Kongelige Kobberstiksamling

De houtzaagmolens langs de Nieuwe Wetering, wier snelgroeiend aantal omstreeks het midden van de zeventiende eeuw een boeiend perspectief bood aan de wandelaar buiten de wal, werden door Rembrandt weergegeven in een opvallend breed panorama. In het stadsprofiel, dat met enkele streken van het penseel is gewassen, herkende Frits Lugt links het torentje van de Haarlemmerpoort en rechts de stadspakhuizen op de hoek van Lijnbaans- en Brouwersgracht.

97
WINDMILLS TO THE WEST OF AMSTERDAM
Pen and brush with brown ink, on grey paper; 12 x 26.3 cm. On the verso in Dutch: 'Outside Amsterdam by the Weetering where the city's warehouses can be seen'.
Copenhagen, Kongelige Kobberstiksamling

The sawmills along the Nieuwe Wetering, fast increasing in number around the middle of the 17th century, offered an exciting view to anybody walking outside the ramparts. They have been rendered by Rembrandt in a strikingly broad panorama. The monumental strength of the short accents with which the drawing is built up is due to the use of the reed pen. in the city silhouette, washed with a few strokes of the brush, Frits Lugt recognised the little tower of the Haarlemmerpoort on the left and on the right the city warehouses at the Lijnbaans-Brouwersgracht corner.

Tent.: Amsterdam 1898 * Lit.: Hofstede de Groot, nr. 1039; Lugt, Amsterdam, 81/82; Benesch VI, nr. 1335 (ca. 1654/55); Rosenberg 1964, 153/54; Slive 1965 I, nr. 41 (ca. 1655)
Coll.: J. G. Verstolk van Soelen; E. de Burlett; J. de Vos Sr. en Jr.; J. P. Heseltine; G. Falck

98
DE OOGOPERATIE of HET SNIJDEN VAN DE KEI
Pen en penseel in bruin, met wit gehoogd; 24.3 x 18.8 cm.
Links beneden van een latere hand: R
Stockholm, Nationalmuseum

Het is niet geheel duidelijk, welke operatie hier is voorgesteld.
Indien het een oog-operatie is, zoals o.m. Richard Greeff meende,
dan kan het niet het z.g. 'lichten van de staar' zijn, een operatie
die Rembrandt in zijn Tobias-voorstellingen veel heeft uitgebeeld.
Bij de weergave van dit thema heeft Rembrandt steeds Tobias
achterover leunend getekend. Anderzijds is het ook niet aanvaard-
baar in deze scène het simpele 'helpen van een gewonde' te zien
(cat. tent. Amsterdam 1935, nr. 50).
Benesch' oplossing dat het hier gaat om het z.g. 'snijden van de
kei', eenzelfde operatie als ook door Hieronymus Bosch op zijn
schilderij in het Prado is weergegeven, schijnt juister te zijn. Op
de voorgrond rechts is de z.g. 'wijsheidstrechter' te zien, die de
heelmeester in Madrid op het hoofd draagt.

98
THE EYE OPERATION or THE OPERATION OF STONECUTTING
Pen and brush with brown ink, heightened with white;
24.3 x 18.8 cm. At the bottom left in a later hand: R
Stockholm, Nationalmuseum

It is not entirely clear which operation is represented here.
If it is an eye operation as suggested by Richard Greeff and others,
it cannot be the couching of the cataract, an operation Rembrandt
rendered several times in his illustrations of the story of Tobit.
When representing this subject Rembrandt always drew Tobit
leaning backwards. On the other hand it cannot be seen simply
as 'tending a wounded man' (Exh. Cat., Amsterdam 1935, No. 50).
Benesch's suggestion that it is a representation of the so-called
'cutting of the stone' — the same operation has been rendered
by Jerome Bosch in his painting in the Prado — seems to be
nearer the truth. In the foreground right we see the so-called
'funnel of wisdom' which the surgeon in the Madrid painting carries
on his head.

Tent.: Amsterdam 1935, nr. 50 * Lit.: Hofstede de Groot, nr. 1602; Valentiner I,
nr. 254 (ca. 1655); Kruse IV, 16 (ca. 1636); R. Greeff, Rembrandt Darstellungen
der Tobias-Heilung, Stuttgart 1907, 60; Benesch V, nr 1154 (ca. 1651/52);
Sumowski 1961, 21; Slive 1965 I, nr. 133 (ca. 1650/52)
Coll.: P. Crozat, Tessin

99
HANDWERKENDE VROUWEN IN REMBRANDTS HUIS
Pen en penseel in bruin; 13.5 x 19.4 cm.
Kopenhagen, Kongelige Kobberstiksamling

In deze studie van licht en donker in een ruimte waar drie vrouwen
handwerken, terwijl een vierde haar handen warmt bij het vuur,
kunnen we de 'agtercamer ofte sael' herkennen van Rembrandts
huis in de Sint Anthoniesbreestraat. In het midden de schouw
met de herme, die wij kennen van de tekening met Saskia's
Ziekbed (cat. nr. 58). De vrouw, die haar handen warmt, zit in een
rieten stoel, die in Rembrandts inventaris van 1656 als 'een matte
stoel' wordt beschreven (Urkunden, nr. 169 sub 136). De tekening
kan vóór 1658, het jaar van de verhuizing naar de Rozengracht,
gedateerd worden.

99
WOMEN DOING NEEDLEWORK IN REMBRANDT'S HOUSE
Pen and brush with brown ink; 13.5 x 19.4 cm.
Copenhagen, Kongelige Kobberstiksamling

In this chiaroscuro study of a room in which three women are
doing needlework while a fourth is warming her hands at the fire,
we can recognise the 'agtercamer ofte sael' (backroom or hall)
of Rembrandt's house in the Sint Anthoniesbreestraat. In the
centre the chimney with the herm which we know from the
drawing of Saskia's sick-bed (Cat. No. 58). The woman warming
her hands is seated in a reed chair which was described as
'een matte stoel' (a rush-bottomed chair) in Rembrandt's 1656
Inventory (Urkunden, No. 169 sub 136). The drawing can thus
be dated before 1658, the year of removal to the Rozengracht.

Tent.: Amsterdam 1932, nr. 294 ✷ Lit.: Valentiner II, nr. 702 (ca. 1640);
Benesch V, nr. 1156 (ca. 1654/55)
Coll.: J. C. von Klinkosch, Vicomte d'Hendecourt, Mr. N. Beets

100

DE PROFEET ELIA BIJ DE BEEK KRITH
(I Koningen 17:3–5)
Pen en penseel, witte dekverf; 20.5 x 23.3 cm.
Berlijn, Kupferstichkabinett der Staatlichen Museen

Nadat Elia aan koning Achab een grote droogte voorspeld had,
ontving hij van God de opdracht zich te verbergen aan de beek
Krith, die in de Jordaan uitmondt. Daar werd zijn dorst gelest
door water uit de beek. Toen de beek droogviel, kwam wederom
het Woord des Heeren tot hem en hij ging door naar Zarfath.
Elia is weergegeven op het moment dat hij de stem des Heren
hoort. De Goddelijke tussenkomst is aangeduid door een lichtstraal
uit de hemel. Door Elia met gevouwen handen voor te stellen
terwijl zijn blik gericht is op de beek, anticipeert Rembrandt op
zijn wanhoop in de woestijn van Berseba (I Koningen 19:4).
In de vijftiger jaren kenmerken Rembrandts Bijbelse composities
zich door een steeds grotere soberheid en zeggingskracht. In de
weergave van de verhalen uit het Oude Verbond (cf. cat. nr.125),
van aartsvaders, koningen en profeten, treedt een duidelijke
voorkeur aan de dag voor het thema van de Goddelijke beschikking.

100

THE PROPHET ELIJAH BY THE BROOK CHERITH
(I Kings 17:3-5)
Pen and brush with brown ink, white body-colour; 20.5 x 23.3 cm.
Berlin, Kupferstichkabinett der Staatlichen Museen

After Elijah had predicted to King Ahab that there would be a
long draught, he was told by God to hide by the brook Cherith
which flows into the Jordan. And his thirst was stilled by the
water from the brook. When the brook dried up the Word of the
Lord again came to him and he continued to Zarephath.
Elijah is represented at the moment of hearing the voice of the
Lord. The Lord's intervention is suggested by a ray of light from
heaven. By showing Elijah with folded hands while his gaze is
directed at the brook, Rembrandt anticipates his despair in the
Beersheba desert (I Kings 19 : 4).
In the fifties Rembrandt's Biblical compositions are characterised
by a greater restraint and expressiveness. In his rendering of the
stories of the Old Covenant (cf. Cat. No. 125), of patriarchs,
kings and prophets, a clear preference for the subject of man's
humility before God becomes apparent.

Lit.: Hofstede de Groot, nr. 81 (ca. 1645); Valentiner I, nr. 182; Bock-Rosenberg I, 228 (ca. 1650/55); H. van de Waal, Hagar in de woestijn door Rembrandt en zijn school, Ned. Kunsthist. Jaarboek 1947, 153; H. M. Rotermund, The motif of radiance in Rembrandt's biblical drawings, Journal of the Warburg Institute 1952, 104 en 106, noot 3; Benesch V, nr. 944 (ca. 1654/55); Rotermund 1963, nr. 120; Slive 1965 I, nr. 20 (ca. 1655); Jakob Rosenberg, On quality in art, Princeton 1967, 184

101

DAVID ONTVANGT HET BERICHT VAN URIAH'S DOOD
(II Samuël 11 : 22–25 en 12 : 1–7)
Pen in bruin, met witte dekverf; 19.5 x 29 cm. Opschriften van
twee verschillende handen: Rembrand van Rijn [en] Rembrandt
van Rein
Amsterdam, Rijksprentenkabinet

In deze tekening, één der boeiendste uit de vijftiger jaren, heeft
Rembrandt aan het drama van David, Uriah en Bathseba (cf.
cat. nr. 13) een nieuwe vorm gegeven. Door de profeet Nathan,
de boodschapper van Gods toorn, vooraf te laten gaan door
een boodschapper, die behalve het bericht van Uriah's dood ook
diens wapenrusting brengt, versmelt hij de inhoud van twee
Bijbelhoofdstukken tot één dramatisch hoogtepunt. Het tafereel
is toneelmatig opgebouwd: Koning David, opgesprongen van
zijn stoel in de loggia van het Paleis, werpt een blik vol vrees en
afgrijzen op de boodschapper en op het bewijsstuk van zijn
schuld, zijn schuld die de Profeet, nu nog met neergeslagen ogen
in de coulissen, hem zo aanstonds vóór zal houden.

101

DAVID RECEIVING THE NEWS OF URIAH'S DEATH
(II Samuel 11 : 22-25 and 12 : 1-7)
Pen with brown ink, white body-colour; 19.5 x 29 cm. Inscrip-
tions in two different hands: Rembrand van Rijn [and]
Rembrandt van Rein
Amsterdam, Rijksprentenkabinet

In this drawing, one of the most fascinating of the fifties,
Rembrandt has given a new form to the drama of David, Uriah
and Bathseba (cf. Cat. No. 13). By making a messenger —
who is bringing not only the news of Uriah's death but also his
weapons — precede the prophet Nathan, the messenger of God's
wrath, Rembrandt fuses the contents of two chapters of the Bible
into one dramatic climax. The scene is built up like a stage: King
David who has jumped up from his chair in the loggia of the
palace, regards the messenger and the evidence of his guilt with
a look of fear and horror. The prophet, for the moment standing in
the wings his eyes downcast, will presently admonish him.

Tent : Amsterdam 1932, nr 276; Amsterdam 1964/65, nr 73 ∗ Lit : Hofstede
de Groot, nr 1255; Valentiner I, nr 163 (ca. 1655/60); Henkel, nr. 60
(ca. 1650/52); Benesch V, nr. 890 (ca. 1652); Rotermund, nr. 108; Slive 1965
II, nr. 432 (ca. 1650/52)
Coll.: T. Javet; C. Wiesböck; S. de Festetics; J. C. von Klinkosch; J. V. Novak;
Tedesco; C. Hofstede de Groot

102
NATHAN VERMAANT DAVID (II Samuel 12:1–7)
Pen en penseel in bruin; 14.6 x 17.3 cm.
Berlijn, Kupferstichkabinett der Staatlichen Museen

Nadat Nathan bij David is binnengetreden (cf. cat. nr. 101) vertelt hij hem de gelijkenis van het ooilam. Het is het verhaal van twee mannen: de één rijk, de ander arm. De één had een grote kudde, de ander één ooilam dat hem dierbaar was. Toen de rijke man bezoek kreeg en een maaltijd wilde bereiden, slachtte hij het lam van de arme. 'Toen ontbrandde de toorn van David zeer tegen die man, en hij zeide tot Nathan: de man die dit gedaan heeft, is een kind des doods. Daarop sprak Nathan: Gij zijt die man.'
De twee mannen, in hun onderlinge relatie, zijn prachtig gekarakteriseerd. De innerlijke spanning van de profeet, die tastend zijn weg zoekt tot het geweten van de koning, is uitgedrukt in het gebaar van zijn handen. Deze, iets hoger gezeten en met vorstelijke praal bekleed, schijnt terug te denken aan de tijd, waarin hij de schapen weidde van zijn vader Isaï. Jaren van vervolging door Saul hebben hun sporen nagelaten op zijn vermagerd gezicht.

102
NATHAN ADMONISHING DAVID (II Samuel 12:1-7)
Pen and brush with brown ink: 14.6 x 17.3 cm.
Berlin, Kupferstichkabinett der Staatlichen Museen

After Nathan has entered (cf. Cat. No. 101) he tells David the parable of the ewe lamb. It is the story of two men: one is rich and the other poor. One had large flocks and herds, the other had one ewe lamb which he loved dearly. When the rich man had visitors and wanted to prepare a meal for them, he slaughtered the poor man's lamb. 'And David's anger was greatly kindled against the man; and he said to Nathan, as the Lord liveth, the man that hath done this thing shall surely die. And Nathan said to David, Thou art the man.'
The two men and their relationship with each other are magnificently characterised. The inner tension of the prophet who is feeling his way to the kings's conscience, is shown in the gesture of his hands. David, seated slightly higher and robed in princely splendour, seems to think back to the time when he grazed his father Isaiah's sheep. Years of persecution by Saul have left their traces in his emaciated face.

Lit.: Hofstede de Groot, nr. 34 (ca. 1650/55); Valentiner I, nr. 167 (ca. 1663); Bock-Rosenberg I, 222 (ca. 1660/65); Benesch V, nr. 947 (ca. 1654/55); Benesch, Draughtsman, nr. 76; Rotermund 1963, nr. 110; Slive 1965 I, nr. 211 (ca. 1655)
Coll.: J. C. von Klinkosch; von Beckerath

103
NATHAN VERMAANT DAVID (II Samuel 12:9–14)
Pen en penseel in bruin, witte dekverf; 18.3 x 25.2 cm.
New York, Metropolitan Museum

Een volgend moment uit hetzelfde verhaal is hier in beeld gebracht.
Het ogenblik van zelfherkenning is voorbij, de koning zit berustend
terneer en toont meer spijt dan berouw. Het gebaar van de profeet
is welsprekender: de lange boetpredicatie, waarin hij David de
ondergang van zijn huis voorspelt, schijnt het thema van deze
tekening te zijn.
In de figuur van David is het Joodse type niet meer zo duidelijk
gekarakteriseerd en Rembrandt is hier kennelijk geïnspireerd door
de Indische miniaturen, die hij heeft verzameld en nagetekend
(zie cat. nrs. 120 en 121). Door deze verandering in de typering,
waardoor David van een herdersvorst tot een verfijnd-genotzuch-
tig Oosters heerser is geworden, weet Rembrandt ons het verdere
verloop van het Bijbelverhaal, waarin de decadentie van Ammon
en Absalom onmiddellijk volgt op de boetpredicatie van Nathan,
te suggereren.

103
NATHAN ADMONISHING DAVID (II Samuel 12: 9-14)
Pen and brush with brown ink, white body-colour; 18.3 x 25.2 cm
New York, Metropolitan Museum

The continuation of the story of Cat. Nos 101 and 102 is pictured
here. The moment of self-revelation has passed, the king is
seated dejectedly and shows more regret than remorse. The
prophet's gesture is more eloquent: the long penitential homily
in which he prophesies to David the fall of his house seems to be
the theme of this drawing.
In the figure of David the Jewish type is no longer so clearly
characterised. It seems obvious that Rembrandt is here inspired by
one of the Indian miniatures which he collected and copied
(see Cat. Nos. 120 and 121). By this change of type which turns
David, the shepherd prince, into a refined, Pleasure-loving
Oriental ruler, Rembrandt succeeds in suggesting the further
development of the Bible story where Nathan's penitential
homily is immediately followed by the decadence of Ammon and
Absalom.

Tent.: New York 1960, nr. 66 ∗ Lit.: Valentiner I, nr. 168 (ca. 1663); Benesch
V, nr. 948 (1654/55); Sumowski 1961, 17; Scheidig 1962, nr. 155; Rotermund
1963, nr. 111; Slive 1965 I, nr. 149 (ca. 1655/56)
Coll.: J. Richardson Sr.; Sir Thomas Lawrence; W. Esdaile; F. Seymour Haden;
H. O. Havemeyer

104
DANIËL IN DE LEEUWEKUIL (Daniël 6:20–25)
Pen en penseel in bruin, enig dekwit, enig rood krijt;
22.3 x 18.3 cm.
Amsterdam, Rijksprentenkabinet

Koning Darius, angstig spiedend vanaf de galerij, ziet zijn minister Daniël ongedeerd na een nacht in de leeuwekuil. Het grote geloof van de jonge Judeeër, die aan het Perzische hof zijn God trouw bleef, en daardoor strafbaar werd, heeft hem behouden.
Rembrandt werd bij de weergave van dit onderwerp geïnspireerd door het schilderij van Rubens (National Gallery, Washington) van 1615, dat zich in 1618 reeds in de verzameling van de Engelse ambassadeur in Den Haag bevond. De prent van Willem de Leeuw, die ook schilderijen van Rembrandt in prent bracht, is de schakel geweest tussen het schilderij en de tekening. Het rustig Godsvertrouwen van de profeet is door Rembrandt gesteld tegenover de schrikwekkendheid der verscheurende dieren. Met de spiedende koning voegde Rembrandt een verhalend detail toe, dat aan de compositie de spanning geeft, die in het schilderij van Rubens ontbreekt.

104
DANIEL IN THE LION'S DEN (Daniel 6:20-25)
Pen and brush with brown ink, some white body-colour, some red chalk; 22.3 x 18.3 cm.
Amsterdam, Rijksprentenkabinet

King Darius, anxiously spying from his gallery, sees his minister Daniel unhurt after a night in the lions' den. The deep faith of the young Judean who, living at the Persian court, remained faithful to his God and thus became liable to punishment, has kept him safe and sound.
When rendering this subject Rembrandt was inspired by the Rubens painting of 1615 (National Gallery, Washington) which formed part of the collection of the British ambassador in The Hague as early as 1618. The print by Willem de Leeuw, who also made prints after paintings by Rembrandt, seems to be the link between the painting and the drawing. Rembrandt has set the prophet's quiet trust in God against the terror of the ferocious animals. With the spying king he added a story-telling detail which gives the composition the tension that is lacking in Rubens's painting.

Tent.: Rotterdam 1956, nr. 184; Amsterdam 1964/65, nr. 79 * Lit.: C. Hofstede de Groot, nr. 162; Valentiner I, nr. 210 (ca. 1652); Benesch V, nr. 887 (ca. 1652); Rosenberg 1964, 261; Slive 1965 II, nr. 379 (ca. 1652)
Coll.: T. Humphrey Ward; C. Hofstede de Groot

105

DE HEILIGE HIERONYMUS LEZEND IN EEN LANDSCHAP
Pen en penseel in bruin; 35 x 20.7 cm.
Hamburg, Kunsthalle

De heilige Hiëronymus werd zowel als kerkvader, als geleerde in een studeervertrek en als boeteling in een landschap weergegeven. Op deze voorstudie voor een ets (Hind 267; Boon 247), die omstreeks 1652 wordt gedateerd, is de kerkvader meer als geleerde dan als boeteling in het landschap geplaatst. De leeuw, die vaak slapend is voorgesteld, staat als een wachter op een rotspunt.
In de tekening contrasteren licht en donker niet zo sterk als op de ets, waar de voorgrond en de mantel van de heilige fel zijn verlicht. Het Italiaanse landschap kende Rembrandt niet uit eigen aanschouwing. Een tekening van Campagnola in het Museum te Boedapest (Benesch 1369), die door Rembrandt is opgewerkt, demonstreert hoezeer hij zich indacht in de landschapsopvatting der Venetianen, toen hij het Hollandse landschap reeds had weergegeven.

105

SAINT JEROME READING IN A LANDSCAPE
Pen and brush with brown ink; 35 x 20.7 cm.
Hamburg, Kunsthalle

St. Jerome has been represented as a patriarch, as a scholar in his study and as a penitent in a landscape. In the preparatory study for the etching (Hind 267; Boon 247) which is generally dated around 1652, the patriarch has been placed in the landscape more as a scholar than as a penitent. The lion, often shown asleep, is here seen on guard on a rock.
In the drawing light and dark do not contrast as much as in the etching where the foreground and the saint's coat are brightly lit. Rembrandt did not know the Italian landscape at first hand. A drawing by Campagnola in the Budapest Museum (Benesch 1369) which has been retouched by Rembrandt demonstrates how he became engrossed in the landscape ideas of the Venetians after he had already rendered the Dutch landscape.

Tent.: Rotterdam 1956, nr. 185 * Lit.: Hofstede de Groot, nr. 345 (ca. 1653); Valentiner II, nr. 562 (ca. 1653); Benesch V, nr. 886 (ca. 1652); Benesch, Draughtsman, nr. 63; Slive 1965 I, nr. 137 (ca. 1652); Clark 1966, 120; White, Etcher, 220/22
Coll.: E. G. Harzen

106
LIGGENDE LEEUW
Pen en penseel in bruin, met wit gehoogd, op bruin papier;
14 x 20.5 cm.
Rotterdam, Museum Boymans-Van Beuningen

Onder de diertekeningen nemen de studies van leeuwen de belangrijkste plaats in. Soms paste Rembrandt deze toe op schilderijen en etsen, zoals de Eendracht van het Land (cat. nr. 6) en de Heilige Hiëronymus (cf. cat. nr. 105). In dit verband is het opmerkelijk, dat behalve de studies naar het leven Rembrandt ook door andere kunstenaars werd beïnvloed; zo zijn de leeuwen van Daniël in de Leeuwekuil (cat. nr. 104) ook door Rubens geïnspireerd.
Deze leeuw behoorde waarschijnlijk tot het kunstboek 'vol teeckeninge van Rembrandt, bestaende in beesten nae 't leven' (Urkunden, nr. 169, sub 249). De kracht van het dier, die zelfs in zijn staart tot uiting komt, zijn souplesse, zachte vel en ruige manen zijn meesterlijk weergegeven.

106
LION LYING DOWN
Pen and brush with brown ink, heightened with white, on brown paper; 14 x 20.5 cm.
Rotterdam, Museum Boymans-Van Beuningen

Among the animal drawings the studies of lions have pride of place. Rembrandt sometimes used them in paintings and etchings, e.g. in The Concord of the State (Cat. No. 6) and the St. Jerome (cf. Cat. No. 105). In this context it is worth mentioning that apart from his life studies Rembrandt was also influenced by other artists: the lions in Daniel in the Lion's Den (Cat. No. 104) have been inspired by Rubens as well. This lion probably formed part of the portefolio 'with Rembrandt's life drawings of animals' (Urkunden, No. 169, sub 249). The power of the animal, which is expressed even in its tail, its suppleness, its smooth skin and ruffled mane are rendered in a masterly fashion.

Tent.: Amsterdam 1932, nr. 255; Rotterdam 1956, nr. 181 ∗ Lit.: Hofstede de Groot, nr. 1070; Benesch V, nr 1211 (ca. 1650/52); Slive 1965 II, nr. 491 (ca. 1650/52)
Coll.: Vivant-Denon, Th. Lawrence; W. Esdaile; J. Knowles; P. Mathey; E. Wouters; F. Koenigs

107
LIGGENDE LEEUW
Pen en penseel; correcties met wit; 14 x 20.5 cm. Onderschrift
van latere hand: Rembrandt ad vivum
Amsterdam, Rijksprentenkabinet

Ook deze tekening, die het Prentenkabinet in 1961 verwierf met
de schenking De Bruijn-Van der Leeuw, geeft een schitterende
karakteristiek van een leeuw. De techniek, die Rembrandt bij diertekeningen gebruikt, is afhankelijk van het karakter van het beest,
dat hij tekent: zo zijn de veren van de vogels met scherpe pen
weergegeven (cat. nr. 33) en de rulle huid van de olifant met
zwart krijt (cat. nrs. 45 en 46); het soepele vel van de leeuw is
in subtiele nuances van het penseel tot leven gebracht, terwijl
met de pen alleen de voorpoten en de trekken van de kop zijn
aangegeven.

107
LION LYING DOWN
Pen and brush and brown ink; corrections with white;
14 x 20.5 cm. Inscribed in a later hand: Rembrandt ad vivum
Amsterdam, Rijksprentenkabinet

This drawing, which the Prentenkabinet acquired in 1961 with
the De Bruijn-Van der Leeuw Bequest, also gives a brilliant
characterisation of a lion. The technique chosen by Rembrandt
when drawing animals depended on the character of the animal:
the feathers of birds are rendered with a hard pen (Cat. No. 33)
and the crumbly skin of the elephant with black chalk (Cat. Nos.
45 and 46); the supple skin of the lion has been given life by
subtle nuances of the brush while pen strokes are used only for
the forelegs and the lines of the head.

Tent.: Amsterdam 1932, nr. 257 ✳ Lit.: Benesch V, nr. 1215 (ca. 1651/52);
J. Q. van Regteren Altena, De Schenking De Bruijn-van der Leeuw, Bulletin
van het Rijksmuseum IX, 1961, 85/86, nr. 37; Slive 1965 I, nr. 157 (ca.
1650/52)
Coll.: Earl Brownlow, I. de Bruijn

108

ZELFPORTRET IN SCHILDERSKIEL

Pen in bruin, op bruinachtig papier; 20.3 x 13.4 cm. Onderschrift van C. Ploos van Amstel: 'getekent door Rembrant van Rhijn naer sijn selves sooals hij in sijn schilderkamer gekleet was'; daaronder: 'Rembrant avec l'habit dans lequel il avoit accoutumé de peindre'
Amsterdam, Rembrandthuis

Verschillende details verbinden dit getekend zelfportret met het schilderij in Wenen (cat. nr. 10), dat 1652 is gedateerd. De greep der handen, met de duimen binnen de ceintuur is dezelfde als op het schilderij. De vorsende blik is niet in de verte, maar direct op de toeschouwer gericht, die hij in de spiegel tegemoet treedt.
In één lange blik drinkt de tekenaar zichzelf en de wereld in, uitdagend en onverzettelijk, maar ook vol bitterheid en twijfel.

108

SELF-PORTRAIT IN STUDIO ATTIRE

Pen with brown ink, on brownish paper; 20.3 x 13.4 cm.
Inscribed in Dutch by C. Ploos van Amstel: 'drawn by Rembrant van Rhijn after himself as he was dressed in his studio'; underneath: 'Rembrant avec l'habit dans lequel il avait accoutumé de peindre'
Amsterdam, Rembrandthuis

Several details connect this self-portrait with the painting in Vienna (Cat. No. 10) which is dated 1652. The positioning of the hands with the thumbs under the belt is indentical with the painting. The searching gaze is not directed at the distance but straight at the onlooker whom he faces in the mirror. With one long gaze the draughtsman absorbs his own image and that of the world, defiant and unyielding, but also full of bitterness and doubt.

Tent.: Amsterdam 1932, nr. 317 * Lit.: Hofstede de Groot, nr. 994 (ca. 1650/55); Valentiner II, nr. 665 (ca. 1654); Benesch V, nr. 1171 (ca. 1655/56); Cornelius Müller-Hofstede, Ueber die Bedeutung der Pentimenti bei einigen Rembrandt-Zeichnungen, Kunstchronik X, 1957, 147; Benesch, Draughtsman, nr. 81;

Sumowski 1961, 21; Scheidig 1962, nr. 131; Slive 1965 I, nr. 95 (ca. 1655); Erpel 1967, nr. 84
Coll.: C. Ploos van Amstel; J. P. Heseltine; A. Jansen

109

HOMERUS DRAAGT VERZEN VOOR
*Pen in bruin, 26.5 x 19 cm. Onderschrift: 'Rembrandt aen
Joanus Six. 1652'
Amsterdam, Collectie Six*

Deze tekening is, evenals een tweede met 'Minerva in haar
studeervertrek' (Benesch 914) in het Liber Amicorum 'Pandora'
van Jan Six getekend. De woorden van Homerus worden
opgetekend door een jonge man aan zijn voeten, in wie men Jan
Six kan zien (Clara Bille), Rembrandts jeugdige vriend, die zelf
gedichten en toneelstukken schreef.
De compositie is geïnspireerd op de Parnassus, Rafaëls beroemde
fresco in het Vaticaan, dat Rembrandt waarschijnlijk door de
prent van Marcantonio kende (Hind). De blinde dichter, die
Rembrandt later in een tekening (cat. nr. 138) en in een schilderij
(cf. cat. nr. 19) weer zou uitbeelden, staat hier in de open lucht
temidden van een groep toehoorders. Ondanks de zeer eenvoudige,
stenografische manier van tekenen is het aandachtig luisteren
bij iedere figuur treffend tot uitdrukking gebracht.

Tent.: Rotterdam 1956, nr. 185a ∗ Lit.: Hofstede de Groot, nr. 1234; J. Six, De
Pandora van Jan Six, Haagsch maandblad 1924, 4, 3; Valentiner II, nr. 566;
Benesch V, nr. 913; Benesch, Draughtsman, nr. 64; Slive 1965 I, nr. 223;
Clark 1966, 166 en 184; Clara Bille, Rembrandt and burgomaster Jan Six,
Apollo 1967, 260 e.v.

109

HOMER RECITING VERSES
Pen with brown ink; 26.5 x 19 cm. Inscription in Dutch:
'Rembrandt to Joanus Six. 1652'
Amsterdam, Six Collection

*This drawing, together with another one of 'Minerva in her study'
(Benesch 914), was made in Jan Six's Liber Amicorum entitled
'Pandora'. Homer's words are being written down by the young
man at his feet in whom one may see Jan Six (Clara Bille)
who wrote poetry and plays himself.
The composition is inspired by the Parnassus, Raffael's famous
fresco in the Vatican which Rembrandt probably knew from the
Marcantonio print (Hind). The blind poet, whom Rembrandt
was to render again later in a drawing (Cat. No. 138) and in a
painting (cf. Cat. No. 19), is here placed in the open air
surrounded by a group of people. In spite of the very simplified
shorthand character of this drawing the absorbed attention of
every one present is aptly expressed.*

110

DE TWAALFJARIGE JEZUS IN DE TEMPEL (Lucas 2 : 41–51)
Pen in bruin ; 18.8 x 22.5 cm.
Stockholm, Nationalmuseum

Vanuit Nazareth reisden Jozef en Maria elk jaar naar Jeruzalem,
ter gelegenheid van het Paasfeest. Toen Jezus twaalf jaar geworden
was, en zij weer opgetrokken waren, bleef het kind bij hun terugkeer te Jeruzalem achter, zonder dat zijn ouders het bemerkten:
'En het geschiedde na drie dagen, dat zij Hem vonden in de
tempel, waar Hij zat temidden van de leraren, terwijl Hij naar hen
hoorde en hun vragen stelde.'
In de vijftiger jaren heeft Rembrandt zich intensief met dit thema
beziggehouden. Een ets van 1652 (Hind 257 ; Boon 239) staat
het dichtst bij de tekening. Terwijl op de ets het kind als leraar is
afgebeeld, is zijn actie hier afhankelijk gesteld van de reactie van
de schriftgeleerden, wier houdingen twijfel, ongeloof en
verontwaardiging, maar ook peinzend nadenken uitdrukken.
De ruimtelijkheid, die reeds gesuggereerd wordt door de over-
wogen plaatsing van de figuren, wordt door enkele lijnen met de
bijna droge rietpen verhoogd. Met de figuren van Jozef en Maria,
die links de tempeltrap bestijgen, voegde Rembrandt het
verhalende motief toe.

110

CHRIST AMONG THE DOCTORS (Luke 2 : 41-51)
Pen with brown ink ; 18.8 x 22.5 cm.
Stockholm, Nationalmuseum

*Every year, on the occasion of the Passover, Joseph and Mary
travelled from Nazareth to Jerusalem. When Jesus was twelve
years old and they had again gone there, the child stayed behind
in Jerusalem without their realising it. 'And it came to pass, that
after three days they found him in the temple, sitting in the midst
of the doctors, both hearing them, and asking them questions.'
In the fifties Rembrandt was intensely preoccupied with this
subject. An etching from 1652 (Hind 257 ; Boon 239) comes
closest to the drawing. While in the etching the child is represented
as the teacher, its action here is made dependent on the reaction
of the scribes whose attitudes imply doubt, disbelief and indig-
nation as well as deep reflection.
The spaciousness, already suggested by the well-considered
placing of the figures, is increased by a few strokes with the almost
dry reed pen. The figures of Joseph and Mary ascending the
temple stairs on the left add the story-telling element.*

Tent.: Amsterdam 1935, nr. 83; Rotterdam 1956, nr. 205 ∗ Lit.: Hofstede de
Groot, nr. 1551; Valentiner I, nr. 347 (ca. 1650); Kruse II, 4 (ca. 1653);
Benesch V, nr. 936 (ca. 1653/4); Benesch, Draughtsman, nr. 74; Slive 1965 I,
nr. 236 (ca. 1654)
Coll.: P. Crozat, Tessin

circa 1655

111
SUSANNA VOOR HET GERECHT (Apocriefen, Susanna en
Daniël, vs. 42–49)
Pen in bruin; 23.8 x 19.6 cm.
Oxford, Ashmolean Museum

Tijdens de ballingschap der Joden te Babylon werd Suzanna, een
deugdzame echtgenote, in haar hof overvallen door twee oudsten
van haar volk, die in dat jaar tot rechters waren aangesteld. Toen
zij weigerde hen terwille te zijn, beschuldigden zij haar van
overspel met een onbekende jonge man. Voor de rechter gebracht
werd zij op hun getuigenis ter dood veroordeeld. Toen zij naar de
gerechtsplaats werd geleid 'verwekte God de geest van een
jongeling, genaamd Daniël. Die begon overluid te roepen: Ik wil
onschuldig zijn aan dit bloed! En al het volk keerde zich om en
vroeg hem wat hij met die woorden meende. Hij sprak: Zijt gij
van Israël zulke dwazen, dat gij een dochter van Israël veroordeelt,
eer dat gij de zaak onderzoekt en daarvan verzekerd wordt?
Keert weder voor het gerecht; want dezen hebben een vals
getuigenis gesproken.'
De wenende Suzanna en de rechters die tegelijkertijd haar
belagers zijn, zijn weergegeven op het moment van Daniëls
optreden. Boven de valse rechters verrijst het beeld van Justitia.

111
SUSANNA BROUGHT TO JUDGEMENT (Apocrypha,
Susanna and Daniel, vs. 42-49)
Pen with brown ink; 23.8 x 19.6 cm.
Oxford, Ashmolean Museum

During the exile of the Jews in Babylon Susanna, a virtuous
married woman, was molested in her garden by two elders of
her people who had that year been appointed judges. When she
refused to oblige them they accused her of adultery with an
unknown young man. Brought before court she was sentenced
to death on their evidence. When she was being led to the place
of execution 'God raised up the holy spirit of a young youth,
whose name was Daniel: and he cried with a loud voice, I am
clear from the blood of this woman. Then all the people turned
them toward him and said, what mean these words that thou
hast spoken? So he standing in the midst of them said, are ye
such fools, ye sons of Israel, that without examination or knowledge
of the truth ye have condemned a daughter of Israel? Return
again to the place of judgement: for these have borne false witness
against her.'
The weeping Susanne and the judges, her waylayers, are shown
at the moment of Daniel's intervention. Above the false judges
rises the image of Justitia.

Lit.: Hofstede de Groot, nr. 1133; Valentiner I, nr. 268 (ca. 1655); Parker 1938,
nr. 190; Benesch V, nr. 942 (ca. 1654); Willi Drost, Eine Handzeichnungsgruppe
aus der Rembrandtwerkstatt um 1655, Festschrift Schrade, Stuttgart 1960,
219 n. 8
Coll.: Chambers Hall

112
DE KRUISIGING (Johannes 19:28–30)
Pen en penseel in bruin, met wit gehoogd;
20.5 x 28.5 cm.
Parijs, Cabinet des dessins du Musée du Louvre

Bij deze tekening uit het begin van de vijftiger jaren is Rembrandt
uitgegaan van de compositie van de grisaille in de National
Gallery te Londen(Bredius 565). Een straf ritme van horizontalen
en verticalen beheerst de plaatsing van de drie Kruisen in het vlak.
De diagonaal van de lans met de spons met edik, die aan Christus
wordt gereikt, krijgt hierdoor extra betekenis als laatste handeling
vóór Zijn sterven. In de flauwe buiging van de hals van het paard
van de Centurio uiterst rechts klinkt het lijnenspel uit. Compositiegedachten die eerst in de ets 'De Drie Kruisen' (Hind 270;
Boon 244) tot volle ontplooiing zullen komen, zijn hier in eerste
aanleg bespeurbaar.

112
THE CRUCIFIXION (John 19:28-30)
Pen and brush with brown ink, heightened with white;
20.5 x 28.5 cm.
Paris, Cabinet des dessins du Musée du Louvre

When making this drawing at the beginning of the fifties Rembrandt
started from the composition of the grisaille in the National
Gallery in London (Bredius 565). A strict rhythm of horizontals
and verticals dominates the placing on the sheet of the three
crosses. The diagonal of the lance with the sponge soaked in
vinegar which is being passed to Christ thus acquires a special
meaning as the last act before his death. The play of lines excells
in the gentle turning of the head of the centurion's horse at the
extreme right. The germs of compositional ideas which were to
come to fruition in the etching 'The Three Crosses' (Hind 270;
Boon 244) can here be perceived.

Tent.: Amsterdam 1964/65, nr. 112 * Lit.: Hofstede de Groot, nr. 609
(ca. 1655); Valentiner II, nr. 489 (ca. 1650); Lugt, Louvre III, nr. 1118
(ca. 1650/55); Benesch III, nr. 652 (ca. 1946/50); Slive 1965 I, nr. 164
(ca. 1650/55)

113
DE VOETWASSING (Johannes 13 : 1–12)
Pen in bruin; 15.6 x 22 cm.
Amsterdam, Rijksprentenkabinet

Aan de maaltijd, die bekend is als het 'Laatste Avondmaal', stond
Christus op, omgordde Zich met een linnen doek en begon de
voeten der discipelen te wassen. Toen Hij bij Petrus gekomen
was, verzette deze zich tegen deze dienstbaarheid. Maar Christus
antwoordde: 'Indien ik U niet was, hebt Gij geen deel aan Mij'.
In deze weergave van één der gebeurtenissen uit de Passie, die
tot aan het begin van de zeventiende eeuw een kerkelijk gebruik
was in de broederschap der Doopsgezinden, heeft men wel een
bevestiging willen zien van het door de Italiaanse kunsthistoricus
Baldinucci (1686) overgeleverde bericht dat Rembrandt
Mennoniet zou zijn geweest (Rotermund). Tegen deze laatste
opinie, die door W. A. Visser 't Hooft, Rembrandt's weg tot het
Evangelie, Amsterdam 1956, 44-50, is weerlegd, spreekt het
feit dat Rembrandt in 1669 bij de doop van zijn kleindochter in
de Hervormde Kerk doopgetuige is geweest, een functie die alleen
door lidmaten mocht worden vervuld die 'zuiver in de leer' waren.
De diepe ernst waarmee Rembrandt de gebeurtenis heeft
uitgebeeld, duidt er op dat hij zich ten volle rekenschap heeft
gegeven van de sacrale betekenis van deze daad van dienende
liefde. Men mag in de tekening eerder een getuigenis zien van
Rembrandts zeer persoonlijk bijbels christendom, dat in deze
kritieke jaren, waarin Hendrikje Stoffels werd buitengesloten van
het Avondmaal, omdat zij een kind van Rembrandt verwachtte
zonder met hem getrouwd te zijn, gesterkt werd in de omgang met
een gelijkgestemde vriendenkring, waartoe de dichter Jeremias
de Decker en Abraham Francen hoorden (cf. Visser 't Hooft,
op. cit., 52 e.v.).

113
CHRIST WASHING THE FEET (John 13 : 1-12)
Pen with brown ink; 15.6 x 22 cm.
Amsterdam, Rijksprentenkabinet

*At the meal known as the 'Last Supper' Christ got up, girded
Himself with a linen cloth and began to wash the feet of his
disciples. When he came to Peter, the apostle protested against
this service, but Christ replied: 'If I wash thee not, thou hast no
part with me.'*
*In this rendering of one of the events from the Passion which,
until the beginning of the 17th century was church usage in the
Brotherhood of the Mennonites, some have wanted to see a
confirmation of the account handed down by the Italian art
historian Baldinucci (1686) that Rembrandt was a Mennonite
(Rotermund). This opinion, refuted by W. A. Visser 't Hooft,
Rembrandt's weg tot het Evangelie, Amsterdam 1956, 44-50,
is contradicted by the fact that Rembrandt at the christening of his
granddaughter in the Dutch Reformed Chruch in 1669 acted as
sponsor, a function accorded only to such members who were
'sound in the faith'. The deep earnestness with which Rembrandt
has rendered the event suggests that he was fully aware of the
sacred significance of this act of ministering charity.*
*The drawing should be seen rather as evidence of Rembrandt's
very personal Biblical Christianity which was strengthened in these
critical years — Hendrikje Stoffels was excluded from Holy
Communion because she was expecting Rembrandt's child
without being married to him — by associating with like-minded
friends, among them the poet Jeremias de Decker and Abraham
Francen (cf. Visser 't Hooft, op.cit., 52ff.).*

Tent.: Amsterdam 1932, nr. 320; Rotterdam 1956, nr. 214; Amsterdam 1964/65,
nr. 107 ∗ Lit.: Hofstede de Groot, nr. 1173 (ca. 1650/60); Valentiner II,
nr. 444 (ca. 1658); Henkel, nr. 69 (ca. 1656); Benesch V, nr. 931 (ca. 1653);
Sumowski 1961, 17; Rotermund 1963, nr. 215; Slive 1965 I, nr. 238 (ca. 1655)
Coll.: J. de Vos Jr.

114
JAEL EN SISERA (Richteren 4:21)
Pen en penseel in bruin, met wit gehoogd; 19 x 17.2 cm.
Amsterdam, Rijksprentenkabinet

Sisera, een veldheer der Kanaänieten is, vluchtend voor Barak,
de tent binnen gegaan van Jaël, een Israëlitische vrouw, die de
dodelijk vermoeide strijder gastvrijheid bood. 'Maar Jaël, de
vrouw van Heber, nam een tentpin, greep een hamer, trad zacht
op hem toe en dreef de pen in zijn slaap tot zij in de grond drong –
en hij stierf'.
Er zijn zestiende-eeuwse bronnen bekend, waardoor
Rembrandt zich in deze tekening heeft laten inspireren: een
gravure uit de Bijbel van Moerentorf (Van Rijckevorsel) en een
houtsnede van Lucas van Leyden (Tümpel), die op deze gravure
teruggaat. De helm van Sisera, die blijkens zijn vorm
geïnspireerd is door een Japanse helm, die tot Rembrandts
kunstverzameling behoorde (Urkunden, nr. 169, sub 158), is aan
de gravure ontleend. Een sprekend detail als het schild, waarop
Sisera is neergestort, is Rembrandts eigen inventie; de deken
waarmee Jaël Sisera toedekte, is onder hem gelegd. Rembrandt
veroorloofde zich variaties op de Bijbeltekst, wanneer het er om
ging het verhaal duidelijk voor ogen te stellen.

114
JAEL AND SISERA (Judges 4:21)
Pen and brush with brown ink, heightened with white; 19 x 17.2 cm.
Amsterdam, Rijksprentenkabinet

Sisera, a general of the Canaanites, fleeing from Barak, has entered
the tent of Jael, an Israelite woman who offers hospitality to the
weary warrior. 'Then Jael Heber's wife took a nail of the tent,
and took an hammer in her hand, and went softly unto him, and
smote the nail into his temples, and fastened it into the ground:
for he was fast asleep and weary. So he died.'
Some 16th century sources may have inspired Rembrandt when
making this drawing: an engraving from the Moerentorf Bible
(Van Rijckevorsel) and a woodcut by Lucas van Leyden
(Tümpel) which is based on the engraving. Sisera's helmet,
the shape of which seems to be inspired by a Japanese helmet
in Rembrandt's art collection, (Urkunden No. 169, sub 158),
is derived from the engraving. A telling detail like the shield on
to which Sisera has fallen is at variance with the Bible text; the
blanket with which Jael covered Sisera is put under him.
Rembrandt took liberties with the Bible text when he wanted
to represent a story more clearly.

Lit.: Hofstede de Groot, nr. 1253; Valentiner I, nr. 129 (ca. 1652);
J. L. A. A. M. van Rijckevorsel, Rembrandt en de Traditie, Rotterdam 1932,
193; Henkel, nr. 71 (ca. 1659); Benesch V, nr. 1042 (ca. 1659/60);
Slive 1965 II, nr. 437 (ca. 1657/60); Rotermund 1963, nr. 78; C. Tümpel,

Ikonographische Beiträge zu Rembrandt, Jahrbuch der Hamburger Kunstsammlungen XIII, 1968, 103 e.v.
Coll.: Martinus Nijhoff; C. Hofstede de Groot.

115

DE GENEZING VAN DE SCHOONMOEDER VAN PETRUS
Pen en penseel in bruin, met wit gehoogd;
17.2 x 18.8 cm.
Parijs, Institut Néerlandais, verz. F. Lugt

De genezing van Petrus' schoonmoeder is één van de wonderbare
genezingen die Jezus verrichtte aan het meer van Galilea, toen
hij zijn eerste discipelen geroepen had. 'En de schoonmoeder van
Petrus lag met koorts te bed en terstond spraken zij met Hem
over haar. En Hij kwam naderbij, vatte haar hand en richtte haar
op. En de koorts verliet haar en zij diende hen.'
In deze late Bijbelse tekening is de monumentaliteit van de figuren
zo groot, dat alle ruimteaanduiding overbodig wordt. Alleen de
strozak, waarvan de vrouw oprijst, is aangeduid. Door zware als in
steen gegrifte lijnen worden de figuren niet ruimtelijk begrensd,
integendeel, zij belichamen de atmosfeer (Benesch). De
intensiteit van het licht wordt gesuggereerd door de tegenstelling
tussen zware inktpartijen en het witte papier. De naar elkaar
toegewende profielen en de krachtige greep der handen maken
het heilig gebeuren herkenbaar.

115

CHRIST HEALING PETER'S MOTHER-IN-LAW
Pen and brush with brown ink, heightened with white;
17.2 x 18.8 cm.
Paris, Institut Néerlandais, F. Lugt Collection

Healing Peter's mother-in-law was one of the miracles Jesus
performed at the Sea of Galilee after he had called his first dis-
ciples. 'And when Jesus was come into Peter's house, he saw
his wife's mother laid, and sick of a fever. And he touched her
hand and the fever left her: and she arose, and ministered unto
them.'
In this late Biblical drawing the monumentality of the figures is
such that any indication of space has become superfluous.
Only the pallet from which the woman is rising is suggested.
The heavy lines, as if engraved in stone, do not form the boundary
lines of the figures in space, on the contrary, the figures are part
of the atmosphere (Benesch). The intensity of the light,
suggested by the contrast between heavily inked areas and the
white of the paper, together with the profiles turned to each other
and the powerful grip of the hands — all this makes the holy event
perceptible.

Tent.: Amsterdam 1964/65, nr. 98 * Lit.: Hofstede de Groot, nr. 188;
Valentiner I, nr. 413 (ca. 1650); O. Benesch, Rembrandt, Choix de dessins,
Parijs 1947, 28; Benesch V, nr. 1041 (ca. 1659/60); Benesch, Draughtsman,
nr. 97; Rotermund, 1963, nr. 169
Coll.: Fries; W. Bode; Max Liebermann; Paul Cassirer; Schaeffer-Galleries

116

ZITTEND VROUWELIJK NAAKT
Pen en penseel in bruin, op bruin papier; 22.2 x 18.5 cm.
München, Staatliche Graphische Sammlung

In verschillende perioden van zijn leven heeft Rembrandt
tekeningen, prenten en schilderijen met naakten gemaakt, meestal
vrouwelijke, maar omstreeks 1646 heeft hij met zijn leerlingen
ook naar het manlijk model getekend en geëtst (cat. nr. 76). Deze
studies werden soms toegepast in bijbelse en mythologische
voorstellingen. De groep tekeningen die in het midden van de
vijftiger jaren wordt gedateerd, staat dicht bij schilderijen als
Batsheba met Davids brief (cat. nr. 13) en De badende vrouw
(cat. nr. 14).
Het is opmerkelijk hoe Rembrandt de contour summier aanduidt
en door gebruik van het penseel een grote plasticiteit bereikt.

116

FEMALE NUDE SEATED ON A CHAIR
Pen and brush with brown ink, on brown paper; 22.2 x 18.5 cm.
Munich, Staatliche Graphische Sammlung

In various periods of his life Rembrandt made life drawings,
prints and paintings, mostly from the female nude but around
1646, together with his pupils, he drew and etched from male
models. These studies were sometimes used in Biblical and
mythological representations. The drawings from the middle of
the fifties are closely related to paintings such as Bathsheba with
David's Letter (Cat. No. 13) and A Woman Bathing in a Stream
(Cat. No. 14).
It is remarkable how Rembrandt gives a summary suggestion
of the outline and achieves great plasticity by the use of the
brush.

Tent.: Rotterdam 1956, nr. 240 * Lit.: Hofstede de Groot, nr. 502 (ca. 1661);
Benesch V, nr. 1107 (ca. 1654/56); Rosenberg 1959, 115; Haverkamp
Begemann 1961, 87; Scheidig 1962, nr. 128; Slive 1965 II, nr. 447
(ca. 1655); Wegner, nr. 27
Coll.: De Paltsgraven, Mannheim

117
LIGGEND VROUWELIJK NAAKT
Pen en penseel in bruin ; 13.5 x 28.3 cm.
Amsterdam, Rijksprentenkabinet

In tegenstelling tot de naaktstudie uit München (cat. nr. 116) heeft
Rembrandt hier voornamelijk de rietpen gebruikt. De contouren
zijn in afwisselend brede en fijne lijnen getekend en slechts op
enkele plaatsen is met het penseel wat schaduw aangebracht.
De grandeur van de lijnen, de sterke lichtwerking en de subtiele
schaduweffecten geven deze tekening een grote monumentaliteit.
Ook de plaatsing in het vlak draagt hier toe bij. Het blad is in
verband gebracht met de ets Jupiter en Antiope (Hind 302;
Boon 285) van 1659, maar kan niet als voorstudie worden
beschouwd.

117
FEMALE NUDE WITH HER HEAD BENT FORWARD
Pen and brush with brown ink ; 13.5 x 28.3 cm.
Amsterdam, Rijksprentenkabinet

In contrast with the nude study from Munich (Cat. No. 116)
Rembrandt has chiefly used the reed pen here. The lines of the
contour vary from broad to fine and only in a few places has
shadow been added with the brush.
The grandeur of the lines, the effects of the full light and the subtle
shadows give this drawing a great monumentality to which the
placing on the paper contributes. The sheet has been related to
the etching Jupiter and Antiope (Hind 302; Boon 285) of 1659
but it cannot be regarded as a preparatory study.

Tent.: Amsterdam 1932, nr. 336; Rotterdam 1956, nr. 241 ∗ Lit.: Hofstede de
Groot, nr. 1032 (ca. 1650/55); Henkel, nr. 42 (ca. 1658); Benesch V,
nr. 1137 (ca. 1657/58) ; Cornelius Müller Hofstede, Über die Bedeutung der
Pentimenti bei einigen Rembrandt-Zeichnungen, Kunstchronik X, 1957, 147;

Benesch, Draughtsman, nr. 93 ; Scheidig 1962, nr. 127 ; Slive 1965 I, nr. 88
(eind 50er jaren) ; White, Etcher, 185
Coll.: Sir Thomas Lawrence; W. Esdaile; S. Woodburn; R. P. Roupell;
J. P. Heseltine

118
JAN SIX SCHRIJVEND IN ZIJN BUITENVERBLIJF IJMOND (?)
Pen en penseel in bruin, enige correcties met witte dekverf,
13.5 x 19.7 cm. De bovenhoeken afgerond.
Parijs, Cabinet des dessins du Musée du Louvre

Frits Lugt heeft de jongeman, die hier zit te schrijven bij een
venster, dat over het IJ uitzicht biedt op het profiel van
Schellingwoude, geïdentificeerd met Jan Six, wiens buiten
IJmond – te oordelen naar een gedicht uit Antonides' Mengeldichten – aan de Diemerdijk naast de herberg Jaaphannes
zou hebben gelegen. Het uitzicht door het raam is dus
vergelijkbaar met het profiel van Schellingwoude op de tekening
in Chatsworth (cat. nr. 84), alleen is het meer van rechts gezien.
Te oordelen naar het zeer eenvoudige interieur met de lage bank
zou dit ook een gezicht uit de herberg Jaaphannes kunnen zijn.

118
JAN SIX WRITING AT HIS ESTATE IJMOND (?)
Pen and brush with brown ink ; some corrections with white
body-colour, 13.5 x 19.7 cm. The top corners rounded off.
Paris, Cabinet des dessins du Musée du Louvre

Frits Lugt has identified the young man writing, seated by a
window overlooking the IJ with a view of the Schellingwoude
silhouette, with Jan Six whose estate IJmond was situated
at the Diemerdijk next to the Jaaphannes inn – to judge by a
poem from Antonides's Mengeldichten. The view from the
window can thus be compared with the silhouette of Schelling-
woude in the Chatsworth drawing (Cat. No. 84), only it is seen
more from the right. Judging by the very simple interior with the
low bench this could also be a view from the Jaaphannes inn.

Lit.: Valentiner II, nr. 738 (ca. 1650) ; Lugt, Louvre III, nr. 1152 (1650/53) ;
Lugt, Amsterdam, 143/44 ; Benesch VI, nr. 1172 (ca. 1655) ; Haverkamp
Begemann 1961, 87 (ca. 1650/53) ; Slive 1965 II, nr. 497 (ca. 1655) ;
Clara Bille, Rembrandt and Burgomaster Jan Six, Apollo 1967, 260 e.v.
Coll.: Ravaisson-Mollien ; E. Moreau-Nélaton

119
HET ATELIER VAN REMBRANDT
Pen en penseel in bruin, met wit gehoogd;
20.5 x 19 cm.
Oxford, Ashmolean Museum

In een kamer in Rembrandts huis, waarschijnlijk de 'groote schildercaemer' zit het model, een vrouw met ontbloot bovenlichaam bij een tafel onder een venster, dat ter halver hoogte verduisterd is. Het licht, dat door de bovenramen naar binnen stroomt, vormt een tweede lichtbron op het naakte lichaam, op de witte muts en op de muur. Een hoge ezel is in tegenlicht gezien, rechts de silhouet van een schouw.
De tekening ontstond ongetwijfeld in samenhang met de ets 'Halfnaakte vrouw bij een kachel' (Hind 296; Boon 278), die 1658 gedateerd is. Een probleem, dat Rembrandt in de vijftiger jaren telkens weer heeft aangegrepen, de ontwikkeling van licht en atmosfeer om een figuur in een interieur, is hier met poëtische kracht tot uitdrukking gebracht.

Lit.: Hofstede de Groot, nr. 1136; Parker 1938, nr. 192 (ca. 1658); Benesch V, nr. 1161 (ca. 1655/56); Scheidig 1962, nr. 124; Erpel 1967, nr. 140
Coll.: Utterson; Chambers Hall

119
REMBRANDT'S STUDIO
Pen and brush with brown ink, heightened with white;
20.5 x 19 cm.
Oxford, Ashmolean Museum

In a room in Rembrandt's house, probably the 'groote schildercaemer' (the large studio), the model, a woman naked to the waist, is seated at a table under a window which is darkened half way up. The light pouring in through the upper panes concentrates on the body and the white cap and reflects on the wall. A high easel is seen against the light; on the right the contours of a chimney. The drawing was undoubtedly made in connection with the etching 'Half-Naked Woman by a Stove' (Hind 296; Boon 278) which is dated 1658. A problem which Rembrandt repeatedly tackled in the fifties – creating light and atmosphere around a figure in an interior – has here been solved with poetic strength.

120
SJAH JAHANGIR (?)
Pen en penseel in bruin en grijs, rode kalkpoeder, op Japans papier; 18.3 x 12 cm.
Amsterdam, Rijksprentenkabinet

Deze tekening maakt met de volgende deel uit van een verzameling natekeningen naar miniaturen uit de Moghulschool, die in Rembrandt's inventaris van 1656 als 'een album vol curieuse minijateurteeckeninge' worden beschreven (Urkunden, nr. 169 sub 203). Zij waren in de achttiende eeuw nog ten getale van 25 bijeen in de verzameling van Jonathan Richardson, wiens verzamelaarsmerk ook deze tekening draagt. Rembrandt voerde de copieën naar zijn miniaturen uit in de tijd omstreeks 1656, toen hij van zijn verzameling afstand moest doen. Zij zijn bijna alle op Japans papier getekend.

120
SHAH JAHANGIR (?)
Pen and brush with brown and grey ink, red chalk powder, on India paper; 18.3 x 12 cm.
Amsterdam, Rijksprentenkabinet

This drawing, and the next one, too, forms part of a collection of copies after miniatures from the Moghul-School, described in Rembrandt's 1656 Inventory as 'een album vol curieuse minija-teurteeckeninge' (an album with curious drawings of miniatures; Urkunden, No. 169, sub 203). In the 18th century 25 of them were still in the Jonathan Richardson collection; this drawing also has his collector's mark. Rembrandt made these copies of his miniatures around 1656 when he had to part with his collection. Almost all of them have been drawn on India paper.

Tent.: Amsterdam 1932, nr. 330 ✱ Lit.: Valentiner II, nr. 639; Benesch V, nr. 1191 (ca. 1654/56); J. Q. van Regteren Altena, De Schenking De Bruijn-van der Leeuw, Bulletin van het Rijksmuseum IX, 1961, nr. 2/3, nr. 38
Coll.: J. Richardson Sr., I. de Bruijn

121

121
SJAH JAHAN EN ZIJN ZOONTJE
Pen en penseel in bruin, op Japans papier; 9.4 x 8.8 cm.
Amsterdam, Rijksprentenkabinet

Voor deze tekening geldt hetzelfde als voor het voorgaande
nummer. De miniatuur uit de school van Sjah Jahan (regerend
van 1628–1658) die Rembrandt hier navolgde, is niet bekend.
Het profielportret ten halve lijve, was, onder Europese invloed,
de grote mode geworden aan het hof van Sjah Jahangir
(1605–1628).

121
SHAH JAHAN AND HIS LITTLE SON
Pen and brush with brown ink, on India paper; 9.4 x 8.8 cm.
Amsterdam, Rijksprentenkabinet

*The notes on the previous drawing apply here, too. The miniature
by one of the court-painters of Shah Jahan (who ruled from
1628-1658), which Rembrandt copied here, is not known.
Under European influence the waist-length profile portrait had
become very fashionable at the court of Shah Jahangir
(1605–1628).*

Lit.: F. Sarre, Rembrandts Zeichnungen nach Indisch-Islamischen Miniaturen,
Jahrbuch der Königlich Preuszischen Kunstsammlungen XXV, 1904, 143 e.v.;
Hofstede de Groot, nr. 1025; Valentiner II, nr. 645; Benesch V, nr. 1196
(ca.1654/56); J. Q. van Regteren Altena, De schenking De Bruijn-van der Leeuw,

Bulletin van het Rijksmuseum IX, nr. 2/3, 1961, nr. 39
Coll.: T. Hudson; J. Richardson Sr.; R. Houlditch; Selsey; R. P. Roupell;
J. P. Heseltine; H. Oppenheimer; I. de Bruijn

122
SLAPENDE VROUW
Penseel in bruin; 24.5 x 20.3 cm.
Londen, Printroom of the British Museum

De tekening met een slapende jonge vrouw, waarvan men heeft
vermoed dat ze Hendrickje Stoffels voorstelt, is niet ten onrechte
één van Rembrandts beroemdste bladen. Trefzeker zijn met enkele
brede lijnen van het penseel de vormen en het licht, de atmosfeer
en de rust verbeeld.

122
WOMAN ASLEEP
Brush with brown ink; 24.5 x 20.3 cm.
London, Printroom of the British Museum

*The drawing of a young woman asleep — supposed to be a
representation of Hendrickje Stoffels — is truly one of
Rembrandt's most famous sheets. With absolute confidence,
some broad strokes of the brush suggest the shapes and the
light, the atmosphere and the calm.*

Lit.: Hofstede de Groot, nr. 914 (ca. 1655); Valentiner II, nr. 713 (ca. 1657/60)
Hind, nr. 97 (ca. 1660/69); Benesch V, nr. 1103 (ca. 1655/56); Benesch,
Draughtsman, nr. 86; Slive 1965 II, nr. 525 (ca. 1655)
Coll.: James, J. Malcolm

123
SLAPENDE VROUW
Penseel in bruin; 14.4 x 11.5 cm.
Dresden, Kupferstichkabinett der Staatlichen Kunstsammlungen

Met dezelfde middelen als op de voorgaande tekening heeft
Rembrandt de slapende vrouw in het halfduister gehuld. Het is
een motief dat op verschillende verwante bladen voorkomt.
In een vroegere periode heeft Rembrandt zijn vrouw Saskia
vaak slapend getekend. Terwijl die bladen briljant in verschillende
technieken zijn gecomponeerd, is hier alleen met het penseel de
volkomen overgave aan de slaap weergegeven.

123
WOMAN ASLEEP
Brush with brown ink; 14.4 x 11.5 cm.
Dresden, Kupferstichkabinett der Staatlichen Kunstsammlungen

*With the same means as in the previous drawing Rembrandt has
shrouded the sleeping woman in semi-darkness. It is a motif
which appears on several related sheets. In an earlier period
Rembrandt had often drawn his wife Saskia asleep. While those
drawings are brilliantly composed in different techniques, it is
with the brush only that the complete surrender to sleep has been
pictured here.*

Lit.: Hofstede de Groot, nr. 256; Valentiner II, nr. 710 (ca. 1657); Benesch V,
nr. 1100 (ca. 1655/6); Scheidig 1962, nr. 136; Slive 1965 II, nr. 458
(ca. 1655/57)
Coll.: Selliers; A. Artaria

124

STUDIE VOOR DE ANATOMISCHE LES VAN DR. DEYMAN
Pen in bruin, sporen van rood krijt; 11 x 13.3 cm.
Amsterdam, Rijksprentenkabinet

Deze kleine schets geeft de oorspronkelijke compositie weer van
het grote schilderij met de anatomische les, waarvan het Rijksmuseum het fragment bewaart, dat in 1723 uit de vlammen werd
gered (Bredius 414). In de bijna symmetrische compositie staat
dokter Deyman in het midden en het lijk ligt in het verkort gezien
vóór hem. De uitbeelding van een sektie van de hersenen, terwijl
het hoofd niet van de romp is gescheiden, is als onderwerp uniek
(Cetto). Naast het lijk staat de collegemeester Gijsbrecht Mathijsz.
Calkoen met de kap van de schedel in zijn hand.
Er is verondersteld (Held, Van Regteren Altena), dat de tekening
na de voltooiing van het schilderij is ontstaan, omdat de lijst, een
gedeelte van een raam links en de balken onder het plafond ook
getekend zijn. De weergave van de lijst is echter te summier om
als ontwerp te worden gekenschetst. Waarschijnlijk is deze
tekening een voorstudie, die tevens een situatieschets is (Benesch).

Tent.: Amsterdam 1932, nr. 322 ∗ Lit.: Hofstede de Groot, nr. 1238; Valentiner II,
nr. 741; Henkel, nr. 37; J. Held, Rembrandt's 'polish' rider, The Art Bulletin 1944,
262, n. 140; J. Q. van Regteren Altena, Retouches aan ons Rembrandtbeeld, I, De zogenaamde voorstudie voor de Anatomische les van Dr. Deyman,
Oud-Holland 1950, p. 171 e.v.; Benesch V, nr. 1175; Sumowski 1961, 22;

124

STUDY FOR THE ANATOMY LESSON OF DR. DEYMAN
Pen with brown ink, traces of red chalk; *11 x 13.3* cm.
Amsterdam, Rijksprentenkabinet

This little sketch shows the original composition for the large
painting of the anatomy lesson of which the Rijksmuseum
owns the fragment saved from a fire in 1723 (Bredius 414).
In the almost symmetrical composition Dr. Deyman is standing
in the centre and the body lies, foreshortened, in front of him.
The representation of the dissection of the brain while the head is
not severed from the trunk is unique as far as subject matter goes
(Cetto). The lecturer Gijsbrecht Mathijsz. Calkoen stands next
to the body, holding the upper dome of the skull in his hand.
It has been suggested (Held, Van Regteren Altena) that the
drawing was made after the painting was finished because the
frame, part of a window on the left and the beams of the ceiling
have also been drawn. The representation of the frame is, how-
ever, too summary to be looked upon as a draft. This drawing is
probably a preparatory study which served at the same time as a
sketch for the placing (Benesch).

Gantner 1964, 152/53; Rosenberg 1964, 136/38; Slive 1965 I, nr. 281;
Clark 1966, 93/96; G. Wolf-Heidegger/Anna Maria Cetto, Die Anatomische
Sektion in bildlicher Darstellung, Basel/New York 1967, nr. 260
Coll.: J. Six

125

GOD KONDIGT ABRAHAM ZIJN VERBOND AAN
(Genesis 17 : 1–22)
Pen in bruin ; 19.7 x 22.6 cm. De bovenhoeken zijn afgerond.
Dresden, Kupferstichkabinett der Staatlichen Kunstsammlungen

Begeleid door twee engelen verschijnt God aan Abraham, die
zich voorover heeft laten vallen en zijn gezicht met zijn handen
bedekt. Het ogenblik is weergegeven waarop God zijn verbond
met Abraham sluit : 'Ik zal mijn verbond oprichten tussen Mij en u
en uw nageslacht in hun geslachten, tot een eeuwig verbond,
om u en uw nageslacht tot een God te zijn....' Door het motief
van Sara, op de achtergrond in de deuropening, aan de compositie
toe te voegen, herinnert Rembrandt aan het volgend moment van
het verhaal, waarin God Abraham een zoon van Sara belooft.
Het probleem God gestalte te geven werd door Rembrandt
opgelost met behulp van een voorbeeld uit de Italiaanse kunst
(Benesch). De Christusfiguur op Rembrandts ets Christus
verschijnt aan de Discipelen (Hind 237; Boon 268) is zeer
verwant aan deze Goddelijke verschijning. De ets is 1656
gedateerd.

125

GOD ANNOUNCES HIS COVENANT TO ABRAHAM
(Genesis 17 :1-22)
Pen with brown ink; 19.7 x 22.6 cm. Top corners rounded off.
Dresden, Kupferstichkabinett der Staatlichen Kunstsammlungen

*Accompanied by two angels, God appears to Abraham who has
let himself fall on his face covering it with both hands. The moment
of God announcing his covenant with Abraham is represented
'And I will establish my covenant between me and thee and thy
seed after thee in their generations for an everlasting covenant,
to be a God unto thee,...' By adding Sarah in the doorway in
the background, Rembrandt reminds us of the following part of
the story in which God promises Abraham a son by Sarah.
Rembrandt solved the problem of representing God by making use
of an example from Italian art (Benesch). The figure of Christ
in Rembrandt's etching 'Christ Appears to his Disciples' (Hind
237; Boon 268) is very similar to this Divine vision. The etching
is dated 1656.*

Lit.: Hofstede de Groot, nr. 197; Valentiner I, nr. 9 (ca. 1658/60); Benesch V,
nr. 1003 (ca. 1656); Sumowski 1961, 18 (ca. 1658); Slive 1965 I, nr. 142
(ca. 1657)

126
RIVIERLANDSCHAP
Penseel in bruin; 13.6 x 18.7 cm.
Parijs, Cabinet des dessins du Musée du Louvre

In de schemer spiegelen zich bomen en gebouwen in het water.
De ongewone romantiek van de impressie, die alleen met het
penseel tot stand is gebracht, heeft vroeger geleid tot twijfel over
de authenticiteit van de tekening. Op de achterkant echter staat in
Rembrandts handschrift een recept om etswater te maken.
Bovendien bevindt zich een tweede alleen met het penseel
vervaardigde landschapstekening in Kansas City (Benesch 1350).

126
RIVER LANDSCAPE
Brush with brown ink; 13.6 x 18.7 cm.
Paris, Cabinet des dessins du Musée du Louvre

In a twilight setting trees and buildings are reflected in the water.
The unusual romanticism of the impression, created by the use
of the brush only, led earlier to doubts as to the authenticity of
the drawing. However, on the verso is a recipe for making etching-
water, written in Rembrandt's hand. A second landscape drawing,
done entirely with the brush, is in Kansas City (Benesch 1350).

Lit.: Hofstede de Groot, nr. 763; Lugt, Louvre III, nr. 1202; Benesch VI, nr. 1351
(ca. 1654/55); Slive 1965 I, nr. 292 (ca. 1655); Benesch, Draughtsman, nr 71
Coll.: L. Bonnat

127

HET HUIS 'KOSTVERLOREN' IN VERVAL
Pen en penseel in bruin op bruin geprepareerd papier, met wit gehoogd; 10.4 x 17.3 cm.
Chicago, The Art Institute of Chicago

Het huis Kostverloren, in een brede Amstelbocht tussen de Omval en Ouderkerk gelegen, was een van de belangrijkste buitenplaatsen in de omgeving van Amsterdam. Het schilderachtige huis werd in de zeventiende eeuw door vele kunstenaars in beeld gebracht (Beerstraaten, Ruisdael en Hobbema). Rembrandt, die het huis Kostverloren vele malen heeft weergegeven, tekende het ditmaal van de achterzijde. Na een brand, omstreeks 1650, was het mogelijk door te dringen in de ommuurde achtertuin, waartoe een poortje, rechts zichtbaar, toegang gaf. De tekening moet ontstaan zijn kort vóór 1658, in welk jaar een request aan Weesmeesters toestemming vraagt om: 'Seeckere oude bouvallige sael en toorn genaemt Ruyschestein oft Costverloren af te breecken ende te vernieuwen ende de fundamenten anderhalf voet lager te leggen' (vriendelijke mededeling van mej. Dr. I. H. van Eeghen).

Tent.: Rotterdam 1956, nr. 173 * Lit.: Hofstede de Groot, nr. 320; Lugt, Amsterdam, 111/12; Benesch VI, nr. 1270 (ca. 1652); Slive 1965 II, nr. 466 (ca. 1650/52); I. H. van Eeghen, Rembrandt aan de Amstel, Amsterdam 1969
Coll.: Friedrich August II; W. J. R. Dreesmann

127

KOSTVERLOREN CASTLE IN DECAY
Pen and brush with brown ink, on brown prepared paper, heightened with white; 10.4 x 17.3 cm.
Chicago, The Art Institute of Chicago

Kostverloren castle, situated in a wide bend of the Amstel between the 'Omval' and Ouderkerk, was one of the most important estates in the surroundings of Amsterdam. In the 17th century the picturesque building has been represented by many artists (Beerstraaten, Ruisdael and Hobbema). Rembrandt, who has rendered it many times, here drew it from the rear. After a fire around 1650 it was possible to penetrate into the walled-in back garden, a small gate, visible on the right, giving access. The drawing must have been made shortly before 1658 in which year a request was made to Weesmeesters asking for permission: 'To pull down a certain old dilapidated hall and tower called Ruyschestein or Costverloren and to restore it and to lower the foundations by one and a half foot' (kindly reported by Dr. I. H. van Eeghen).

128

CHRISTUS OP DE OLIJFBERG (Lucas 22:43–44)
Pen in bruin, gedeeltelijk met de vinger uitgewreven, met witte
dekverf; 18.4 x 30.1 cm. Opschrift van een andere hand: Rembt.
Hamburg, Kunsthalle

Toen Christus zich op de Olijfberg had afgezonderd van zijn
discipelen 'verscheen een engel uit de hemel om hem kracht te
geven. En hij werd dodelijk beangst en bad des te vuriger.'
Terwijl rechts de discipelen in slaap zijn gevallen verschijnt in de
achtergrond Judas met de schare, die Christus gevangen zal
nemen.
De tekening wordt in verband gebracht met een kleine ets
(Hind 293; Boon 275) uit de vijftiger jaren (het laatste cijfer van
de datum is niet zichtbaar), die meestal c. 1657 wordt gedateerd.
De ets in hoog formaat is kleiner, Christus en de engel zijn niet in
spiegelbeeld weergegeven en de kelk ontbreekt. De dramatiek,
die uit de tekening spreekt, wordt op de ets nog verhoogd door
de concentratie van de motieven en doordat met de droge naald
een onheilspellend duister is gecreëerd.

128

CHRIST ON THE MOUNT OF OLIVES (Luke 22:43-44)
Pen with brown ink, partly rubbed out with a finger, with white
body-colour; 18.4 x 30.1 cm. Inscribed by another hand: Rembt.
Hamburg, Kunsthalle

When Christ had withdrawn from his disciples on the Mount
of Olives 'there appeared an angel unto him from heaven,
strengthening him. And being in an agony he prayed more
earnestly.' While the disciples have fallen asleep on the right,
Judas appears in the background together with the multitude
which was to take Christ prisoner.
The drawing is related to a small etching (Hind 293; Boon 275)
from the fifties (the last figure of the date is not visible), generally
dated c. 1657. The etching has a high format and is smaller; the
representation of Christ and the angel is not reversed and the
chalice is missing. The dramatic power of the drawing is still
greater in the etching because of the concentration of the motifs
and as a result of the ominous darkness created with the drypoint.

Tent.: Rotterdam 1956, nr. 217 * Lit.: Hofstede de Groot, nr. 344 (ca. 1657);
Valentiner II, nr. 454 (ca. 1660); Benesch V, nr. 899 (ca. 1652); Rosenberg
1959, 114; Haverkamp Begemann 1961, 57 (ca. 1657/58); Sumowski 1961,
16; Slive 1965 I, nr. 138 (ca. 1655/57); Christian Tümpel, Ikonographische

Beiträge zu Rembrandt, Jahrbuch der Hamburger Kunstsammlungen XIII,
1968, 95 e.v. (ca. 1652); White, Etcher, 1969, 96 e.v. (ca. 1657)
Coll.: E. G. Harzen

129

DE OPRICHTING VAN HET KRUIS
Pen en penseel in bruin, met wit gecorrigeerd;
17.9 x 21.1 cm.
Berlijn, Kupferstichkabinett der Staatlichen Museen

In deze late 'Kruisoprichting' heeft Rembrandt een jeugdthema
(zie cat. nr. 26) een nieuwe vorm gegeven. Met de vroege schets
heeft de rietpentekening vooral de bewegingsmotieven van de
rugfiguren gemeen, maar hier heeft Rembrandt gestreefd naar
méér waarheid (Rosenberg).
Behalve de mannen op de voorgrond zijn er drie mannen, die het
Kruis van achteren omhoogduwen. Halverwege het Kruis
omhoogziend maakt één man zich, door een blik vol smartelijk
ontzag, tot tolk van de gevoelens der omstanders, onder wie
alleen Maria herkenbaar is. Zoals blijkt uit een copie door een
leerling in de Koninklijke Bibliotheek te Turijn, vulde een figuur te
paard de rechterbovenhoek van de tekening, vóór ze werd
afgesneden (afb. bij Corrado Ricci, Rembrandt in Italia, Milaan,
1918, 81). Het is niet onmogelijk, dat Rembrandt dit zelf heeft
gedaan. Door het wegvallen van de ruiter valt véél meer de
nadruk op het Kruis en de Christusfiguur, waarin Rembrandt, in
zijn karakteristiek van het Lijden, de Christusfiguur van de ets
'De Drie Kruisen' (Hind 270; Boon 244) heeft overtroffen. De
Christus die hier gekruisigd wordt, heeft de Dood reeds
overwonnen.

129

THE RAISING OF THE CROSS
Pen and brush with brown ink, corrections with white;
17.9 x 21.1 cm.
Berlin, Kupferstichkabinett der Staatlichen Museen

In this late 'Raising of the Cross' Rembrandt has given a new
content to a theme from his youth (cf. Cat. No. 26). It is in particular
the pattern of movement of the figures seen from the back that
this reed pen drawing has in common with the early sketch,
but here Rembrandt has aimed at greater truth (Rosenberg).
Apart from the men in the foreground there are three men pushing
up the Cross from behind. One man looks up at Christ and his
expression of grief and awe seems to convey the feelings of the
bystanders among whom only Mary is recognisable. As can be
seen from a copy made by a pupil, which is now in the Royal
Library at Turin (ill. by Corrado Ricci, Rembrandt in Italia, Milan
1918, 81), a man on horseback appeared in the top right hand
corner of this sheet before it was cut off. It seems possible that
Rembrandt cut it off himself. By removing this horseman the
emphasis lies much more on the figure of Christ. In this represen-
tation of the Passion, Rembrandt has moved away from the spirit
in which the etching 'The Three Crosses' (Hind 270; Boon 244)
was rendered. The Christ being crucified here has already
overcome Death.

Tent.: Rotterdam 1956, nr. 216 * Lit.: Valentiner II, nr. 485 (ca. 1655);
Bock-Rosenberg, 227, Inv. 12013 (ca. 1655/60); Benesch V, nr. 1036
(ca. 1657/58); Rotermund 1963, nr. 229

130
ZELFPORTRET
Pen in bruin; 6.9 x 6.2 cm.
Rotterdam, Museum Boymans-Van Beuningen

Rembrandt, die een voorliefde had voor allerlei hoofddeksels,
·draagt hier een baret, die we ook van geschilderde portretten
kennen.
Welke bedoeling Rembrandt met deze studie heeft gehad, is niet
met zekerheid te zeggen. Het lijkt op deze rietpentekening ten
onrechte of Rembrandt links was. Dit is een moeilijkheid, die zich
steeds voordoet, wanneer een schilder een zelfportret maakt in de
spiegel. Alleen wanneer hij een zelfportret op de plaat etst, wordt
hij – door de omkering bij het afdrukken – weer rechts.

130
SELF-PORTRAIT
Pen with brown ink; 6.9 x 6.2 cm.
Rotterdam, Museum Boymans-Van Beuningen

*Rembrandt, who was partial to all kinds of head coverings, is
here wearing a beret which we know from painted portraits.
It is not possible to say with any degree of certainty what was the
reason for the study. This reed pen drawing makes it look as if
Rembrandt was left-handed. This is a difficulty inherent in making
a self-portrait in front of a mirror. Only when the artist etches a self-
portrait on to the plate does he become right-handed as a result
of the reversal in the printing process.*

Tent.: Amsterdam 1932, nr. 339; Rotterdam 1956, nr. 234 ✳ Lit.: Valentiner II,
nr. 666 (ca. 1657); Benesch V, nr. 1176 (ca. 1657/58); Erpel 1967, nr. 92
Coll.: I. W. Boehler, F. Koenigs

circa 1655/60

131

VROUW IN EEN LEUNSTOEL

Pen en penseel in bruin; 16.5 x 14.4 cm.
Londen, Printroom of the British Museum

Deze met de rietpen en het penseel gemaakte tekening is een van
de weinige voorstudies voor een portret, die we van Rembrandt
kennen.
De vrouw draagt een costuum uit de 16de eeuw (Popham).
Meestal gebruikte Rembrandt oude costuums wanneer hij
historische en bijbelse figuren schilderde of opdrachtgevers zich
als zodanig lieten portretteren (cf. cat. nr. 22). Het is mogelijk dat
Hendrickje Stoffels, die van ongeveer 1649 tot haar dood in 1663
met Rembrandt samenleefde, hier is voorgesteld.
Wanneer we haar vergelijken met de Badende Vrouw (cat. nr. 14)
treft ons vooral de overeenkomst in haarinplanting, haardracht en
hoofdsieraad.

131

WOMAN SEATED IN AN ARMCHAIR

Pen and brush with brown ink; 16.5 x 14.4 cm.
London, Printroom of the British Museum

This drawing made with reed pen and brush is one of the few
preparatory studies for a portrait that we know by Rembrandt.
The woman is wearing a costume from the 16th century (Popham).
Rembrandt mostly used old costumes when he painted historical
and Biblical figures or when he was commissioned to portray a
person in costume (cf. Cat. No. 22). It is possible that Hendrickje
Stoffels, the woman who from about 1649 until her death in 1663
lived with Rembrandt, was the model here. If we compare her
with the Woman Bathing in a Stream (Cat. No. 14) it is in particular
the similarity of the hairline, the coiffure and the head ornaments
which strikes us.

Lit.: A. E. Popham, A drawing by Rembrandt, The British Museum Quarterly XVI,
1951/52, 6/7 (1662/63); Benesch V, nr. 1174 (ca. 1655/56); Benesch,
Draughtsman, nr. 82

132
PORTRET VAN EEN MAN
Pen in bruin; 23.2 x 19.4 cm.
Amsterdam, Collectie Six

In brede met de rietpen getekende lijnen staat deze man voor ons.
Met zijn handen in zijn zijden valt zijn mantel wijd uit. Frontaal in
het vlak geplaatst is hij een getuigenis van Rembrandts
monumentale opvatting van het portret, zoals die ook in zijn
schilderijen in de vijftiger jaren tot uiting komt. De pogingen om
in de voorgestelde Jan Six of Titus te zien, zijn niet overtuigend.

132
PORTRAIT OF A MAN
Pen with brown ink; 23.2 x 19.4 cm.
Amsterdam, Six Collection

*This man, drawn with broad strokes of the reed pen, is facing us
squarely. He has his hands on his hips and his coat is opening
wide. Frontally placed on the sheet, he demonstrates Rembrandt's
monumental concept of a portrait — also evident in his paintings
of the fifties. Attempts to see Jan Six or Titus in the person
portrayed are not convincing.*

Tent.: Rotterdam 1956, nr. 253a * Lit.: Hofstede de Groot, nr. 1236 (ca. 1650);
Valentiner II, nr. 739 (ca. 1654); Benesch V, nr. 1181 (ca. 1662); Slive 1965 I,
nr. 222 (1655/60)
Coll.: Earl of Warwick

133
ZITTEND VROUWELIJK NAAKT
Pen en penseel in bruin, met wit gehoogd;
29 x 17.5 cm.
Amsterdam, Rijksprentenkabinet

In deze tekening, die rijk is gewassen, zijn de contouren zo
krachtig neergezet, dat ze gedeeltelijk met wit moesten worden
afgedekt. Het motief van de ontklede of half ontklede vrouw bij
een kachel is het onderwerp van een ets van 1658 (Hind 296;
Boon 278). Aangezien links en rechts, evenals op de achterkant,
met de liniaal lijnen zijn getrokken, heeft Rembrandt kennelijk
kasboekpapier gebruikt. Eén van de studies voor de Staalmeesters
(cat. nr. 137) is op hetzelfde soort papier getekend.

133
FEMALE NUDE SEATED
Pen and brush with brown ink, heightened with white;
29 x 17.5 cm.
Amsterdam, Rijksprentenkabinet

In this amply washed drawing the contours are so strongly put
down that they had to be covered-up in part with white.
The motif of a nude or semi-nude woman by a stove is the subject-
matter of an etching from 1658 (Hind 296; Boon 278). In view of
the fact that lines drawn with a ruler are at the left and right
and also on the reverse of the sheet, Rembrandt apparently used
a sheet from a cash book. One of the studies for the Syndics of
the Drapers Guild (Cat. No. 137) is drawn on the same sort of
paper.

Tent.: Amsterdam 1932, nr. 334; Rotterdam 1956, nr. 239 ∗ Lit.: Hofstede
de Groot, nr. 1201 (ca. 1660); Henkel, nr. 41 (1657/58); Benesch V, nr. 1142
(ca. 1660/61); Sumowski 1961, 21; cf. White, Etcher, 187
Coll.: Leiden, Prentenkabinet van de Universiteit

134

PORTRET VAN EEN MAN

Pen in bruin, met wit gecorrigeerd; 24.7 x 19.2 cm.
Parijs, Cabinet des dessins du Musée du Louvre

Deze tekening heeft dezelfde monumentaliteit, als de tekening in
de coll. Six (cat. nr. 132). Minder frontaal kijkt deze man ons aan.
De krachtige lijnen van de rietpen verhullen zijn armen en
handen. De grote donkere hoed op het hoofd met blonde
lokken bekroont zijn als een pyramide oprijzende gestalte. Een
getekend portret in Cambridge, Fogg Art Museum (Benesch,
Attribution 80a) heeft hetzelfde karakter en vormt met deze twee
bladen een hoogtepunt onder Rembrandts late tekeningen.

134

PORTRAIT OF A MAN

Pen with brown ink, corrections with white; 24.7 x 19.2 cm.
Paris, Cabinet des dessins du Musée du Louvre

*This drawing shows the same monumentality as the portrait
drawing in the Six Collection (Cat. No. 132). The man looks at
us slightly askance. His arms and hands are enveloped in the
strong lines of the reed pen. The large dark hat on his head of
blond locks crowns his bulk which rises like a pyramid. A drawn
portrait in the Cambridge Fogg Art Museum (Benesch, Attribution 80a) is similar in character and, together with these two
sheets, forms a peak in Rembrandt's late drawings.*

Tent.: Amsterdam 1932, nr. 315; Rotterdam 1956, nr. 253 * Lit.: Hofstede
de Groot, nr. 632 (1660/65); Valentiner II, nr. 743 (ca. 1660); Lugt,
Louvre III, nr. 1153 (ca. 1654/58); J. Rosenberg, A portrait drawing by
Rembrandt, Art Quarterly XVII, 1954, 81; Benesch V, nr. 1182 (1662/65)

135

HET EEDVERBOND VAN DE BATAVIEREN ONDER CLAUDIUS CIVILIS

Pen en penseel in bruin, met wit gecorrigeerd;
19.6 x 18 cm.
München, Graphische Sammlung

Deze voorstudie voor de Claudius Civilis (cat. nr. 21) is een belangrijk document voor de geschiedenis van het ontstaan van het schilderij. Zij geeft zowel een indruk van de oorspronkelijke compositie, als van verschillende ontwikkelingsfasen binnen de tekening: Claudius Civilis is hoger geworden en de man met de schaal is in tweede instantie lager geplaatst. Op het schilderij staat bovendien de figuur aan Civilis' linkerzijde verder van hem af en de man aan zijn rechterzijde heeft zijn platte hoed moeten verwisselen voor een hoofddoek. Al deze veranderingen doen de hoofdpersoon sterker uitkomen. De tekening kan ons ook een idee geven van de gedeelten, die van het schilderij zijn afgesneden: de overkoepelende ruimte, waar brede treden onze blik naar de bijna sacrale handeling leiden met links de samenzweerder met opgeheven hand en rechts twee rugfiguren. Op de voorgrond twee leeuwen, die de dieptewerking vergroten en de compositie afsluiten. De duistere ruimte, die op het schilderij verloren is gegaan, wordt door het gebruik van het penseel al gesuggereerd. Het papier is alleen daar niet gewassen, waar het centrum van de handeling is en waar op het schilderij de onzichtbare lichtbron de figuren in een onheilspellende gloed zet.

135

THE CONSPIRACY OF THE BATAVIANS UNDER CLAUDIUS CIVILIS

Pen and brush with brown ink, corrections with white;
19.6 x 18 cm.
Munich, Graphische Sammlung

This preparatory study for the picture of Claudius Civilis (Cat. No. 21) is an important document in the history of the painting. It gives an impression not only of its original composition but also of various phases in the development of the drawing: Civilis was raised and the man with the bowl was lowered. Furthermore, in the painting the figure at Civilis's left is moved a little further from him and the man on his right has his flat hat exchanged for a headscarf. All these changes help to make the main character stand out more. The drawing also gives us an idea of the parts which were cut off the painting: the dome-shaped space and the broad steps leading our eyes to the almost sacral act; on the left, the conspirator with raised hand and, on the right, two figures seen from the back. The two lions in the foreground increase the suggestion of depth and round off the composition. The dark space which the painting has lost is here already suggested by the use of the brush. The paper has not been washed in the centre of the action where, in the painting, the invisible source of light clothes the figures in an ominous glow.

Tent.: Rotterdam 1956, nr. 249 ∗ Lit.: cf. cat. nr. 21; Hofstede de Groot, nr. 409; Valentiner II, nr. 588; Benesch V, nr. 1061; J. Bruyn, Het Claudius Civilis-nummer van het konsthistorisk Tidskrift, Oud-Holland LXXI, 1956, 49 e.v.; O. Benesch, Rembrandt and ancient history, Art Quarterly XXII, 1959, 309 e.v.;

Benesch, Draughtsman, nr. 100; Haverkamp Begemann 1961, 53; Scheidig 1962, nr. 172; Gantner 1964, 165 e.v.; Slive 1965 II, nr. 450; Clark 1966, 98 e.v.; Wegner, nr. 28
Coll.: De Paltsgraven, Mannheim

136
STUDIE VOOR EEN VAN DE STAALMEESTERS
Pen en penseel in bruin, met wit gecorrigeerd;
19.3 x 15.9 cm.
Amsterdam, Rijksprentenkabinet

Drie getekende voorstudies voor de Staalmeesters in het Rijksmuseum (Bredius 415) zijn bewaard. De tekening in Berlijn
(Benesch 1178) is een fragment van de hele compositie
en de twee andere bladen zijn studies naar één figuur.
De zittende man, waarschijnlijk Jacob van Loon, is op het
schilderij links geplaatst. Om een picturaal effect te bereiken is de
tekening bijna helemaal gewassen. De stoffen mantel is sterk
geaccentueerd en de rand van de hoed is gedeeltelijk met wit
weer afgedekt. Een voorstudie als deze toont aan dat Rembrandts
groepsportret tevens een verzameling individuele portretten is.

136
STUDY FOR ONE OF THE SYNDICS OF THE DRAPER'S GUILD
Pen and brush with brown ink, corrections with white;
19.3 x 15.9 cm.
Amsterdam, Rijksprentenkabinet

There are three drawn preparatory studies for the Syndics of the
Drapers' Guild in the Rijksmuseum (Bredius 415). The drawing
in Berlin (Benesch 1178) is a fragment of the whole composition
and the two other sheets are studies for one figure each.
The seated man who is probably Jacob van Loon, is placed left
in the painting. To achieve a painterly effect the drawing is almost
entirely washed. The coat is strongly accentuated and the edge
of the hat is partly covered-up with white. A preparatory study
like this one shows that Rembrandt's group portrait is, at the
same time, a collection of individual portraits.

Tent.: Amsterdam 1932, nr. 340; Rotterdam 1956, nr. 256 ∗ Lit.: Hofstede
de Groot, nr. 1180; Valentiner II, nr. 745; Henkel, nr. 44; I. H. van Eeghen,
De Staalmeesters, Oud-Holland LXXIII, 1958, 80 e.v.; Benesch V, nr. 1179;
Slive 1965 I, nr. 243; H. Kauffmann, Die 'Staalmeesters', Kunstchronik X
1957, 125 e.v.
Coll.: H. Behmer

137
STUDIE VOOR EEN VAN DE STAALMEESTERS
Pen en penseel in bruin, met wit gecorrigeerd;
22.5 x 17.5 cm.
Rotterdam, Museum Boymans-Van Beuningen

Deze voorstudie onderging meer wijzigingen in het schilderij dan
de zittende man. Het staan op de tekening is veranderd in een
opstaan (of gaan zitten?), waardoor een beweging in de
compositie is gebracht. Met de linkerhand houdt hij op de tekening
zijn handschoenen vast en in de rechter een boek, dat op het
schilderij naar zijn linkerhand is verplaatst. Evenals bij een naaktstudie (cat. nr. 133) heeft Rembrandt gebruik gemaakt van
papier uit een kasboek.
Deze staalmeester, waarschijnlijk Volckert Jansz., is voornamelijk
met het penseel uitgevoerd, in krachtige streken. De lege linker
benedenhoek, die op het schilderij door de zittende man wordt
ingenomen, bewijst dat Rembrandt de compositie van het geheel
reeds voor ogen had.

137
STUDY FOR ONE OF THE SYNDICS OF THE DRAPER'S GUILD
Pen and brush with brown ink, corrections with white;
22.5 x 17.5 cm.
Rotterdam, Museum Boymans-Van Beuningen

This preparatory study underwent more alterations in the painting
than that of the seated man. The standing posture of the drawing
is changed into one of rising (or sitting down ?) which brings
movement into the composition. In the drawing he holds his
gloves in his left hand and in his right a book which, in the painting,
is in his left hand. As in the case of the study of a nude (Cat.
No. 133) Rembrandt here used paper from a cash book.
This Syndic, probably Volckert Jansz., has been drawn mainly
with powerful strokes of the brush. The empty left hand corner,
taken up in the painting by the seated man, proves that Rembrandt
already had an idea of the composition as a whole.

Tent.: Amsterdam 1925, nr. 613; Amsterdam 1932, nr. 341; Rotterdam 1956,
nr. 255 ∗ Lit.: Valentiner II, nr. 746; Benesch V, nr. 1180; A. van Schendel,
De schimmen van de Staalmeesters, Oud-Holland LXXI, 1956, 1. e.v.;
Benesch, Draughtsman, nr. 102.
Coll.: Lansdowne; H. E. ten Cate; F. Koenigs.

circa 1661/63

138
HOMERUS DICTEERT EEN SCHRIJVER
Pen en penseel in bruin, met wit gehoogd, met grijs en bruin gewassen (deels door latere hand); 14.5 x 16.7 cm. De bovenhoeken zijn afgerond
Stockholm, Nationalmuseum

De blinde Griekse dichter, op het schilderij Aristoteles met de buste van Homerus (cat. nr. 11) als borstbeeld weergegeven, dicteert zijn gedichten aan een schrijver. Het 1663 gedateerde schilderij in het Mauritshuis, Den Haag (Bredius 483), waarvoor deze tekening een voorstudie is, werd, evenals de Aristoteles, gemaakt in opdracht van de Siciliaanse edelman Don Antonio Ruffo. Alleen het gedeelte met het portret is bewaard gebleven. In de Inventaris van 1656 worden zowel een 'Homerus' als een 'Aristoteles' genoemd, beide waarschijnlijk naar Romeinse borstbeelden (Urkunden, nr. 169, sub 163 en 164).
In de Inventaris van Ruffo worden behalve Homerus twee 'leerlingen' op het schilderij beschreven; één figuur, die niet op de tekening voorkomt, is dus later toegevoegd.

138
HOMER DICTATING TO A SCRIBE
Pen and brush with brown ink, heightened with white, grey and brown wash partly by a later hand; 14.5 x 16.7 cm. The top corners have been rounded off
Stockholm, Nationalmuseum

The blind Greek poet, represented as a bust in the painting 'Aristotle contemplating the Bust of Homer' (Cat. No. 11), is dictating his poems to a scribe. The painting from 1663 in the Mauritshuis in The Hague (Bredius 483), for which this drawing is a preparatory study, as well as the Aristotle were commissioned by the Sicilian nobleman Don Antonio Ruffo. Of the painting only the portrait itself has been preserved. In the 1656 Inventory a 'Homer' and an 'Aristotle' are mentioned, both probably after Roman busts (Urkunden, No. 169, sub. 163 and 164). In the Ruffo Inventory the description of the painting includes, apart from Homer, two 'pupils'; a figure not shown in the drawing was thus added later.

Tent.: Rotterdam 1956, nr. 254 * Lit.: cf. cat. nr. II; Valentiner II, nr. 567; Kruse V, 4, 91 e.v.; C. Müller Hofstede, Die Rembrandt-Ausstellung in Stockholm, Kunstchronik IX 1956, 94; Benesch V, nr. 1066; W. R. Valentiner, Rembrandt and Spinoza, Londen 1957, 64 e.v.; O. Benesch, Rembrandt and ancient history, Art Quarterly XXII, 1959, 328 e.v.; Rosenberg 1964, 283 e.v. Coll.: J. I. Sergel

139
DE KAROS
Pen en penseel in bruin; 19.4 x 25.4 cm.
Londen, Printroom of the British Museum

Het 17de-eeuwse rijtuig, de karos, heeft een baldakijnvormig dak
en portieren, waarin als een soort van strapontin een zitplaats is
uitgebouwd. Het dak en de wanden zijn meestal van leer. De
koets heeft een lange disselboom en een hoge met stof beklede
bok.
De tekening is altijd beschouwd als een voorstudie voor de koets
op het Ruiterportret in de National Gallery in Londen (Bredius
255), dat in de zestiger jaren (1663?) wordt gedateerd. Op de
achtergrond van het schilderij rijdt de wagen, met reizigers,
palfreniers en een koetsier onduidelijk zichtbaar door de nacht.

139
A COACH
Pen and brush with brown ink; 19.4 x 25.4 cm.
London, Printroom of the British Museum

The 17th century vehicle, the coach, has a canopy and doors
into which a sort of bracket-seat is built. The roof and the sides
are usually made of leather. The coach has a long shaft and a high
box covered with fabric.
The drawing has always been looked upon as a preparatory study
for the coach in the 'Man on Horseback' in the London National
Gallery (Bredius 255) which is thought to date from the sixties
(1663 ?). In the background of the painting, indistinctly visible,
the coach with travellers, grooms and a coachman rides through
the night.

Litt.: Hofstede de Groot, nr. 966; Hind nr. 71 (ca. 1649); Benesch IV, nr. 756
(ca. 1649); Rosenberg 1959, 113 (ca. 1655); Haverkamp Begemann 1961,
55 (ca. 1655); Sumowski 1961, 14 (ca. 1655); Scheidig 1962, nr. 97;
Slive 1965 I, 124 (ca. 1655)
Coll.: R. Payne Knight

Rembrandt

CONCORDANTIE tussen de nummers van de tekeningen-catalogus van Benesch en de nummers van deze catalogus

Benesch		Benesch		Benesch		Benesch	
3	26	442	54	844	90	1172	118
6	25	455	29	845	80	1174	131
31	27	456	33	847	94	1175	124
41	28	457	46	886	105	1176	130
54	24	459	45	887	104	1179	136
73	42	464	47	890	101	1180	137
97	40	479	60	899	128	1181	132
108	41	518a	66	913	109	1182	134
115	32	518b	67	931	113	1191	120
137	49	519	65	936	110	1196	121
154	53	522	43	942	111	1211	106
165	59	541	68	944	100	1215	107
250	35	557	70	947	102	1218	89
255	34	564	69	948	103	1229	83
283	57	638	81	1003	125	1233	87
292	36	643	82	1036	129	1234	86
293	38	652	112	1041	115	1239	84
295	39	684	50	1042	114	1249	85
311	77	710	76	1061	135	1263	93
313	44	736	61	1066	138	1270	127
315	51	756	139	1100	123	1282	88
324	48	757	55	1103	122	1297	74
340	37	763	75	1107	116	1310	95
365	52	800	30	1137	117	1321	91
391	31	823	72	1142	133	1333	96
407	63	824	73	1154	98	1335	97
409	62	826	71	1156	99	1351	126
426	58	832	78	1161	119	1353	92
441	56	837	79	1171	108	A 10	64

CONCORDANCE between the numbers of Benesch's Catalogue of Drawings and the numbers of the present catalogue

REGISTER VAN INZENDERS *INDEX OF LENDERS*

INHOUD   *CONTENTS*

typografie   Dick Elffers

druk   Meijer Wormerveer n.v.